林慶彰 總策畫
民國時期稀見期刊彙編
第一輯

政學科研究年報④
（法律政治、經濟篇）

臺北帝國大學研究年報
第十九冊

政學科研究年報

第四輯

臺北帝國大學文政學部

臺北帝國大學文政學部 政學科研究年報 第四輯

第一部 法律政治篇目次

ナチス全體主義國家の理念とドイツ基督教會

堀　豐　彦

目次

まへがき

[illegible]ヒットラー(Adolf Hitler)の『國民社會主義獨逸勞働者政黨』(Nationalsozialistische Deutsche Arbeiter-Partei; N. S. D. A. P.)の擡頭は、單に獨逸政治に於けるのみ[illegible]近世政治史上に於ける活目に値する大事件であつた。尤も、ベニト・ムッソリーニ(Benito Mussolini)のファッシオ政權の樹立に比較すれば、ヒットラーのナチス政權は、時間的には必らずしも驚歎には値しないかも分らない。即ち、イタリー・ファッシオ政權は一九一九年より算定すれば、三年にして、又若し一九二四年より數へれば、八年にして到來した。然るに、ドイツ・ナチス政權の確立は、ヒットラーが宰相の印綬を佩びたる時、卽ち一九三三年一月三〇日を以てしてみても、なほ十四年を要したこととなるのである。しかも當時彼はパーペン(Papen, Franz von)及フーゲンベルグ(Hugenberg, Alfred)との聯立內閣を以て、滿足しなければならなかつたのである。彼が、宰相と大統領との職を兼攝して、これを國民一般投票に問うたのは、越えて翌年一九三四年九月一九日であつたのである。斯くの如くドイツ・ナ

チス政權の確立はイタリー・ファッシオ政權の夫れよりも長年月を要した。それには種々なる要因・事情が存在するであらう。併乍ら、由來集權主義的志向に富み乍らも、兎角、相當に黨派的に傾く獨逸民族、特に歐洲大戰後嘗ては大小三十有餘の政黨の分裂對立を展開したる獨逸政界の實情を思ひ、しかもこれらの大小政黨の各々が夫々獨自の世界觀を擁して相對峙し、容易に相讓る所なかりしことを念頭において考ふればナチス政權が短年月間に、ともあれ、政界分野の統合・統一は言ふまでもなく、更に經濟的、文化的、其他諸方面の社會部門の各分野を、殆んど先づ全面的に統合・統一したる基調の上に成立を遂げたと言ふことは、確かに活目に値する事象と言はねばならない。

併し、わたくしは茲にヒットラー運動の由來や、その綱領等に就て記述する心算はない。それらに就ては既に多くの論究・紹介が公刊せられて居るのであるから、茲にはそれらを述ぶるの必要はないと考ふるからである。わたくしが以下考察しようと庶幾する所は、ナチス政權確立、就中その誇稱する所の所謂全體主義（Totalität）が、謂はるるが如き誇稱に値するであらうかと言ふ點を最後の留保點となして、この政權の下に展開せられし所謂國家對教會の問題に瞥見を投じようと思ふのである。そして、此場合この問題を言ふ迄もなく、宗教教義史的課題としてではなく、又、單に政治史的としてでもなく、いささか國家學的な同時に政治學的課題として、考察し、玆に政治學的意義を掬み取らうと希ふのである。斯る希求の據つて以て生じたる一つの素因は、ナチス運動に關係あるさまざまなる問題に就ては、既に我國に於ても問題とせられ、多くの論究・紹介・批判が出てゐるのであるが、わたくしの寡聞を以てすれば、本小稿の如き課題に就ての、社會學的な或は國家學的な、そして政治學的なる意圖と意味とをもつ考察は、未だ差程多くは現はれては居らないと思ふのである。無論、既現の諸種の論究に此種のものが絶無であると言ふのではないことは斷るまでもあるまい。また、この問題に後述するであらう如く、尠からざる關聯を有する所の、人種・民族問題を、或は宗教學、或は社會學の夫々の立場から取扱はれたるものがあり、夫等は本小論に深く關聯するものがあるのである。斯ることはわたくしも決して無視して居るのではなく、夫等の多くのものに教へらる所、深く多大であることは當初に言明しておかなければならない。[註1]

註(1) 例へば、
石原謙博士『獨逸に於ける教會統一とユダヤ人問題』(セルパン・昭和九年一〇月號)

今中次麿教授　危機の文化と宗教、及びその他

加田哲二教授　『ナチスと民族・人種問題――その思想史的運動史的背景を中心として――』(日本社會學會年報・社會學第二輯)及その他

轉じて、所謂國家對教會の問題、特に近時ナチス治下に於て展開せられし、且又今なほ持續しつつある、この種の對立・抗爭は何等の政治的意圖を有するものではなく、隨つて何等の政治學的意義の考察を必要とする體の內容を有せざる事象であるとの思惟・思想も絕無ではないであらう。併乍ら、現時ナチス治下に於けるこの種の葛藤が、假に何等直接的なる政治目的をもたざるものであるとしても、それは或は直接的に或は間接的に何等の政治的結果を有せずとは斷定し難いのである。人は歐洲に於て基督敎會が遠く中世期初期以來占據し來たれる社會的地位、或は社會的集團としての敎會の性質などを考へ、且つ國家對敎會のもろもろの關係竝に抗爭の思想・理論と其史實とに想到すれば、この所謂國家對敎會の問題は、政治學的意義を豐に備へ來たれることを疑ふことは出來難いのである。況んや、マルチン・ルッター(Martin Luther)の祖國・獨逸にあつては、プロテスタント敎會、就中、ルッター敎會は、國家の庇護と、又は國家との堅き提携の下に、其存立を完ふし得て、發展を

遂げ來つたのであり、且又、近世に於ける獨逸新興國家が其成立發展の爲には、プロテスタント教會に負ふ所が尠くなかつた史實を考ふれば、一層其觀を深くせざるを得ないであらう。[註2] スメンド(Rudolf Smend)の如き公法學者も、現代獨逸國家がその歴史的特徴を受けてゐる所の、精神的力の中に、プロテスタンチズムが第一位に立つことを説き、獨逸にありては福音教會(Evangelische Kirche)即ちプロテスタント、就中、ルッター派教會と國家とは、極めて明確なる關係を有することを説いて居る。[註3]

斯樣にこの國に於ては、教會と國家との關係は密接であるが、これは現時ナチス治下にありては、後述するであらう如く、益〻兩者の接近、否、合體すら高調せられるに至つて、居るのである。それはまた、ナチス第三帝國の全體主義國家觀の當然の歸結でもある。啻にナチス獨逸のみならず、祖國愛と宗教的信念とを結合せしめて、國家的國民的組織を强化するといふことは、昔ながら久しく諸々の國に於て、努力せられ來つたことである。此種の兩者の結合が早くも古く、ローマ帝國時代に成功したが故に、此種の理念は由來「獨裁主義」(Caesarism)に固有なるものとして、考へらるるに至つたのである。獨裁主義と必らずしも限定しなくとも、國家主義乃至國民主義——Nationalism——は本來廣義に於ける宗教的要素乃至觀念なしには、成立しないとは學者の說く所である[註4]。

社會生活、而して又、國家生活と宗教生活、否更に進んで、教會との間に近密なる關係を、久しく持續して發展し來たれる、歐洲諸國にあつては、國家對教會の抗爭は、當然に深甚なる、社會的政治的結果を伴ふこと、事更に斷る迄もない所である。實に、ファッシズムやヒットラーチシムに現はれた一般的志向が、統合乃至統一に就ける全體主義の高揚を以て進展し來たれるに當つて、夫等の志向が、更に宗教の理念に對するのみならず、更に進んで、宗教制度に對してすら、明確なる關與を及して來るであらうと云ふことは敢て、危しむに足らない事象であつた。國家全體主義の根基の上に、ひとしく成立發展せる國家であり乍ら、ロシャに於ては、宗教を破壞し、根絕す可く努力が拂はれたるに對し、伊太利や獨逸に於ては、宗教に對し、隨つて教會に對して前者とは、或る意味に於ては云はば反對の態度・方策を以て臨んだと云ふこと、其處には複雜なる事情や理由が存在するであらうが、確に其主要なる要因の一つは、ロシャに於けるギリシャ・カソリック教會(Greek Catholic Church)の性質に依存する所が多大であつた。

これに對して伊太利に於ては、宗教を過度に壓迫することなくして、宗教への政治の不干渉を計つた。 伊太利に於ては、ローマン・カソリック教會（Roman Catholic Church）は、流石に其本據を占むるに適はしく、動搖をみること、比較的僅少であり、ファッシズムの統合主義もこれに對してはその全能力を提示し得ない。 他方、この國に於けるプロテスタントは、カソリックに比しては過重の壓迫を嘗めて居るが、現在はファシストの羅馬進軍當時よりは稍〻事體、好轉して居る。 併乍ら、ファシズムの精神・主義は、眞正の個人的良心或は人格や、その他思想行動の自由に對しては、言ふ迄もなく壓制的であるが故に、宗教、就中、基督教、しかもプロテスタンチズムが基本的なるものとして特別に顧慮する所の、人格・良心の自由の理念とは本來牴觸するものであることは念頭に置かねばならない。[註5]

さて、此種の問題は現時、いづくの國に於けるよりも、ナチス獨逸に於て最も尖鋭化して居り、隨つて又教會對國家の問題に就ける研究に最も積極的な且つ明瞭なる舞臺を展開して居る。 此國にては、ロシヤに見る樣な宗教の排除が企てられるのでもなく、伊太利に於ける樣な、分離的なる型相でもなく、實にイデオロギーの點からも、亦組織の點からも、教會に對する侮蔑的なる計畫的なる冒瀆が觀られるのである。 此事象は一般の人々、卽ち斯る事象の妥當する世界に就ける意義を理解しない者、或は此分野の情勢に關して顧慮を拂はざる者等に取つては、事體は極めて末梢的現象の如く考へられるかも分らない。併乍ら宗教の世界の獨自性を深く念ずる者や、苟も、ナチス革命の意義、その指導精神を理解するに及んでは、該事象の内藏する意義は極めて重要性の存する事を疑ひ得ないであらう。吾々が此問題を採上げていささか考察しようと欲する所以は、この樣な意義からである。其處には國家觀に就ける本質的問題が含有せられて居り、國家對教會と云ふ兩者の對立・抗爭の間には社會科學的な隨つて政治學的理論に對する一つの解明が與へられる。此等が、本課題を問題にせんとする本稿の微意なのである。

なほ、傳へらるる所に依れば、[注6]本小論が取扱はんとしてゐる問題即ちナチス的宗教統制が後述するであらう如く、ドイツ・プロテスタント教會の判然たる反對・抗爭の根深き故に、ヒットラー總統も『宗教界の强腰につひに兜をぬぎ、十六日――二月十六日筆者註――總統令を公布、福音教會に對し「教區統制權」を復活せしめる旨聲明、宗教ナチス化運動を撤回するに至つた」と言ふことである。わたくしは、此報道に關する源泉的報道の文獻や文書には、まだ接して居らない。隨つて、今にはかに、この簡單なる報道に依つて、全般的な且つ最終的なる判斷をくだすことは差控へなければならない立場にある。併し、わたくしは、本稿が論究するであらう如き、もろもろの要因・事情大勢よりして、斯く傳へらるるが如き狀態が早晩一度は生起するであらうとは、ひそかに、併乍ら堅く、信じ豫想してゐたのである。隨つて、このことを斷定する資料に、未だなほ事缺ぐ狀態にあることを再度述べると共に、ともあれ、斯る報道のあつたこと一言附言しておきたい。

註（2）拙稿「宗教改革と近世的政治思想」（臺北帝國大學文政學部政學科研究年報第一輯）

註（3）Smend, Rudolf, Protestantismus und Demokratie, in "Krisis Politisches Manifest", 1931. ss. 182-183.

註（4）Barker, Ernest, National Character, 1927. Chap. VII. The Religious Factor and the Influence of Church.

註（5）Borgese, G. A., Intellectual Origin of Fascism, in "Social Research" vol. 1. No. 4, p. 458.

註（6）東京朝日新聞紙　昭和十二年（一九三七年）二月十七日

二 ナチス全體主義國家

I 全體主義國家の理念及その生起

本稿課題の考察に剴切なる關係を基本的に有するものは全體主義國家觀の生起である。この意味の限りに於て、吾々は先づその點に暫く瞥見を試みようと思ふ。

すべて、歴史的事象の中には該事象發生の地盤をなす、特定の社會狀態の特徵を成す所の何等か固有の構成的勢力が存在する。併乍ら又同時に、歴史的事象の中には偶然性、自然的發生、特殊個人の活動とか或は外部的歴史的事件の影響等が存在しないと言ふのではない。今ここに、ナチス獨逸の全體主義國家の理念と、その具體的實踐とを理解する爲には、現時社會情勢の構成的必然性より之を推論し、以て之をその廣き歴史的聯關に於て理解しなければならないであらう。斯く言つても、これは該事象發生に關して、何等の偶發的現象がなかつたと言ふのではない。

唯、その爲には特定の固有の構成的勢力が、その理論的表現を全體主義國家の理念の中に顯現し、且又その具體的實現を、斯る國家の具現への努力の内に有すると言ふ點を述べたいのである。

構成的法則やそれらの結果する所の歴史的必然が一般的であれば、ある程、それらの發現する範圍は大となる。これに對して、それらが個別的であり、限定的である限り、その範圍は小となる。この廣狹二樣の觀點に留意することは歴史的考察に從事する場合、必然である。廣義の觀點からは斯る理念は、必然性並に歴史的世界の意義と同樣に、根本的意義を具有すると觀られる。併乍ら、より限定的範圍に於ては、其意義の重要性は減退し、それは暫定的な偶然的現象の性質を形成する。現時の研究者に取つては、この重要性の如何なる見透し、評價が、或はどの程度の必然と偶然との混淆が、妥當なりやに就ての確信は抱き難いが故に、人は自己のなし得る可能性ある必然を彩色し得る限りの程度に、彼自身の歴史を彩色せざるを得ないのである。そこには偶然の支配する餘地はなほ存在する。斯くの如きことは全體主義國家の理念の生起する態樣に依つてのみならず、それを敎會並に敎會の主張との抗爭に依つても、必要とせられるのである。

そもそも國家對教會の葛藤は根本的なるものであり、基督教の昔乍らの基本問題に觸るるものであるが故に、歐米諸國にありてはこれは極めて廣範圍の問題に關聯するのである。基督教會は今や、ナチス獨逸治下に於て羅馬帝國との葛藤以來、嘗て經驗せざりし程の反對勢力との抗爭に遭遇したと言ふ可きである。この樣な爭鬪が今は獨逸國内に於て展開せられて居るけれども、それは基督教會に取つて、なほ一般的な、しかも基本的な意義を有するものであるからして、このことは現代社會の一般的解明の觀點からのみ理解せらる可きものである。[註7]

註(7)　Tillich, P., The Totalitalian State and the Claims of the Church (Social Research vol, I. pp. 405—406)
　因に本稿はこの論究に敎へらるる所深きものである。

かの世界大戰以後、就中其後の世界的經濟恐慌の後、資本主義の機構は安定を益益缺き、隨所に其缺陷を暴露した。大戰前及大戰中は資本主義の發展、擴大に依つて齎らせられて、世界は經濟的分野に於ても、政治的分野に於ても、一般的なる相互的依存關係が、兎も角も形成せられて居つたのである。世界の政治的、經濟的組織は斯樣に近密なる相互關係を有したが故に、任意の隨所の一角に對する傷害は勢ひ全機構に對して重大影響を波及せしむる可能性があつた。隨つて、經濟的安泰と平和とはもろもろの國家の共通的關心事であつた。併乍ら同時に、當時に於ても幾分感知せられて居つたことは、後進資本主義の基礎の上に於ける世界經濟的なる安定と平和とは、早晩行詰となるの運命を有すると言ふことであつた。そこで次期階梯として、各國家、各民族に即する所の所謂ブロック形態が經濟の分野には固より、政治の分野にも生起する要因を見出したのである。斯樣な政治的な、又、經濟的なる分野に於けるブロック的形態が、政治的鬪爭や經濟的危機を深く廣く反映せしめて居るのである。現存の世界組織は自己の機構の上に於ては最早安定を保障し難い程の動搖を呈してゐるのである。斯樣に吾々の歷史的存在に對する不安なる壓迫感が、後進資本主義の階梯には著しく豫感せられつつあるのである。

この樣な情勢に對する對策としては二途が考へられる。一は、相互に連鎖を有する部分に於ける急速なる合同提擊を作るか、二は、前者に反對に各部分の分離對立を策するか、の二途である。第一の方法は從來屢〻企圖せられ、その屢〻なる失敗にもかかはらず恆に繰返さるるものであり、將來とても其企圖の廢止せらるることは恐らくはないであらうと考へらるる對策である。併し、これは當今の世界情勢上は望み薄きものとせられる傾きが强い。その結果、勢ひ反對の傾向即ち第二の方途に向ふのである。これが政治的竝に經濟的分離・對立を益〻促進し、延いては、對立者間に政治的侵略を益〻增大する事體の發生となり易いのである。當今社會の實際が示すが如き、各國家、各民族を夫々一團となし、經濟的に自供自足的なる政治的一體たらしめむとするの情勢は、要するに此志向の現はれであり、又、結果なのである。

斯る世界情勢の變化は特殊的社會集團へも同樣の影響を及した。卽ち勞働階層にあつては、その無產者存在の不安は失業者人員の續出に依つて益〻深刻となつた。それにも增して此場合顯著であり、又、社會的に重要なる意義ある現象は中間階層の沒落行程が現出したことであつた。同樣に資本家階層に於てすら深刻なる內部的不安性を呈露したのであり、よつて彼等は競爭の抑制と國家的援助の利用を計る可き傾向を示したのである。無產者階層にあつては、自己の歷史的存在が脅やかされしを經驗するや、これに對應する爲には、國際的政治的經濟的組織の作成によつて、階級支配の撤廢を策す可く努力することに依つて危機を打開し以て自己の立場を擁護せむとしたのである。が、新規に其存在に脅威を經驗せる中間階層の採擇せむとした方策は、前者と對蹠的であつた。彼等は自己の政治的竝に經濟的存在の爲に民族國家の單一的結合を要望し、プロレタリアートに對する其社會的特權と階級的支配との確乎たる足場を樹立し保持せむとする要望の下に民族國家の成立を完成し、而してその實際的權力を掌握せむことを計らうとするのである。ここでは國家主義が絕對的に要請せられて、國際主義は排撃せられる。しかも此志向を更に强化する要因は、封建主義の殘滓的分子たる、貴族、大地主、軍人、官僚等であつた。更に又、前途に對して希望を囑し得ざる未組織の青年大衆の、向ふ所も新しき中間階層と同じ志向を示すのである。斯る諸階層の要望は打つて一貫となり、社會不安や、世界情勢よりの脅威に對する克服の爲に、益々劇しく鞏固なる民族國家の結成に對する要求として現はるるに至つた。

斯樣な經濟的竝に政治的なる危機の精神界へ與へたる影響も、未だ嘗て經驗せられざる程、深刻であり、又廣汎であつた。資本主義的社會の頽勢現象の影響の波及する所は、人の個人的竝に社會的生活に於ける、慣習、傳統、道德、權威、宗敎等々の內面的不安定を惹起すると言ふことに就ては、事更に論證する迄もない所である。

此樣な現象は延いては無產大衆の全面的崩壞を誘發し、同時に資本主義社會の偉力を殺ぎ、廣汎なる範圍に迄その影響を波及せしめた。しかもその影響は資本主義以前の社會狀態を呈示する社會にまでも擴大したのである。玆に於て、要望せられしものは後進資本主義の中心課題に對する、再統合(Reintegration)である。謂ふ所の再統合は政治的及經濟的安定は言ふ迄もなく、精神的竝に社會的安定更に又後進資本主義の機構に何等か關聯する所の、もろもろの事象に對する再建を含有する。この意味に於ける再統合への要求は益〻熾烈となつたのである。

轉じて惟ふに、社會的竝に精神的なる兩分野に於ける統合の崩壞現象は、その動因を宗教の分野に於ける現世主義から受取つてゐると考へられる。これは近世に於ける哲學及科學のあらゆる部門に於ける發展、啓蒙の結果として、人は權威に對する恭順を、盲目的態度、傳統的關心よりなすの態度に於て拂ふことに疑惑逡巡するに至つたのである。これは一つには啓蒙の結果であり、他には社會成層の變化に伴ふ所の生活樣式の變化にも原因する所があつたと言はねばならないであらう。そこで、もろもろの分野、部門に於て、斯る分解現象に對應するものとして、民族主義的國家に新らたなる期待が寄せられたのである。由來民族主義的國家は反封建的資本主義的基調の上に立つものである。が、しかし尚、一般的資本主義的發展に關聯して根本的なる構造的變遷を經由せるものである。而してそれは現時何所に於ても、資本主義的衆民政への反對の志向を助長しつつあるのである。註(8)

註(8) このことは勞農ロシヤに於て政治や經濟やその他の部門の共產主義化が敢行せられし當初にも、なほ民族主義的國家の形態を唯一の可能なる形式をなした。このことは又國際聯盟の如き自由主義的體制の企圖に當つても、結局の所、民族主義的なる政治的、經濟的動因の集權化をその窮極の基底となしたのである。

併乍ら、茲に求めらる可き再統合とは民族主義的國家が對外的には能ふ限り獨立性を堅持し、對內的には反統合的作用に抗して統合を期し、安定を確保する爲に活動す可きことを表象する。そこで、現出する最も顯著なる事實は、あらゆる自由主義的要素の排擊克服である。例へば、執行の立法や司法に對する優越、公法的並に私法的分野に於ける自由に對する廣汎なる制限、彈壓、言論の自由の否認、經濟的階級的鬪爭の芟除、政黨對立の根絕等々である。要するにそこにては對立的抗爭的イデオロギーは、統制的統治的行動に對する抑制として許容せられないのである。かやうな、さまざまの傾向志向が民族主義國家への新らたなる要望の原由であり、隨つてファッシズムやナチスの所謂全體主義國家成立の基礎をなすもので

あつた。併乍ら、吾々はその爲には更に廣く且つ深くその據つて來たれる要因を探らねばならないであらう。[註9]

註(9)　Tillich, P., op. cit. pp. 407—410.

全體主義國家の生誕の爲には、いま一つの原由として、世界大戰後の歐洲就中東部及中央部に現はれたる極めて決定的な反衆民政的志向を忘却してはならないであらう。洵に全體主義的、民族主義的、國家理念は反衆民政的なる集權的志向に基くのである。大戰後の政治的・經濟的・社會的情勢は資本主義の根幹の動搖と共に廣く世界的に動搖が表面化したること、既に顧みたるが如くである。隨つて、衆民政的基礎を古くより占有する國々に於ても、國家主義的・民族主義的集權化の傾向を示したのである。政治の分野に於ける執行權の强化が、ここには言はば一般的現象となり、憲法も新情勢に副ふ可く變革せられたり、さまざまの事象に於て同志向の手段が採擇せられたりするの現象が多くの人々の眼に着くに至つた。かかる形勢は取別け、歐洲の東部及中部に於て顯著であつた。其處にては民族主義的集權主義的志向が特に濃厚であつたのみならず、更にそれが軍國主義的色彩を帶びたるものであつた。[註10]

註(10) Cole, G. D. H. and M. I., A Guide to modern Politics, 1934. p. 68f.
Dutt, R. P., World Politics 1918-1936, 1936. pp. 35—53.
Tillich, P., op. cit. p. 411.

斯様な漸次增大する軍國主義的民族主義が、當代の國家觀念に重大なる影響を及すことは最早、必定である。而して諸々の勢力、權力の權威的集權化に對する、あらゆる對抗的なる志向の削除のみが、軍國主義的民族主義への保障として役立つ。實に斯る軍國主義的民族主義のみが、一民族總體の徹底的なる且つ有力なる團結を可能ならしめる。軍國主義的民族主義は反衆民政的志向の下に廣く、篤く支持せられるものである。例へば、ロシャ國民は由來衆民政の經驗に薄い。彼等は久しく封建的傳統の軛きに喘いできたのである。この故にこの國にては、封建的專制政治より一足越にボルシェビイキの專制政治へと飛躍した。又、獨逸始め歐洲中部諸國にては、ブルジョアジーが封建的階級に政治的にも軍事的にも依存して居つたのであり、かゝるが故に、これらの國々にても社會主義就中共產主義の勢威を一掃する爲には、統治權の强權化形態を取ることに於ては、恰も何等の苦もなく衆民政を拋棄して憚る所なきものの如くであつた。隨つて共產主義の脅威の前には昔乍らの封建的支配階級と、元來、傳統的に追從的なる中間階層との間に急速なる提携が成立し易かつたのである。加之、失業者や未組織青年層大衆もこれに合體參加して、强力なる團結が成立した。斯る道行をもつて、この種の民族主義的集權主義的國家は軍國主義的民族主義的、しかも權威的國家として成就したのである。この傾向が最も强度であつたのが獨逸であつたのである。[註11]

註(11)　Tillich, P., op. cit. pp. 411—412.

軍國主義的民族主義的國家觀が所謂全體主義的國家觀に最も良き地盤となつたことは、上に述ぶるが如くである。殊にナチス治下の獨逸に於て、その爲の結實の理論的竝に實際的要因が何所にも增して豐富に備つて居たのであつた。吾々は少しくこの點につき考へたい。全體主義國家は單に經濟的領域或はその他の社會生活の分野に、國家的干涉が行はれると言ふことのみを以ては、必らずしも其の充分なる成立要件とはなし難い。此意味の國家的干涉は既に多くの國々に於て、しかも衆民政主義の古き基礎を有する國々に於てすら、行はれてきたのである。全體主義的志向は軍國主義的なる、しかも民族主義的、集權的權威主義國家に於て、最も鞏固なる足場を占め得るのである。[註12]

茲に等しく國家至上主義を奉ずるイタリー・ファッシズムの下に於けるよりも、ドイツ・ナチスの下に於て、上述の意味に於ける全體主義國家がよりよく體現してゐる基調が考へられる。この兩者の據つて以て立つ所の國家觀はその理論的、思想的內容を異にするものがある。即ち、イタリー・ファッシズムが國家至上主義であるのに對して、ドイツ・ナチスは國民・民族至上主義である。即ち具體的內容としての民族をナチスはその理論の全面に持出すのである。[註13] 茲に兩者の相違が見出される。ムッソリーニは國民又は民族に就て次の如く述べた。

『國民が國家たるの限り、國民は優越せる性格である。併し、國民國家の理論家に基礎として役立つた所の時代遲れの、自然主義的見解の主張の如く、國民が國家を造つたのではない。反對に國民が國家に依つて造られたのである。國家はそれ自體の道義的統一を自覺せる民族に、一つの意志、隨つてその事實上の存在を賦與したのである。[註14]』

この文言の示す如く、イタリー・ファッシズムは民族又は國民に形態を與へ、その實在を與へるものは國家であると觀る。然るに、ナチスは民族又は國民を實質的内容的なるものと觀てこの民族の内容性實在性の容器として國家を觀るのである。ヒットラーは次の如く說いた。

『根本的認識は次の如くである。即ち國家は目的ではなくして、手段である、國家はより高い人類文化の樹立に對する前提であつて、毫もそのための原因ではない。この原因は完全に文化能力を有する人種の所在に存する。……かうして、より高き人類の存在に對する前提は、國家ではなくして、この爲に能力ある民族である。註15』

註(13)　Koelleuther, O., Der Führerstaat, 1534. s. 8.

註(14)　Mussolini, B., Fascismus, s. 7.

註(15)　Hitler, A., Mein Kampf, ss. 432—433. なほ、此樣なイタリー・ファッシズムとドイツ・ナチスの國家主義の相違性に就ては、ナチスの論者の下記の著書に巧みに解明せられてゐる。Braucr, Gerhard Frhr. von, Der Staatsgedanke des Dritten Reichs, 2. Anfl. 1934. s. 18ff.

斯樣な意味からして、全體主義國家はイタリー・ファッシズムの下に於けるよりは、ドイツ・ナチスの支配下に於て、より適はしき地盤を發見したのである。ロシヤにあつては獨逸に於けるよりも、遙に全體主義國家は有效に具現した。その國に於ては經濟生活も、もろもろの文化生活も隨つて、教育も皆ひとしく國家の集權化に從屬せしめられた。併乍ら、この隸屬の背後に存する原動力は、國家ではなく、個人であり又個人の共同的活動の發展である。これは歐洲文明の過去數世紀の合理主義的文化の同化過程を自家の爲に設定し、それを西部歐洲の資本主義を攝取することなくして、經濟生活を教育始め諸々の文化の基礎たらしめむとした所の、ロシャの特殊狀態に依存する。そこで、ソビエット國家の全體主義的要求の貫徹へ對する防衞物として、他面に於ては全成員のロシャ的共產主義的啓蒙の教養として、理解さる可きである。このやうな、言はば啓蒙的過程に於ける前進は、本質的には民衆の間に批判的な、反權威主義的な、且つ反全體主義的なる動力の强化を意味するが故に、此過程の發展的終局には全體主義國家は自ら瓦解に迄もたらされねばならない運命を有すると考へられねばならないのではあるまいか。註16

註(16) Tillich, P., op. cit., p. 415.

然らば、何故に世界大戰後の獨逸に全體主義國家觀が他の何所よりも、よりよく結實したのであらうか。吾々は暫くその點を考へようとする。

そもそも獨逸に於て發展展開せられし全體主義の志向は、前者とは完く對蹠的であつた。ここにては假令・ロシャに見られし如くに徹底的乃至急激的には實施せられなかつたとしても、それは更に一層基本的意義を取つたと考へられる。國家に就ける理念が全體主義に即して、獨逸に於て理論的に組織立てられし因由として、後進資本主義の崩壞作用がこの國にあつては、何所よりもまさりて進捗して居つたと言ふ事實、而してそれ故に其志向への、より深刻なる激情を強く喚起したと言ふことは見逃し難い。　更に又この國には傳統的なる、集權主義的なるプロシヤ・ドイツ的なる政治理念、即ち所謂ヘーゲル學派の國家絕對主義の理念があり、これがナチス的全體主義國家の理念には極めて容易に結付き易い可能性があり、且つその爲に極めて鞏固なる支持と基礎とを理論的に、また思想的に提給するのである。　この外、後進資本主義の世界體系の中に於ては一般的に、而して中部歐洲に於ては特殊的に、顯現せる所の、現存社會に對する脅威の中のあらゆる要因を、獨逸が最も尖銳に現出してゐたのである。　例へば、世界大戰の戰敗國としての屈辱感、加之ヴェルサイユ條約に依る過酷なる賠償の責務、それより直接に隨伴する國民の社會的竝に個人生活の困苦忍從の過度等々は最も重大なる、且つ直接的なる要因である。

なほこの外に、吾々は獨逸の政治的、社會的體制に於て、他の歐洲文明諸國と異る特異性の存することを考へねばならない。　惟ふに宗敎改革、農民戰役、就中三十年戰役以來、綜合的なる社會的、文化的、宗教的基礎が歐洲の他の文明諸國にあつては、國家强權への有力なる廣汎なる抑制として相當に役立つたのであるが、獨逸にては斯くの如き抑制力が全然缺除してゐたとみてもいいのである。そこでこの國に於ては、國家のみが國民の間における、あらゆる活動力の安定及再統合を確保し得るものであつた。これが國家をして、あらゆる個人を越えた獨立的實在にまで高める所の、國家全體主義の思想を成立せしめ有力なる地盤となつた。茲に全社會生活も道德生活も、國家の内に包攝せらるるものとの觀念、學說が樹立せられたのである。此等の種々の要因、諸々の社會的實情は合體して、獨逸、特にドイツ・ナチスに於て全體主義國家の最も良き最も典啓的形態と觀念とが實現するに容易であつた所以として、考へられる。

轉じてまた、世界の危機は基本的には後進資本主義の世界經濟の情勢よりの所產として考へらる可きであるとの事實から觀れば、全體主義國家は何よりも經濟的分野を支配することを必要とみなければならないであらう。併し、經濟生活の國家への下屬は假令、理論的闡明を與へらるるとしても、そのことの實現は資本主義的先達者や、半封建的・獨占主義的支配階級からの反抗に遭遇した。この抗爭に依る間隙が如何なるかは不確實としても、全文化部門、卽ち例へば、道德、敎育、科學、藝術、宗敎、その他、政治、法律、經濟等々の社會生活のもろもろの領域に對する全體主義國家の要求は、擴大增加するのみであつたと言ふことは確實な所であつた。これは取りも直さず、個人につけるもろもろの基本的權利への抑制、鎭壓となり、而して何人にも、且つ國家の法にも、何等の責任を負はざる特定個人の手に、一切の權限を集中せしめることを結果するのみであつた。其處にはあらゆる立憲的憲政の要素が排擊せらるるのみであつた。

さて、全體の國家成員各自の人間生活の全範圍を民族主義的乃至國民主義的國家の無制限なる權威の下に統合することは、人間性の全部性を圍繞する、固有の力を有し、人をして無限の自己否定にまで驅りやる所の、世界觀の上に立つて始めて實現せられる。左樣な世界觀は實に一種の宗敎的なる性格を有し、一種の信條或はミトス(神話的なるもの)(der Mythos)の内に包衣せられ、表現せられる。[註19]

註(17)　このことの最も典型的なる例はイギリスである。

註(18)　Tillich. P, op. cit, pp. 415—417.

ところで、國家の要求・主張が無制約であり、包括的であればある程、謂ふ所のミトスは根源的であり且つ有力である。此場合、もしそれ、衆民政主義が古き傳統を有し、自由主義が徹底して居る國々では、斯るミトスを必ずしも必要とはなさずして、社會生活の確保と再統合の爲に合理主義的方策が措置として採られ易い。然るに、所謂全體主義國家に於ては、特に個人よりその基本的權利となさるるものを、剝奪することの多い場合にありては、一層有力なる根據が何物かに於て求められるものである。例へば、墺太利にては軍國主義的民族主義乃至國民主義の發達は、特別の所謂ミトスを必要とせずして、昔ながらの政治的竝に又宗教的兩分野の位階序層制 (die Hierachie) の權威を再建・强化することに依つて、言はば充分であつた。併し全體主義的志向が濃厚であればある程、鬪爭に對し又再建に對しての基礎を備ふる爲に、それに相應する、有力なるミトスが要請せられるのである。試みに、全體主義の志向の濃度なる國家、イタリー、ロシヤ、及びドイツを想へ。

　イタリーには羅馬帝國と言ふ巨大なるミトスが古來存在する。ロシヤには極めて强度なる全體主義の志向が、深きミトス的なる勢力と結合して存在する。これ即ちマルクス・レーニン主義と言ふミトスである。此處にてはこのミトスは教《ドグ》理《マ》としての性質を有し、其權威は質疑を許されない。しかもこの國の全體主義的主張は、合理主義的教理の形式に於て全國民の全體の生活に基礎を形成する所の、社會的公正と言ふミトスの上に依據するのである。

さて、この點が獨逸にては如何であらうか。この國の情勢に顯現せる全體主義國家の基礎概念は、極めて强度にして且つ丹念なる推敲を經たる、ミトスに結付いて居る。ここでは民族又は國民がミトスの核心を形成する。これを中心として更に、血液・人種・國土・國家・指導者等々にまつはれるミトスが一聯たる一體を成すのである。[註19]

ナチスの信念はヒットラーに從へば『血液・人種・人格並に永久的淘汰法則の價値を認める所の英雄的學說であり、且つ意識的に平和的國際的衆民政主義の世界觀並にその成果に對する非妥協的なる對立者として現はれることである。』と言ふ。[註20]

註(19)　Tillich. P., op. cit. pp. 415—417.

註(20)　Hitler, A., Rede auf der Kulturgebung in Nürnberg am 2. 9. 1937.

これがナチスの指導者の振りかざすミトスである。この故に彼はナチスの世界觀を『民族的世界觀』(Völkische Weltanschauung)と命名する。その意義は彼によれば次の如くである。

民族的世界觀は人種的要素のうちに人類の意義を認識する。それは原則的には國家の中に、目的に對する手段のみを認めるのみであつて、その目的として、人類の人種的存在の繼續を考へるのである。かくて、その世界觀は決して人種の平等を信ずるものではなく、人種の差異及びその價値の高下を認め、この認識に依つてこの宇宙を支配する永遠の意志に從つて、優者·强者の勝利を要求し、劣者弱者の從屬を要求する義務を感ずるのである。民族的世界觀はかくの如くして、原則的には、自然の貴族主義的根本思想を懷き、この法則の妥當性を最後の一、人にまで及ぼすことを信ずるものである。それは、人種の種々なる價値を認めるのみならず、個人の種々なる價値を認めるものである。』と。[註21]

註(21) Hitler, A., Mein Kampf, ss. 420—421.

斯樣な人種的要素に對する觀念はナチスに根本的なるものである。ナチスの代表的哲學者(?)ローゼンベルヒ(Alfred Rosenberg)も次の如く述べた。『血液の價値に對する信仰は、國民社會主義的世界觀の本源的前提であるが、マンチエスター的自由主義者の側から、屢〻言はれるやうに『淺薄な唯物論』ではない。それは一層深淵なるものである。ある一定の創造的精神、一定の天賦の性格、一定

の精神的調和は一定の人種的形態と伴つてゐる』と主張するのである。[註22]

註(22) Rosenberg A., Das Wesensgefüge des Nationalsozialismus, 1933. s. 12

なほ民族につけるミトスの神祕的性格に關して明瞭に語るものは『獨逸基督者』(Deutsche Christen)なる團體の指導的神學者ヒルシュ(Emmanuel Hirsch)である。彼は民族性或は國民性を隱れたる主權者(die verborgene Souverän)として說いたのである。即ち曰く、『主權はつくられたる政治的意志として國家に、而して國家にのみ存在する。併乍ら、このあらはなる主權者(die offenbare Souverän)よりも隱れたる主權者は高く、それは凡ての者を國家の內に、指導者も被指導者をも、その行爲と目的に責任を置くのである。而してこの隱れたる主權者とは――實現と防衛に憧れたる――その性質と榮譽と使命とを持てる、自然的歷史的民族性そのものである。この隱れたる主權者との結合からして國民社會主義運動は、かの公然のあらはなる主權者が、爭鬪や革命になほ反對せる時にも、それらに對する權利と義務とを獲得した。隱れたる主權者はそれ自身が、民族性に歸屬する者、指導者及被指導者の意志と良心とを、內的に把握し且つ喚起する力以外の、何等の力を所持しないものである。[註23]』

註(23) Hirsch, Emmanuel, Die gegenwärtige Lage im Spiegel philosopher nud theologischer Besinnung, 1934. s. 61.

斯くの如き要素を内包するかくの如きものこそ眞の全體主義國家である。これは既述の如く後進資本主義時期に於ける歴史的存在の不安定の中より生起せるものであり而して民族的乃至國民的團結に依つて不安を克服し安定と再統合とを期せるものであつた。かかる事體は先述もせる如く衆民政と自由主義との經驗に淺い國民の間に於て特に顯著に生起したるものであつてその點に關して一般性があると稱し得る。其處では衆民政的志向が好戰的尙武的なる軍國主義的民族主義や封建的絕對主義に取つて代られたのである。斯る志向に即する運動の理論的根據は何所に於ても全體主義的である。しかもこの種の運動はその民族的國粹主義的志向の常として特殊民族の優越性を恢に高調するにも不拘一つの國際的共通現象として現出するのである。併し此種の全體主義國家觀の理論竝に實踐がドイツ・ナチスに於て最も確實に現はれたのであり既にその素因とも考ふ可きものについても吾々は簡略ながら一應の考察をなしたことであつた。

Ⅱ　ナチス全體主義國家の統合·統制の概要

ナチス全體主義國家の機構がファッシズム國家の夫れであることは、最早何等の説明を必要としない。隨つて、その政策が統合·統制主義であることも亦多言を要しない。ただ、ナチス全體主義國家にありては、其統合·統制の政綱原理として、いささか特殊的なるものが掲げられてゐる。それは、勞働者戰線の組織化に隨伴したる政策であつて、ナチス國家の、全體としての政策の根柢に橫たはる一般原理の適用として、現はれし政策である。これを、Gleichschaltungと呼稱する。[註24]

註(24)　この語の定譯は未だなきものの如くであり、且つ飜譯し難い語でもある。Cole, G. D. H. & M. が共著 A Guide to modern Politics, p. 199. に於て述べし所に於ても、この語を英語に飜譯し難いとなして居る。本稿に於ても、この語は原語のまゝ使用してをく。

謂ふ所のGleichschaltungは、社會組織のもろもろの形態――統治的政治的たると、または然らざるとを問はずして一切の、而して、獨逸人社會の活動に重要なる――を擧げて以て、一つの共通類型に同化せしめ、且つ、一の共同政綱に規律せられたる、夫々の指導者の統率の下に置くことを表象するのである。これは一つの洵に强度なる統合・統制なのである。ドイツ國家の內には、もはや國家より自由なる集團や組織はその存在を許容せられない。批判と反抗との自主的權利の要求も最早許されない。人はナチス黨員たるか、或は、ナチス政策の實施の代行者と見做さるる程に、ナチスに理解、善意あるものと認めらるるかに非らざる限り、意志と行動とを形成する、如何なる類の任意的集團の結成にも參加することは許されない。隨つて、このGleichschaltungは一面に於ては、凡て・のものを衆民政原理に對抗するものとしての權威的指導者主義の原理に强要すると言ふ、組織の形式に關する問題である。それと同時に、これはナチス國家內の支配的集團から夫々權限を賦與せられて居り、自らもナチスの中心勢力と考へ、而して獨逸國民の特定部門の代表者であるよりは、寧ろ國家の必要に適合せる特殊組織の嚮導につき權能あるもの、とせられたる、諸種指導者の現實的選擇につける問題でもある。[註25]

註(25) Cole, G, D. H. & M. A. Guide to modern Politics, 1934. p. 200.

かの、ナチス黨以外のすべての政黨の一掃根滅や、勞働組合の撤廢などは、このGleichschaltungの概念に直接由來する實踐である。しかのみならず、その統合・統制の向ふ所は、あらゆる種類の任意的集團を包括することを目標とするものであつた。吾々はこの志向のあらゆる諸相とその波及せし全部門のあらゆる形相とを、問題とする暇は持合せない。ここに吾々が顧慮しようとするのは、本稿の主題たるナチスの宗教統制に關聯して、いささか社會生活の諸部門に及びし統合統制の跡を簡單に敍述して主題の解明に資せんとするの意圖にすぎない。

ナチスの Gleichschaltung の第一歩はファッシズム一般の手段と等しく、單一政黨樹立運動に於て歩み出だされた。嘗ては三十有餘の政黨の併存をみたる獨逸に於て、しかも相當以上に組織鞏固なりし社會主義的諸政黨の存在せし政界の分布が、何故にかくもむざむざと敗退して、ナチス單一政黨の獨裁的統制に服するに至つたかは、たしかに驚歎に値する事象ではあるけれども、またそこには自らさまざまなる理由要因が求められるのである。この爲には既に多くの論述、文獻が世に出でて居るのであつて、吾々は現在これを問題となし得ないが、その窮極的なるものは要するにこの國民に、自由主義的、衆民政的、自主的精神志向が徹底せず、またその慣行、訓練が低度に留つたと言ふ點に歸するであらう。尤も、このことは單に政黨分布の統合統制の點のみならず、謂ふ所の Gleichschaltung の向けられし所、而してその達成をみたる所に於ては、普く認めらる可き要因であらう。ただ玆に政黨分布統一の最も決定的要因となつたものの一つとして、一言を加ふるとすれば、それは獨逸社會民主黨と獨逸共産黨との相尅が殆んど事毎に激化して、ファッショ的抗勢に對して戰線統一を作成し得なかつたと言ふことは、多くの論者の説く所である。ナチス黨擡頭以前最大政黨であつた、獨逸社會民主黨はそのイデオロギーに於て、社會主義的であるよりは衆民政主義的であつた。故に、それは恆に合法性に終始した。それ故にそれは恆に改良主義的であつた、ここに於て社會一般が衆民政を否んでファッシズムに迎合した時、獨逸社會民主黨の數多くの領袖は落伍したのである。しかもナチスは恆に所謂『衆民政的』、『合法的』、『立憲的』と言ふ標識を——その僞裝的粉飾はいまは述べない——振りかざして大衆獲得に努力したのである。[註26]

註(26) Schuman, Frederick L., The Nazi Dictatorship, 2.ed. rev. 1936. pp. 227—229.

かくして、ナチス黨は勢威を加へ單一政黨主義の確立貫徹に邁進したのであるが、その過程に於てナチス黨の內部に生起したのが、獨逸勞働者戰線の統一化運動であつた。これは、その目的の爲にもろもろの勞働組合の組合資産を押收して統一を策すものであつたが、其後も睫眉の目標は獨逸社會民主黨と獨逸共産黨との撲滅であつた。而してこれが、勞働者大衆と共に新國家建設を計ると言ふ、ナチスの提唱、綱領であつたのである。獨逸勞働者戰線は併乍ら、勞働者に依る組織でもなく、また勞働組合でもなかつた、それは毎月、俸給の一・五パーセントを義務として支出する所の、アリアン人の勤勞者は成員として參加し得るものと定められた集團である。それには、他のもろもろのナチス關係の機關に於けるが如く、資産の用途に對する公けの管理もなく、支出に對する審査もなく、役員選擧も行はれず、綱領の討議も行はれない。この集團を形成したるものは、國民社會主義職業細胞團體(Nationalsozialistische Betriebszellen Organisation; NSBO.)と國民社會主義商工業團體(Nationalsozialistische Handels und Gewerbe Organisation; NSHAGO.)とであつて、要するに、中間階層に依る戰鬪的組織なのである。これに依つてナチス第三帝國は、あらゆる勞働組合を皆滅せしめた。この勞働者戰線の最高目的は、凡ての獨逸人勞働者を國民社會主義に於て教育することであつた。[註27]

註(27) Berliner Tageblatt, den 28, Nov. 1933.

勞働組合の消滅と共に、ナチス單一政黨主義の樹立工作は更に進捗した。これはあらゆる分野に於ける、Gleichschaltungの擴大深長を隨伴した。試みに一、二の事例を擧ぐれば、當時の最大政黨、獨逸社會民主黨の解體命令の發布は一九三三年六月二二日であり、これに次いで、獨逸國權黨(Deutsche Nationalistische Partei)の自發的解散が餘儀なくせられたのである。かの中央黨への重壓は、種々なる要因から、古き傳統を有する政黨としては、最後に手を染められたのであるが、其解體宣言は同年七月四日に發表せられた。斯樣にして政黨淸算は政府發令を以て、一九三三年七月一四日に完了し、ナチス黨は唯一の政黨として存置せられ、今後、一切の新政黨の樹立は禁斷となつた。[註28] これがおよそ、Gleichschaltungの第一步であり且又、その成功成就に依つて、次いで行はれし諸々の分野に於ける、Gleichschaltungの基礎ともなつたのである。

註(28) Reichsgesetzblatt, 1933, Bd. I. No. 81, s. 479.

單一政黨樹立が凡そその完成を見透し得るやうになつた後の、Gleichschaltungは國家組織の方面に亙つて、聯邦制の廢棄と言ふ點に着手せられた。卽ちGleichschaltung der Länder である。このことは、あらゆる地方自治制度竝に獨逸國內に殘存せる、全政治的區劃に於ける衆民政的制度の驅除を以て、成就せしめられた。そもそも、この種工作の凡そ濫觴とも目す可きものは、プロシャに於てパーペン首相の手に依つて一九三二年七月二〇日に行はれたのである。それが、一九三三年三月五日以降、急速に進捗し、『各支分國の聯邦への合體に關する法』は三月三一日發布をみたのである。註29

註(29)　Reichsgesetzblatt, 1933, Bd. I, No. 29, s. 153.
Hoche, Werner, Die Gesetzgebung des Kabinetts Hitler, 1933.
Kaisenberg, Georg, "Gleichschaltung der Länder mit dem Reich", Das Recht der nationalen Revolution, 1933.
Wertheimer, Mildred, The political structure of the Third Reich (Foreign Policy Association Report, x, No. 8, June 20, 1934)

かくして、各支分國の執行權は立法權を押收、占奪し、憲法違反乃至無視が横行したのである。これに引續き、合體に關する第二の法令が制定・追加せられた。これはプロシャ以外の各支分國に大統領は、帝國宰相の薦擧に基き知事(Reichsstatthalter)を任命することを規定するものであつて、知事は支分國の閣員の任免、立法府の解散、選擧の決定、法令の發布、支分國政府の提言に準じて高官及裁判官の任免等々を、行ひ得る權限を賦與せられた。プロシャのみにては、帝國宰相が知事の權限を執行するものと定められた。[註30] しかも知事は凡て、ナチス黨員であり、各支分國内に於て獨裁者たるの權限を有する譯である。このことは、また全國内の都市行政に於ても同樣であつて、この點に關してもプロシャはその先鞭をつけた。(一九三三年六月二〇日發令[註31])

註(30) Reichsgesetzblatt, 1933, Bd. I. No. 33, s. 173.
註(31) Preussische Gesetzsammlung, 1933, No. 49, s. 254.

やがて其後に着手せられし(Gleichschaltung は、宏大なる組織を有する文官官吏に關聯して行はれた。これにも種々の新規規定が制定せられたが、就中、止目に値する規定は、かの『アリアン條款』(Arier Paragraphen)であつた。これは、アリアン人種たることを證明し得る者を以て、一切の官公吏の資格條項の重要なる一條項となすものである。(一九三三年四月一日發布[註32])このアリアン人條款は事實上ユダヤ人種排斥であり、かくして官公吏の分野にもドイツ的ナチス的國民主義化政策を及したのである。これは、本稿主題の問題にも深く關係あるものであつて、吾々はこれについて後段に於て論述するであらう。

註(32)　Reichsgesetzblatt, 1933, Bd. I, No. 37, s. 195.

上述の如く、ナチス的國民社會主義化は次第に進展したのであるが、獨逸の政治的機構の最も決定的なる、且つ劃期的なる變化は、一九三三年一一月一二日の總選擧後に導入せられた。この年の夏の末期には既にファシスト的革命の基本工作は完成を遂げたのである。見よ、マルキシズムは撲滅せられ、勞働組合主義は壓倒せられ、凡ての政黨は粉碎せられた、そこには、聯邦制度、衆民政、市民的諸權利、平和主義、國際主義、民族的竝に宗教的寛容等々は、ことごとくナチス的火焰の中に燒盡せられたのである。およそ、かくの如き準備のうちに、ナチス政黨の確立を愈ゝ決定的に約束せし一九三三年一一月一二日の總選擧は迎へられ、其結果は普く知られたる如くナチス黨の壓倒的勝利に歸したのである。[註33]

註(33)　一九三三年一一月一二日國會議員選擧

有權者總數	四五、一七六、七一三	
投票數	四三、〇五三、六一六	(九五・三パーセント)
當選者數	六六一	

×

ナチス黨獲得投票數	三九、六五五、二一二	(九二・二)

無效投票(白票)　三、三九八、四〇四　(七・八)

――Deutscher Reichsanzeiger und preussischer Anzeiger, No. 279, den 29, Nov. 1933.――

この總選擧が如何なる情勢の下に於て、また如何許りなる選擧干渉裡に施行せられしかは、人々の想像に難からざる所である。且つこれは、吾々の當面の問題でもないから省略しよう。吾々は、ただこの結果としてナチス黨の下に於て、『政黨と國家との合體』を保障する、新らたなる法の實現したことを敍するに留めよう。その法は規定して次の如く云ふ。

『一、國民社會主義革命の勝利後、國民社會主義獨逸勞働者黨は獨逸政府の擔持所となり、國家と不可分離的に合體す。黨は公法による法人にして、其組織法は指導者に依つて決定せられる。』

『二、黨事務と、エスアー(S. A.; Sturmabteilung)及官公吏との密接なる協働を確實ならしむる爲に、エス・アーの首領(Hess)及參謀總長(Röhm)は共に內閣閣員とす。[註34]』

註(34)　Reichsgesetzblatt, 1933, Bd. I. No. 135, s. 1016.

獨逸は斯様にして、專制主義的なる純然たる單一國家となつた。茲に古き各支分國は行政區劃として殘存したのであるが、一九三五年一月には夫等をも全く廢止して、これを廿個の行政地區と代替したのである。立憲的國家にありては、中央執行權は立法府に對して責任を負ふものであるが、今や、ナチス第三帝國の中央執行權はただ、絶對者たる指導者にのみ責任を負ふものとなつた。しかも、該指導者は、法にも國民にも、何等の責任を負ふものではなく、啻、ひとり所謂『神に對してのみ責任を負ふ』ものなのである。

以上、主として政治的、行政的構機の上に實現したるGleichschaltungに就き略言したのであるが、この政策はナチス的國家の全體主義性に基いて、もろもろの部門に波及したのである。政治・法律、經濟の各分野は言ふ迄もなく、更に文化のもろもろの分野にも擴大せられた。これは、全體主義國家としてのドイツ指導者國家の性格からして、蓋し當然のことであつたと言はねばならない。本稿は既述の如く、ドイツ指導者國家の全體主義的要求の貫徹樹立が、宗教の分野に於ける統合・統制に於て、其意圖を完成し得ざる形相を呈露せる實情を觀望して、そこに政治や國家の全體性乃至絶對性の要求には、人間性乃至人間目的の窮極性や第一義性からして、自づからなる限度や限界が嚴存す可き所以を看取しようと思ふのである。このことが、そこには政治と宗教との相剋と言ふ昔ながらの抗爭の姿に於て現出してゐるのである。ナチス全體主義國家の宗教の分野に於ける Gleichschaltung は、今や失敗蹉跌を招けるが如く觀測せられるのであるが、その現實の概要は後段に述べようとするのである。が、茲には、宗教以外の他の文化領域に對して採り行はれた る Gleichschaltung の幾干の事例に就き、極めて簡略なる素描を試みよう。

しかも、統治的部門に於けると同樣に、それらの諸々の領域に於て、ナチス的統合統制はおほかたその成果を收めたとして其成功を誇稱してゐるのである。そこで、主題につける敍述に先ち、夫等の諸種領域に於ける Gleichschaltung の跡を顧みよう。もとより一瞥を投ずるにすぎない。

敎育の部門、アカデミックなる諸集團に關する Gleichschaltung は、一九三三年の一ケ年を擧げてのナチス黨の業作であつた。大學に於ける學生團體に關し、大學・國家・民族に對する義務を遂行す可き規程は四月二二日に布告せられ[註35]、これが此領域に於ける、言はば最初の手入れであり、後、翌三四年二月七日に、獨逸大學生團體(Deutsche Studentenschaft)と獨逸專門學校學生團體(Deutsche Fochschulschaft)とは、帝國指導者の監督下に合同を策せられた[註36]。

これを皮切として、大學に於ける敎育、敎授、學生に對するナチス的統合統制が續出した。　ユダヤ人系の教授、學生の追放や、國民社會主義的國家觀に對立する學說理論は言ふ迄もなく、ユダヤ的臭味ありとなさるる理論思想の禁斷排擊が、徹底的であつたことは人の良く知れるが如くである。　青年大衆のナチス主義への恭順、遵奉を確立することは、全體主義獨裁政治の一つの基本的課程であつたのである。獨逸青年をこの目的の爲に導入する爲には、あらゆる努力が拂はれた。　誠に『國家への奉仕の爲なる、統一・規律・服從・熱情は新しき理想』として掲げられた。(註37)　青年、或は場合によつては、壯年の爲の特別なる『政治學校』は全國を通じて、設立せられた。(註33)『ナチス政治科大學』(Nazi Hochschule für Politik)は『ヒットラー青年』(Hitler Jugend)の指導者達の爲の特別機關とせられた。(註39)　これらのことは單に男子青年に對する特殊施設であるが、殆んど同趣旨の設備、施設が女子青年の爲にも設置せられたのである。(註40)　茲にみらるる如く、他のもろもろの生活部門に於けると等しく、指導者原理の適用は青年大衆に軍隊の如き訓練と規律とを課し、而して、『上より任命せられて、唯ヒットラーに對してのみ責任を有する』所の、指導者の監督の下に立たしめるのである。

註(35)　Reichsgesetzblatt, 1933, Bd. I, No. 40, s. 215.

註(36) Völkischer Beobachter, den 8, Feb. 1934

註(37) ibid, den 26, Apr. 1934.

註(38) ibid, den 15, Nov. 1934.

註(39) ibid, den 4, Mai, 1934.

註(40) ibid, den 29, Jun, 1934.

かくの如く、ナチス指導者國家の指導者原理は國家的權威を持つ。ヒットラーが言ふ如く、指導者國家の原則として、『凡ての指導者は下に對しては權威を持ち、上に對しては責任を持つ』のである。[註41] このことは、指導者原理に即する政綱・政策としての、Gleichschaltungの性格が如何なるものであるかを、如實に指摘して居る。

註(41) Koellreutter, O., Der Deutsche Führerstaat, 1934. s. 13.

轉じて、その他の文化領域に於けるGleichschaltungが如何なる動向を取つたかは、多言を必要としないであらう。幾分かは大袈裟に誇張せられし嫌ひはあつたが、かの焚書の如き、その典啓的なるものの一つである。反ナチス的學者、評論家、文筆者、文學者等々の著書として禁斷の斧鉞を加へられしものの、夥多にのぼりしことも亦既に著聞の事例である。かくて、言論・圖書・刊行物につける、新しき檢閲制度は嚴重なるナチス主義の下に設置せられたのである。(一九三三年四月七日)誠に、あらゆる全體主義的獨裁制の下に於けるが如く、文化は政治的武器として活用せられた。[註42] ここにては、文化の窮極的價値の契機とクリテリオンは『血液と祖國』(Blut und Boden)に於て求められるのである。而して、帝國文化局は一九三三年秋に設立をみたが、文化のGleichschaltungは、『獨逸文化鬪爭聯盟』(Kampfbund für Deutschen Kultur)と、『獨逸演劇帝國聯合』Reichsverband Deutsche Bühne)との、『ナチス文化團體』(N. S. Kulturgemeinde)への合體に依つて完成への步程を步んだのである。[註43]

註(42) Bie, Richard und Muhr, Alfred,- Die Kulturwaffen des Neuen Reiches, 1933.
註(43) Völkischer Beobachter, den 14 Juni 1934.

科學の諸部門のGleichschaltungは、單にユダヤ系學者、教授の罷免追放や、一切の研究者をナチス黨の完成なる統制下に組織化することなどに留らず、更に進んで、科學的分化や對立のあらゆる觀念を拒否排除することに、可なりの程度に成功を遂げた。そこで、凡ての科學はナチス的觀點に立脚して樹立せられなければならないことは必定であるが、就中科學は民族の純粋化に役立つ可きことが要請せられるのである。[註44] 今、玆に、この方面のことに多く關說し得ないが、政治學は指導者原理に就ける科學であるとなされたことを附言しよう。[註45]

かくの如く、もろもろの生活部門、文化部門がナチス的全體主義の下に、Gleichschaltungをみたのである。この志向・政策はやがて宗教の分野にも及んだと言ふことは既に上來闡說した所であるが、それが如何なる過程・展開を經しかを顧みることが、本小稿の課題なのである。

註(44) Reichsgesetzblatt, 1933, Bd. I, No. 132, s. 987.

註(45) Schuman, Frederick L., The Nazi Dictatorship, 2. ed. rev. 1936, p. 381.

三　各教會の本質・立場及び主張

ナチスの國家理念に表象せられし全體主義國家の概念及その成立の形相・素因を上述の如くとなして、其成立の結果としての、國家對教會の葛藤・抗爭對立を考ふる前に吾々は基督教會の立場や主張を、一應理解して置く必要があるであらう。

そもそも宗教には二つの對蹠的要素が對立してゐる。即ち進步的と守舊的の二つである。政治につける基督教の役割も亦この二傾向の發現である。[註46]

註(46)　今中次麿教授　危機の文化と宗敎、二一三頁

斯る二つの對蹠的要素はナチス治下に於ける基督教會の國家との關係に於て、恐らく歷史上他にその類例を見ざる程に、明瞭なる形相に於て展開せられて居るのである。吾々は夫れに就て語る前に、ともかくも簡單に基督教會の主要なる分野に瞥見を投じよう

基督教會は兎も角も其福音の絕對性の上に立脚して居る。[註47]

註(47)　Tillich, P., op. cit. p. 119.

基督教的福音の形式は、要するに、全體主義的志向を本質となす。それ故に、それは、超國家的超國民的超民族的志向を取る。此點に於ては、舊約聖書の示す所も、新約聖書の語る所も異る所はない。いづれ後述するであらうが、ナチスの論者は舊約聖書をユダヤ的として極力排撃するのであり、且又基督教教義を民族主義的に底礎し辨證せむすとる者、多々存するのであるが、夫れは兩者共に基督教の本義には違背する。

舊約聖書は決してユダヤ的民族主義を骨子とするものではなく、寧ろユダヤ主義の民族主義的熱望に對抗する所の神の爭闘の記録である。即ち他の民族主義的要求の爲の爭闘ではなく、寧ろあらゆる民族主義的自負に對する神の勝利の記録である。新約聖書は、ユダヤ人の歴史は無論の事であるが、同時に又、民族又は國民は、一民族又は一國民として、神に所屬しないと云ふ觀念を有して居る。神の國とは、優秀民族の優越的人民の集團ではなく、すべての民族の集團より成る可きものと考へられるのである。これが少く共、基督教會の本源的に有する民族主義に對する觀念であり、態度である。[註49]

註(48)　op. cit. p. 419.

教會の主張・要求は、教會に依つて宣明せらるる所の、神の主張の上に根據する。併乍ら、神の國と教會とは必らずしも恆に同一ではない。教會そのものは、固より神の國の顯現に努力するが、神の國は啻に教會の内にのみ實現す可きであるとなすのではない。此兩者卽ち神の國と教會との關係に就ける、基督教會内の主流的なる對立を成す所の幾干かの分派の見解及態度が、政治に對する教會の問題に深き關聯を有するのである。故にそれを明瞭になさねばならない。其處で、基督教會内の主要なる分派乃至宗派の、此兩者關係に就ける夫々の特異的見解を先づ顧みなければならない。

第一、この點に於ては、一般的意義に於てはカソリックとプロテスタントは、見解が對立する。併乍らカソリックには主要なる分立はローマン・カソリックと、グリーク・カソリックの二つのものがあるのみと稱しても差支なく、しかも此兩者は對立と稱する事が出來難い程、グリーク・カソリックの勢力は微弱である。併し所謂神の國と教會との關係に就ける見解に就ては、言はば根本的に對立する。

之に對して、プロテスタントの分立・分派は比較にならぬ程多數に及び、その實、數は計へ難い。隨つて當面の問題に關して、プロテスタント教會の一つ一つの宗派の見解は固より、其主要なる宗派の見解すら究明する事は煩に堪えない。隨つて、玆には本課題に對して最も顯著な特徵ある對立を呈する、二つの立場に就き顧慮するに留める。

さて、所謂神の國と敎會との關係に就き、兩者の同一視を最も強固に堅持するのは、ローマン・カソリック敎會である。兩者の分別を最も明瞭に說くものは、ルッター派敎會である。この兩極の對蹠者間に位置するものが、グリークカソリックとカルビン派敎會である。以下この四者につき考へる。

(A) ローマン・カソリック

この立場、見解は人の良く知れる如く、それ自體、政治的組織と位階序的構造とを具備して、自己の分野を宗敎生活を遙に凌駕せる部門に迄擴大する。此敎會はスコラ的敎父哲學に卽し、且つ多くの國々に於ける信徒の政治權力に支持せられて、宗敎に近接する、あらゆる生活部門の精神的指導權を掌握せむ事を庶幾する。この事は延いて、諸々の精神的社會的なる生活、隨つて政治的法律的經濟的生活領域に迄、其指導的權能を擴充せむ事を結果するのである。但し、現實の問題としては、この敎會の觀點に卽して考へて國家に政治的統制の直接的行使をば是認し或は委ねるの意圖を有するものであらうが、併し、人間生活の內容に對する決裁權を國家に賦與すると言ふ意圖は、この教會の本源的立場からしてはあり得ないのである。（斯る意味に於ては、ローマン・カソリック教會は最も典型的なる所謂全體主義教會である。　故に、ナチスの全體主義國家とは劇しく對立抗爭せざるを得ない。——後述——註49

註(49)　各種教會の本質・特徴に關しては、特にTroeltsch, Ernst, Die Soziallehren der christlichen Kirchen und Gruppen, Bd. I. kap. [redacted]. に說かるる所の各項を參照。

(B)　グリーク・カソリック

グリーク・カソリック中、主としてロシヤに於ける此派にあつては、前者の如き政治的位階序的組織を夫れ自體の內に有する事がない。　又、プロテスタント教會とも異つて、教會夫れ自體としての、社會的・自治的集團としての形態や生活を持たなかつた。　隨つて宗教的竝に政治的な指導的立場への要求も生起しなかつた。　特にロシヤに於けるグリーク・カソリックはロシヤ皇帝を、その宗教的盟主となし、皇帝に於て、國家と合體せるものであつたが故に、此合體の一角が破壞せられたる、場合、集團としての教會それ自體も崩壞せざるを得なかつた。　この故に現在、個々の人々の精神の内に此教會的殘滓や、信仰は尙殘存するであらうけれども、社會的體制としての教會は存在しないと觀られる。又ロシヤ共產主義はその成立を許容しない。

(C) カルビン派教會。

一口にカルビン派教會と言つても多種の分流が存在する。が、此派教會は教會の權威を一般に高調する。その點ではローマン・カソリック教會にも優るとも劣らざる程度であると稱しても差支ない位である。併乍ら、此點に關する此派のローマン・カソリック教會との基本的相違は、後者が教會の團體的なる且つ集權的なる權威の絕對性を主張するに對し、此派はそれよりも教會によつて宣明せられ、聖典に明示せられた所の神の意志・神の權威を高調する所に存する。此派の主張を端的に言へば、神は天上に於けるのみならず、地上に於ても支配す可きであると言ふ。故にこれは、個人の宗教的竝に精神的生活に於けるのみならず、又、社會生活、隨つて國家に於ても、政治に於ても、神が支配者であらねばならないと言ふ事を表象する。彼等は、神の意志の觀點より地上的世俗的權力を批判する事に依つて、神の國の理念を現世的世界にまで適用せむとする。洵にこの理念の內に、歐洲に於け

る近世的、進歩的、衆民政の理念が根ざして居るのである。[註50]

註(50)　カルビン派教會に關聯してはトレルチの前記の文獻以外に Tillich, P. の別論文——The Religious Situation in Germany To-day (Religion in Life, vol. Ⅲ. No. 2, 1934. p. 164) 參照、なほ、拙稿、前掲、參照、

(D)　ルッター派教會

本稿の爲に最も深き關係を有する立場である。既述の如く、ルッター派教會は、所謂、神の國と教會とを茲に掲げる四者中最も明瞭に分別する。そもそも、ルッター自身、宗教と政治との分野を分別したのである。故に、初期のルッター主義にあつては、教會の體制と社會的體制とは無緣であつた。ルッター派教會は聖書と聖餐とに依つて、其純粹理論が歪められず宣揚せらるる事に最大の關心と顧慮とを置くのであつて、その希望を許容する所の體制ならば、如何なる體制とも兩立し、言はば、妥協し得る。ルッターは、教會や、信者が國家の統治に反批判をなす事や、政治的事象に就ける國家の命令に反抗する事などは、假令、惡政の場合、政治の公正の期し得ざる場合に於ても、許容しなかつた。彼は、凡ての權力、隨つて政治的權力も神授的權力であるとなし、本源的に、それは人間性の中に存する邪惡を抑制す可きも

のとなしたのである。これに關聯して彼の考では、統治權力の所持者は、公正及基督者的愛の教養に卽して統治す可き、良心的責務を有すると言ふのであつた。併乍ら、これは支配者自身の神との直接的關係に於て規定せらるる事であつて、基督者たる人民は支配者に對する反抗權を認められなかつた。彼等は支配者の爲に神に代禱をする事のみが許されたのである。註51

註(51) op. cit. (The Religious Situation in Germany To-day) pp. 163—164 及び、前掲拙稿、參照

兎も角も、ルッター主義には社會的乃至政治的批判が缺除して居つたと稱してもいい。斯るルッター主義の態度が、卽ちルッター主義の人々が四百年間涵養され、順應させられし態度こそ、吾々が現時ナチス治下に於ける國家對教會の葛藤に就ける事體の理解の爲に、諒解して置く可き一つの根本的なるものなのである。此樣な個人的道德と政治的道德との分別と言ふ事が、政治的・社會的・問題に對してルッター主義の態度とカルビン主義の態度の差異を決定する淵叢なのである。これは現時の問題に就いても、卽ち例へば、ナチスのユダヤ人排斥に關してルッター派教會が沈默を持した所の所以を語るものである。然るにルッター派教會の內にても教會內にアリアン人種條款(Arier=Paragraphen)の適用が問題となるや敢

然これに反對對抗して立つた一團があり、世人を驚かしたのであるが、茲にもこの派の、教會と一般社會とを區別するのや觀念及態度が如實に顯現してゐるのであり人は其點に事體の解明の基礎を置く以外に、克く事體を理解し難いであらう。

以上、簡單乍ら特徴ある四種の教會に就き、夫々其特徴ともする所の性格を一應顧みた事であつた。教會は凡て妨碍せらるる事なくして、宣教するの權を要求し、教會内に神の權威を實現し、世界に於ける無條件的なる神の支配を要求するのである。ローマンカソリック教會は此處からして、位階序的組織を有する教會が人間の宗教的關係ある生活を全面的に、支配す可き事を説くのであつて、これは要するに中世紀的世界觀竝に中世紀的信條である。併しローマン・カソリック教會が此種の思惟を全部的に放擲するとは仲々考へられないのである。

グリークカソリック教會は、その禮拜の傳統的形態の、保持・實行の自由を要求するが、政治的・社會的問題には全く無關心的態度を示すのである。

カルビン主義教會に取つては教會のみならず、社會一般の基督教化がその基本的理念をなす。その爲には、何よりも、自由に設定せられし教會組織を維持するの權利を要求し、加之、社會生活、政治生活へ對する教會に依れる指導を希求する。カルビン派教會は、ローマン・カソリック的なる中世紀的信條・教政權的要求は揚棄して居るが、併し、信仰的良心の確乎たる立場を最も貫徹しようとする。西歐の近世的衆民政的理念及思想の根柢を成すと言はれるのも玆にその理由が存するのである。

ルッター主義教會は、宣教の自由を要求するの點に於ては鞏固であるが、政治的なる行政的事項に關しては國家の自由に委ねようとする態度を採る。

以上は此等の夫々の立場態度・見解の要約である。凡ての教會は神の前に人間を置くと言ふ點――それが僧侶的介在を通してであれ、禮拜又は聖餐を通してであれ、或は神の純粹理念の宣揚を通してであれ、兎も角、神の前に人を額づかしめると言ふ點では共通である。この目標の爲には、教會は人間の最も深き經驗に對し又人間存在のあらゆる點に對する要求を呈する、而して夫等が、教會である限り、この要求を放擲し去る事はないのである。

そもそも、基督教會は民族的乃至國民的統合そのものに、反對するの當然の理由を有するとは定つて居らない。固よりそれは所謂神の國の實現と言ふ觀點からではあらうが、人間性の諸勢力を結合するの傾向あるものは排斥せずして、寧ろ歡迎するのである。曾つて羅馬法皇及羅馬教會の教政權力と合體せる中世紀的勢力に抗して、ルッター及その一黨が民族國家の代表者たる國王の勢力と提携して、かの宗教改革の偉業を完成したるが如きも、この一つの場合であつた。しかもなほ基督教會は、民族又は國民の歷史的存在への危機、脅威について、之を看過する事が出來ないのである。故に、教會本來の目的及任務に違背せざる限りは、民族國家の強化・國民生活の統合に力を致すのである。斯る所から、教會や宗教の反動性が問題となるのである。斯る實例はルッターの場合以外歷史的に豐富である。併乍ら、人類の始源的なる、又、將來に對する一義性と云ふ理念及信念に於ては、それは基督教會と共に根源的である。この種の觀念は今の所、基督教會は基督教會として存續する限り容易に捨て去ることをしないであらう。ともあれ、教會は自己の強化の爲に役立つ限りに於て、併乍らそれ自體の始源的なる、理念及信念を傷けざる限りに於ては、民族國家の民族的乃至國民的統合と協働することは屢〻であつたのであり、而して共同には屢〻教會の本義的立場からしては排斥せらる可き類の、妥協や怠慢さへあつたのである。斯る點を念頭に置いて考ふれば、教會が就中プロテスタント教會が民族國家の統一、統合と云ふ集權化的志向に、反對して立たねばならないと云ふ事情は、餘程重大なる理由及事情が存在すると考へねばならないのである。 斯る場合は具體的に考へると、國家の教會への越權的なる干涉、尠く共、教會が自己の領域なりとして確信せる部門への、外來的なる不當なる干涉として教會が思惟する場合等に依つて生起するであらう。 現時にあつては、現今社會の一般的なる歷史的事象の複雜性に依つて生起する。 伊太利に於ては、その全體主義的志向の强さにも不拘、國家は教會と或る一定の和協(konkordat)を得て居るのである。 其處には、その國に於ける教會の――ローマン・カソリックの――傳統的權能が强力であり、それ故に、國家の全體主義的統合政策も、教會の究極的權限の社會的存在の重要性に本質的に牴觸しない、否、し得ないからでもあらう。(註52)

註(52) Tillich, P., The Totalitarian State and the Claims of the Church, pp. 423—424.

世界大戰後、社會的隨つて政治的並に經濟的崩解現象が主要なる原因と成つて、全體主義的志向が擡頭し、遂にナチス政權の確立と共にその治下に於て、全體主義國家の理念が諸々の人間生活の部門を覆ふものとして成立した事は、既に上段に述べた事であつた。 此志向が基督教會の本質と葛藤するの運命を有してゐたと言ふ事も、觸言したのである。 この種の牴觸は、他の國々、而して特に、同類型的なる伊太利に於けるよりは、獨逸に於て、始源的な必然性を保有してゐた。と言ふのは、およそ次の如き事情からであつた。獨逸國家の國家的獨立、成立は比較的新らしい。獨逸國家の眞に國家的體制の獨立的生起は、宗教改革以後であつたのである。しかも、宗教改革に負ふ所が深甚であつた。隨つて、玆では、國家と宗教とは堅く結付いてゐた。斯くて、古來の異教主義(Paganism)への勝利及獨逸民族の基督教化以來、國家に無上の權限を與へ且つ生活の全體性の基礎を與ふるが如き、觀念的要素にして、獨立性のある、基督教的神話以外のものはなかつたのである。然るに、これがナチス革命より俄然、變化した。即ち國家に依るナチス的全體主義的要求は、古來獨逸民族を支配し來たれる宗教的觀念的要素よりの意識命令要求と正面衝突を遂げるに立到つたのである。

即ち、獨逸民族及帝國につける新らしき神話は、人類及神の國につける神話と衝突する。ナチスの信條たる、血液民族又は國民或は人種祖國全體指導者絕對等々の新らしき神話は、基督教會の傳統的なる信條とは對立する。玆にては血液人種民族國民を超越せる所の、聖餐に依る共同社會の觀念がある。全體に對しては個人が、祖國に對しては神の國が、指導者の絕對的權能に對しては、神の或はイエスの主權的權威が、支配的要請を持てるものとして存在する。

基督教會の信條からみれば、凡て創られしものは有限であらねばならない。個個の基督教の教理や信條の中には科學的認識とは兩立し難いものも決して絶無ではない。併乍ら基督教そのものは、歐米にありては尠く共今日なほ、社會生活を、隨つて、人間の精神的竝に物質的生活を底礎して來たものの、有力なるものの一つたるは疑ひ得ない。而して吾々は今、基督教の教義や信條の分析とか、科學的認識と兩立するや否やの點を、問題にして居るのでもなく、且又、その必要もない。茲では歐米に於ける、基督教教義や信條の占有し來たれる、且つ占有する所の、宗教的意義は言ふ迄もなく、廣義に於ける社會的な又道德的なる規範としての意義を、言はばありの儘に把握すれば足るのである。しかも歐米にあつては、基督教教義は政治的憲政主義の基礎觀念の中に深く根ざして居る。就中、近世的衆民政治の觀念の一基調となつて居るのである。これは教義の科學性とは別個に、尠く共、生ける社會的意識であり、又社會的事實なのである。これは二千年の、尠く共羅馬帝國が基督教國家と成りしより計へても、約千六百年の傳統を有して居るのである。註53

註(53) コンスタンチン大帝は西曆約二八六年より三三七年まで存位。この間に基督

教は國教となり、ローマ國家も基督教國家となつた。

斯る思惟、觀念から觀れば、ナチスの全體主義國家の新しき神話たる、血液・人種・民族・國民・指導者等々が、恰も無限なるものの如く、否、恰も神たるが如く、崇拜せられ、權威付けらるる場合、其處には對立・頡頏の生起するは、言はば必定である。

ナチスの神話的信條を雄辯に語るものの、一つの有力なるものは Alfred Rosenberg の著書 "Der Mythus des 20. Jahrhunderts.: Eine Wertung der seelisch-geistigen Gestaltenkämpfe unserer Zeit." 1930.(87.—90. Aufl. 1935.)である。この著書は徹底的なる血液・人種・獨逸民族主義の禮讚・神聖化を基調とする。即ち彼は十九世紀及廿世紀の哲學及神學に於ける、特徴たりし、價値の相對性よりの脫却乃至そのものへの克服の爲に「純粹なる血液及人種による絕對價値」に卽する體系の樹立に努力したのである。この著書はその準備せられし時代——多分一九二五年頃より——(初刊は一九三〇年?)の故か、ナチスの國民主義社會主義の哲學的基礎に關しては、說述する所、未だ薄弱である。其根本觀念は、哲學の人種的基礎付け、人種的歷史觀とも稱す可きものである。彼に取つては、人種は精神の現像であり、精神の概念は唯內部より眺められし外部的人種を表象する。而して凡ての歷史は形而上學的中心を有し、そのものが、人種の精神であり、而してこのものから、特徴ある人生哲學や、國家概念や、諸々の文化理想や、社會の本質に就ける觀念等が生ずると言はれる。而して、民族の文化の低下は血液の不純化と共に、加重せられるとなされ、血液・人種の純粹性の保存・助長が直ちに、否、最大の文化發展の基礎となされる。彼は斯る基礎概念より歷史哲學を體系化し、その爲に多くの實證を求めたのである。

斯る歷史觀に立つ彼の基督教教義觀が、民族的、人種的原理に即するものとなつたのは危しむに足らない。彼は、在來の基督教教義をユダヤ的であるとなし、それ故にこれを批難排斥し、その獨逸民族化の必要を力說した。

宗教改革も獨逸的現象であり、ルッターの偉業は聖職者につける、外來的・ユダヤ的概念の廢棄と、基督教の獨逸化に於て、價値を認めらる可きであると言ふのである。而して宗教改革の世界的、文化史的意義及價値を認めない。かくして、彼の聖書觀や、神學思想にもユダヤ的なるものの、極力なる排除と、獨逸的なるもの、獨逸民族主義の高揚とが現はれる。隨つて、彼に取つては獨逸教會は、獨逸民族的團結の統合を確保せむとするもの以外は、正當視せられない。玆には、基督教會の久しきに亙る傳統的信條との、當然の相剋が生ずる。[註54]

註(54)　Douglass, Paul F., God among the Germans, 1935. pp. 36—44.

ローゼンベルグに依つて代表せらるる、宗教の世界に於ける獨逸的・民族主義的變形はナチスの對教會、對宗教政策の根幹である。而してナチスの對教會政策によつて獨逸にては、國家對教會の劇しき爭鬪が展開されて居る譯である。

今、當該爭鬪の個々の點を敍述することは、さまで重要な意義はあるまい。併しなほ其處には、大いなる問題があつて見逃し難い。其主要なるものにして且つ深き問題を含むものは、例へば、獨逸人に關する宗教教育の Text としての、ユダヤ的豫言者的信仰の理想や、舊約聖書の使用如何の問題。ユダヤ人排斥問題。血液關係の民族的乃至國民的教會の、聖餐に依る社會としての教會に對する優越性の主張及問題。其處には人道・愛・希望につける基督教的最高の價値が、勇猛心とか權力とか激情とか言ふ異教的價値によつて變形せられ、イエスの新約的象徵は英雄的形像に變へられた。更に又、眞理や正義の觀念も民族又は國民的精神や國民的偶像の夫れの如く、相對的なる分裂をみるに至つた。ともかくも、民族を究極的原理とする所のナチスの新らしき信條は、基督教會の信條・基督者の世界觀や信仰とは牴觸する。茲に兩者の對立・相剋・爭鬪が生ぜざるを得なかつた。[註55]

註(55)　Tillich, P., op. cit. pp. 426—427

四　ナチス政權の教會統一政策にまつはる問題

上段に於て、ナチスの全體主義國家の志向及その爲の、諸々の强權的更に別言すれば强制的政策の實施に對して、獨逸基督教會が對抗爭鬪せざるを得なかつた所の原由の概要を顧みたのである。　該抗爭は事實の表面に於ては、後述するであらう如く、カソリック教會よりもプロテスタント教會との間に、劇しき對立を展開して居るのである。先述もせる如く、カソリック教會就中ローマン・カソリック教會は言はば全體主義教會たる本質を有するのであるからして、ナチスの政治に對して、此派教會と國家との間に最も尖鋭的相尅が生起する可能性が濃厚であり、又、あらねばならないとさへ考へられるのである。　但し兩者間に對立がないと言ふのでは固よりないが、ローマン・カソリック教會とよりも、プロテスタント教會と國家との間に、より劇しい抗爭が展開されたと言ふには、なほ相當の理由がなければならない。

斯様な、國家對教會問題の葛藤の解決乃至回避には、要するに二方途がある。

卽ち(一)、國家を教會の內へ同化（die Assimilation）し、國家を教會の一機關たらしむる事。卽ち獨逸語の Kirchenstaatstum の表象する如き形態を構成せしむる事。

(二)、(前者の反對)教會の獨立性を國家に依つて剝奪し、教會をして國家の政治的設備の一種として取扱ふ事。 卽ち、所謂 Staatskirchentum の形態に於て問題を解決する事。 此二途の示す如く、國家と教會とを何れを主體とするかは別として、兎も角も、兩者の合體により統合統制を計つて問題を解決するか、或は又別に、兩者を全然分離して、問題を解決するか、と言ふ方法がある譯である。 この合體か分離かの兩極の間には、諸種の階梯的方法もあり得るのである。 斯様な諸々の態様は歷史的實證の中に容易に發見せられるのである。[註56]

註(56) Douglass, P., op. cit. pp. 299—304.
Barth, K., Volkskirche, Freikirche, Bekenntniskirche.
(Evangelische Theologie, Nov. 1936. Heft 11.)

全體性の觀念はそれ自體の內に神祕的乃至形而上學的要素を含有してゐる。絕對であり得るもののみが、全體性を要求し得る。 故に絕對的なるもの、無條件的なるものでないならば、全體主義的主張を自ら讓步しなければならない。

さて、兩者の合體か、分離かの二途の內、前者(合體)は教會的政治的方法であり、後者(分離は公式的國家的方法である。前者の方法は通常は一般の教會に對して行はれ、後者の方法は福音主義の國教教會に對してのみ取られる。而して國家は恢に教會、更に詳言すれば、教會教義やその儀式等は、國家的干涉より自由である可きであると宣言する。又、基督教國家にあつては、社會教育は基督教教義に根據するとなし、無神論的宣傳は禁止すると言ふ態度を取り、又斯く宣明するのが一般である。

所で、ナチス國家はローマン・カソリック教會に對しては、和協を締結して、相當廣汎なる範圍の讓歩をなして居るのである。例へば、僧侶の教育に關して、又、教會組織に關して、而してかのアリアン(人種條款は特定のカソリック學校及病院に對しては適用を停止されて居るのである。斯くて、ローマン・カソリック教會はナチス國治下に於て、相當の獨立性・否自由を享有して居る。斯樣にこの方面にはナチス國家は自らその全體主義を制約して居るのである。

茲には、ローマン・カソリック教會の世界的なる勢力は言ふまでもなく、獨逸及獨逸民族に對する、精神的支配力の廣大を考へねばならない。ビスマークの壓制的強權を以てしても、國家はこの教會との抗爭卽ち所謂文化鬪爭 Kulturkampf)に一敗を蒙つた事は人の普く知れる所である。しかも、獨逸に於ける特殊的事情の下に、他の歐洲新教國家に殆んどその類を見ざる程に、國家と教會――プロテスタント教會ルッター派教會)――とは合體を遂げて居るにも不拘、ナチスの對教會態度・政策はプロテスタントの所謂改革派教會(カルビン系)よりは勿論、ルッター派教會の內からすら反駁を受け、其間にも爭鬪が生起したのである。ローマン・カソリック教會の勢力が、獨逸に於ても元來根奧きものあるに加へて、この樣な事件をも吾々は看過してはならないのである。

屢說せる如く、全體主義國家の體制とローマン・カソリックの夫れとは、いづれも絕對的權威の體制なのである。隨つて、その限りに於ては兩者は兩立出來ない譯である。故に互に他を顚覆す可く對抗する事になる。この事を表明する現存の狀態に於ける一事實は、ナチスの新らしき神話に關する基本的書籍(蓋しそれは下記の著書を意味するであらうと考へられる。Alfred Rosenberg "Der Mythus des 20. Jahrhunderts."――筆者附記――)は法皇廳にては禁斷の書とせられて居るに對し、舊約聖書の販布竝にその司敎による辯護は、ナチスの國民社會主義獨逸勞働者黨に依つて禁止せられて居ると言ふ、一事實である。斯る事實は精神的世界に於ては領域の分別が、其處に對立する根本的なる世界觀が横つて居る限り、實現不可能であると言ふことを指示する。更に現時獨逸に於ては文化的部門のあらゆる重要地位を占ることは、科學的設備の權限に依るのみならず、ナチス黨の文化委員の權限に依據するのである。このことは結局、新らしきミトスの宣傳者――Rosenbergをその最大の代表者とずる所の――の勢力の下に立つの結果となる。さらば、國家及教會の――茲にては主としてローマン・カソリックの――關與領域の分別の、容易ならざる社會的自認がある。事體、かくの如しとすれば兩者に對する解決・決定は結局、關係者の自己決定に依るの外、路ないこととなるのである。

以上は、言はば理論的考察である。が、併乍ら實際問題としては、この場合、理論的に論究せらるる程、事體の決定が困難でもなく、又、重大なる結果を伴ふ譯でもない。それは教會(ローマン・カソリック)内に於ける守舊的分子の勢力が、國家の反動的勢力と或る程度の妥協的態度を形成することに原因する。かくの如く、國家からも、この教會には讓歩する所が相當に亙り、又、この教會からも國家と妥協する所が可成り存するのである。

今一つ茲に見逃し難いのは、この教會の組織、信條に基く所の團體的性格である。

この教會では、個人の良心や確信や又は聖書卽ち福音の權威よりは、法皇の、而して法皇廳の權威が尊重せられる。換言すれば教會の體制的權威が尊重せられる。そこで對國家的な教會的政治的問題に直面した場合、法皇の、具體的に言へば、法皇廳の態度、方針が、個々の個人の態度をも決定的となす。嚴格なる意義に於ける宗敎上の問題、敎會內の問題、信條上の問題に於ても然りである。況んや、敎會外の問題に對しての、この敎會の態度は個人の主觀的判斷を許容しないのである。ここには、統制が持續せらるる限り、敎會の集團としての結束は堅く、又、他の社會に對するこの敎會の集團としての勢力は或は鞏固であるかも分らない。併乍ら、そこには個人の良心の問題は恆に殘存するのである。しかも此問題は恆にさまざまなる問題の根本となるものを內藏してゐる。ともかくもこの敎會のこの種の體制的性質が、國家對敎會の問題に、プロテスタント敎會、特に改革派敎會などの場合に比して、國家との間に妥協乃至諧調的關係が、より容易く成立する所の、確に一つの原由なのである。

轉じて、この國に於てはプロテスタント敎會の場合には事體は甚だ異る。併し、此場合にても、教會の內部的運動を通して、教會の國家への間接的從屬關係を構成する可能性が全然ない譯ではない。例へば、カソリシズムに比しては、プロテスタンチズムは平信徒主義を取ると言ふことや、その衆民政的機構、就中ルッター主義教會の對外的關係に就ける無關心等々の要素は、教會の國家に對する諧調的關係を作るに比較的、容易なる要素である。然るに事體は好ましく展開しなかつた。その理由・原由は如何なるものであつたか、それが茲で問題となる。吾々は既に、ナチスの全體主義國家の志向に纏はる、一般的原由に就いては語つたのである。そこで、茲に具體的な直接的な原由を探ぐるとすれば、その根源的なるものは次の如きものであらう。

一、血液・人種につける新信條の教會への强要

二、指導者原理の教會への實施

三、教會合同卽ち統一的統制策の實施

この第一及第二の要素は共にナチスのミトス的なる新信條に卽するものである。血液・人種の信條は、之を最も端的に考へても教會の國際主義と牴觸する。此

場合、具體的問題として最も重要な問題はユダヤ人問題であつた。次に、指導者原理はプロテスタンチズムの本質と牴觸する。[57]

註(57) Troeltsch, E, op. cit.
なほ、前掲、拙稿參照

隨つて、斯る本質的に牴觸する所の原理の、强權的强要は兩者間の抗爭を言はば必然に喚起する。特に指導者原理適用の結果ともして、敎會合同乃至統一的統制策の實施をみたのである。これは啻にプロテスタント敎會の本質と牴觸するのみならず、その歷史と經驗とを無視せる方策であつた。後述する豫定ではあるが、その爲に、ナチス國家は合同的統一敎會を作り、帝國監督(der Reichsbischof)を任命して、敎會員と聖職者との、帝國監督への恭順の誓約を要求した。この誓約は第一には、帝國監督によれる敎會行政への服從を意味し、第二には、この服從と、國家への忠順の宣誓との間には關係が密接であつたが故に、前者への拒否は直ちに以つて國家への忠順の宣誓に違背するものと考へられたのである。[58]

註(58) Müller, Hans, Der innere Weg der deutscher Kirche, s. 30 ; ss. 58—69.
Koch, Friedrich, Die Deutsche Evangelische Kirche und ihre Verfassung, 1933. ss. 23—26.

斯く考へ來たると、ナチス國家はプロテスタント敎會に對して、急激なる改組を如何にも唐突に命じたかの様に考へられるが、これには又、相當の理由がないでもない。

其最も根本的とも考へられるものは、抑ゝ新敎獨逸の性格を決定せる主要なるものは、ルッター派敎會であつたと言ふことである。この派敎會は近世の獨逸國家勃興と共に、言はばその成立・隆昌を共にし、見様によつては國家と合體せるものとも考へられたのである。加ふるに、この派敎會の社會的、政治的領域への無關心的態度及性格は、益ゝ該派敎會への國家の關與・干渉を容易ならしめたのである。

更にまた、吾々は獨逸國の基督敎會の事情と沿革とを簡單ながら、知つて置く必要があるであらう。

抑、この國では第十六世紀初のルッターの宗敎改革運動の結果、各地方國に所謂ルッター派地方敎會(die Lutherische Landeskirche)が興り、そこでは君主が敎會統治權を有し、政府內に敎會局を置いて統轄すると言ふ監視制度が行はれてゐた。然るに、西南部地方にはカルビンの敎理の感化により、カルビン派敎會、卽ち所謂改革派敎會(die Reformierte Kirche)が成立した。これは長老會議制度を採用した。[註59]

註(59) Troeltsch, E., op. cit.
なほ、前掲拙稿、參照

これが極めて一般的事情である。もとよりこの兩派以外にも諸種の宗派が存在したのであるが、今はその點には觸れない。所が、第十九世紀初頭以降各地方のプロテスタント諸教會の合同運動が起り、哲學者フィヒテ(Fichte)はこの運動の熱心なる先達者であつた。[註60] 又、シュライエルマッヘル(Schleiermacher)も其最も熱心なる主張者であつた。

註(60) Douglass, P., op. cit. p. 285.

そのやうな運動の結果として、ある程度の範圍の協定が成立して其合同に參加したるものを、[註61]特に『福音教會』(Evangelische Kirche)と呼ぶ名稱が用ひられることになつた。併し無論、充分なる合同一致ではなく、これに加盟した各聯邦支分國の新教教會は夫々特有の制度・儀式・習慣・信條等を保持したが、能ふ限り一致の方針を以て協力することを約するものであつた。爾來、合同運動は繼續せられ、一九〇三年アイゼナッハ教會會議が成立し、續いて『福音同盟』(Evangelischer Bund)が結成せられた。更に世界大戰を機會として一層其必要が高調せられ、一九一九年のヴァイマール會議は其實現の方針を確定して實際的合同の議を進め、遂に一九二二年五月二五日ヴィッテンベルヒの教會會議[註52]に於て『獨逸福音教會同盟』(Deutscher evangelischer Kirchenbund)の組織を成立せしめた。これも未だ完全なる合同とはなし難かつた。此同盟規約の第一條に明記せる如く『信條・制度及行政に於て同盟各教會の完き獨立を保留』するの旨があり、斯る意味に於て形成せられし合同であつたのである。[註63]

註(61)　Douglass, P., op. cit. p. 276.
註(62)　Koch, F., op. cit. s. 4.
註(63)　石原謙博士　前掲論文

故に、この程度の合同では未だ單一的教會の出現とはなし難かつたのである。

この一九二二年の教會同盟に於ても猶達成し得なかつた目的を完成せむとしたのが、完全なる民族的統一、團結を目標とするナチス運動の新要求であつた。彼等は一九三三年一月政權獲得後、各方面に彼等の信條の實現を努力したことは人々の廣く知れる如くであるが、教會政策に於ても此目的の實現に努力し、ナチス的全主義をこの分野にも樹立せむことを計つたのである。

以上の如き沿革を顧慮すれば、教會合同運動竝に該政策にナチスが乘出したと言ふことは、强ち唐突なる擧ではなかつたのである。ナチスとしては、もろもろの部門に其全體主義を、强要し實現せむとする以上、獨逸及獨逸國民の精神生活を支配する點に於て、恐らくは、最深なる名辭を敢て冠しても差支ない程の勢力に富めるものの一つとして、獨逸プロテスタント教會に手を初めざるを得ないのである。獨逸プロテスタント教會の國民の精神生活の內奧に對する勢力影響は客觀的に且つ表見的に測定し難いものでもあるから、それは今や暫く問はずとして、プロテスタントの人員數が人口的に大略幾干の割合を占るかを檢するならば、人は何等かの程度竝に意義に於て、この想を深くするであらう。一九三五年の獨逸總人口はザール地方の約八十萬を除いて約六千五百二十萬である。その中、約四千〇九十萬即ち、總人口の六十二・七パーセントはプロテスタントであり、これに對して、總人口の三十二・五パーセントがローマン・カソリックである。プロテスタントの中、約四千〇三十萬が獨逸の代表的教會たる、統一教會、ルッター派教會及カルビン主義改革派教會に分屬し、約五十七萬七千がその他のプロテスタントの諸派教會に所屬してゐる。註64

註(64) Douglass, P., op. cit. pp. 276—277.

この簡單な數字の示す如く、獨逸に於けるプロテスタントの人口は多數に及ぶのである。ここからしても、人はナチスの全體主義的統合統制が此分野にも、執拗に企圖せられる所以が一應は首肯せられるであらう。この國に於て國民の社會的精神的生活の、尠く共一つの重要なる淵源とも考ふ可き、この分野を等閑視するならば、ナチスの全體主義的統合の貫徹に取つて尠からざる障礙となることは、凡そ大體の見透が成立するのである。それだけ、ナチスの政策は、强要的である。それだけ、衝突をみたる部面に於ける相剋は深刻であつた。この部面に於ける反撃抗爭に於て、ナチスが眞に克く其政策の貫徹を遂げ得ないならば、それは彼等の主義信條たる全體主義の完全に、なほ一籌を缺く。しかも、殆んどあらゆる部門がナチスの勢威に平伏せる觀があるにも不拘、この部門からナチス獨裁に對する劇しき反擊が生じ、先述の如く傳へらるる所を信ずるに足るものとすれば、ヒットラーも其政策を暫くは斷念したと言ふことであつた。これは、政治現象、廣く社會現象に關心を寄す可きものに取りて、確に止目に値する現象であると言はねばならない。

I　問題の概要

ナチスの對教會政策の惹起せる宗教鬪爭の紛爭の直接的原因として、先きに三つを擧示したが——卽ち、一、血液・人種の原理、二、指導者原理、三、教會合同政策、——これらは固より相互に、密接なる聯繫を有する一聯のものである。此等の新原理の强要的施行は啻に宗教の分野に關するのみならず、もろもろの分野に大なり小なりに、同趣旨の問題を新らたに惹起したことは周知の所である。ナチスの對教會政策の根本態度は、彼等の根本的新信條たる全體主義であつたが故に、教會合同、これに依つて單一教會卽ち、Eine einige "Deutsche Evangelische Kirche" を樹立せむと企圖したのである。この目的の爲の最有力なる手段となつたものが、かの血液・人種の原理並に指導者原理であつた譯である。吾々は玆に、ナチスの單一教會設立運動を簡單に述べねばならない。

そこで事象への良き理解と、敍述の簡略との爲に、最初に概括的に述べて置きたいことは、ナチスの單一教會運動に關して、ローマンカソリック教會は今の所、除外されて居ると言ふことである。これは端的に言つて現在では到底成功が期待せられ難いからである。故に既述の如く、この教會にはナチス政權は多くの讓步的態度を採つて居るのである。故に茲では考察の對象がプロテスタント教會となる譯である。

II　統一的單一教會設立運動

ナチス治下に成立せし所謂單一教會『獨逸福音教會』(Deutsche Evangelische Kirche, der evangelischen Kirche des Dritten Reiches)は、其準備時代を相當に經過したが、兎も角も其組織法卽ち教會憲章原案は全『獨逸福音地方教會』(Deutsche Evangelische Landeskirche)の全權委員に依つて、一九三三年六月一一日に設立せられ、同月一五日其效力を發生した。獨逸帝國政府は同月一四日該教會憲章を法律に於て承認し、同時に『獨逸福音教會』は公法上の團體權を獲得したのである。[註5] 獨逸福音教會は其憲章前文に宣言する所に依れば、「神が獨逸國民に一つの新しき歷史的時代を經驗せしめ給ふ秋に當り、獨逸福音教會は「獨逸福音教會同盟」(Deutscher Evangelischer Kirchenbund)に依つて、齎らせられし統一を遂行し完全にせむが爲に、結合して、單一的「獨逸福音教會」(Deutsche Evangelische Kirche)を組成する。獨逸、福音教會は宗教改革より成長せる諸々の並存せる宗派を、自由なる同盟の中に統合し、それに依つて「一つの體及一つの精神、一つの主、一つの信仰、一つの洗禮、一つの神、而して神は凡てのものの上にあり、凡てのものを通し、凡てのものの中にある所の、我々萬人の父」たることを證明せむとす』と宣言した。[註50] この宣言が、この教會の全貌を端的に表明して居る。この種の教會の合同設立に依つて、各聯邦教會（Landeskirche）の分立が破られて、全體を合同した統一的なる單一教會が組織せられたと言ふ譯である。即ち、これは、各地方・各聯邦毎に分立した所の「福音主義教會」(Evangelische Kirchen)でもなく「教會同盟」(Kirchenbund)でもなく「單一なる教會」(Einige 〈Deutsche Evangelische〉 Kirche)なのである。

此教會は、宗教改革的信條から成長せる、單一なる信條（Bekenntnis）を認め、後述するであらう如く、全體に對して、監督指導權を有する『帝國監督』(der Reichsbischof)を設置する。而してこの帝國監督が政府當局と提携して、統一的に教會行政を統率するのである。これが新らたに組成せられし、獨逸福音教會であつて、之に贊同する者は宗教改革の際に始つた諸教會分立が、玆に始て、ルッター的信仰の基礎の上に統一された歷史的大事件である、と謳歌するのである。併乍ら、宗教團體の統一・統制と言ふことは、決して簡單な問題ではなく、さればこそ、それは今日迄長い失敗の歷史を重ねて來たのである。ナチス治下の、この敎會が所期の目的を眞に貫徹し得るか否かは、なほ將來に待たねばならないことであるが、併乍ら、爾來當初からの情勢に依つて判斷すれば、其見透は樂觀的觀察を許さざるものの如くであつたのである。先に掲出したるが如き、ヒットラーに依る所の宗敎ナチス化運動、撤回の聲明布告を信ずるに足るとすれば、事體は、既に失敗を喫したものとみる可きものの如くでもある。そもそも、其前途をかく當初から樂觀出來なかつたのはこの單一敎會設立の運動に捧げられし、各方面の努力が誠に宏大であつたにも不拘、それに反對·反抗の勢力がまた强硬、且つ廣汎でもあり、又根柢深いものがあつたからである。此爲に吾々は其處に展開せられし且又なほ持續しつつある兩者の爭鬪につき、いささか語らねばならない。

註(65) Gesetz über die Verfassung der Deutschen Evangelischen Kirche, vom 14 Juni 1933. (Reichsgesetzblatt, 1933, Bd. I, s. 471ff)
Koch, Friedrich, Die Deutsche Evangelische Kirche und ihre Verfassung, 1933, ss. 11 u. 18.

註(66) Koch, F., ibid, s. 21.

ヒットラーが獨逸宰相の印綬を帶びたのは、一九三三年一月三〇日であつたが、所謂ナチス運動はそれ迄に相當の年月を閲して居り、漸くそれが獨逸政界の表面に躍進的進出を示したのは、一九二九年であつた。ナチス運動には、其根本信條の貫徹の爲に民族共同體の統合が、當初から企劃・努力せられたことは周知の事實であるが、此努力は宗教團體に對しても夙に着手せられて居るのである。プロテスタント的なる精神志向を國民社會主義者運動に結付けることを、團體運動に於て實現せむとすることの先づ最初の企圖は一九三〇年に始つた。これは即ち、「プロテスタント闘爭聯盟」(Protestantischer Kampfbund)の成立であつた。この計畫は極めて少數の人々に依つて立てられたが其發起の小會合中には、ゲッベルス(Dr. Joseph Goebbels) やクーベ(Wilhelm Kube)の名が連つて居るのである。

(註解) ゲッベルスは當時、國民社會主義者伯林日刊 der Angriff 紙の編輯者であり、クーベは當時、プロシヤ地方議會に於ける國民社會主義者黨派の領袖にして週刊紙 Märkischer Adler の編輯者であつた。この會合は元宮廷牧師ドェーリンク(Doering)に依つて司會せられ、同じく牧師ウヰーネケ(F. Wieneke)が最も熱心なる主張者であつた。ウヰーネケは基督教會の國民社會主義運動に於ける使命を說く所の熱心家であつた、又彼自身は市會議員選擧に於ける國民社會主義者の推薦候補者名簿の第一位の候補者であつた。

この會談の結果は、國民社會主義はその永續・發展を期す爲には、宗教的基調を必要とすると言ふ觀念、思想を生んだ。　此爲には教會內部に在りて、國民社會主義政黨が政治的分野に於て實現せむと計りつつある所と同一目的の爲に、協働する團體乃至組織を結成するの必要を感ぜしめた。　この企劃が成立するや、事體は著しく進捗して、シュタール・ヘルム(Stahl-Helm)との關聯に於て、『信仰運動・獨逸基督者』(Die Glaubensbewegung Deutsche Christen)なる團體が一九三二年六月六日に結成せられた。　この團體は牧師ヨアシム・ホッセンフェルデル(Joachim Hossenfelder)によつて統率せられ、ナチスの新教主義教會統一運動の中心勢力を成すものであり、その爲の鬪爭の最初の一ヶ年半はこの團體を巡つて展開したのであつた。[註57]

　ホッセンフェルデルは最も熱心なる獨逸教會の民族主義化の主張者であり、そのことの實現は鬪爭に依つて達成せられると確信する所があつた。　それ故に、該運動實行の爲に各部門を設け、一種の企劃本部の如き機關の必要を覺えた。　一九一二年九月二三日この組織の發表が出て、この組織が發展して遂に二九の全プロテスタント地方教會が、單一教會の下に合同するに至るの端緒をなした。　後に、單一教會の帝國監督と成つた、ルドウッヒ・ミューラー(Ludwig Müller)は該組織の『國民問題」に關する第十二部の委員であつた。ホッセンフェルデルは所期の目的の貫徹の爲に、「獨逸文化闘爭聯盟」(Kampfbund für deutschen Kultur)と提携し、祖國の基督教的並に教化的價値の爲の共通の闘爭には、超黨派的組織の結成の必要を益〻强調した。斯樣にして、此「信仰運動・獨逸基督者」は益〻發展し、ヒットラーは宰相就任後、これを支持するに篤く、かのナチス的信條たる全體主義が此分野に於ても、成就することを熱望し努力したのである。

一九三三年春「信仰運動・獨逸基督者」は遂に指導者原理の上に發展せる、統合的、有機的組織となつた。國家的、政治的統制の分野に强要せられつつあつた所の、指導者原理は宗教の分野に迄、擴大した譯である。此運動は要之、全體が一體となつて行動せむが爲に、個々の成員の意志を全體の下に下屬せしむることを要求するものである。このこと事體が、そもそもプロテスタント的志向並に信仰と背馳する。然るにも不拘、同運動は益〻發展して多くの成員を獲得した。玆には、吾々が先に顧みし、獨逸特有のさまざまなる要因が考へられるのである。

この運動の活動原則は、(一)民族又は國民及び祖國なる信條に基くもの、(二)基督敎會の世界主義に對して獨逸敎會の特異性の强調、(三)敎會に關しても衆民政的議會主義は既に過去のものとなし、これに對して指導者主義の要望、(四)積極的基督教教義の高揚、(五)英雄主義の鼓舞、等々が掲げられた。かうして、新しき獨逸に再生せる獨逸主義を以て、教會を更に活氣付けむとするのである。例へば、在來の教會はマルキシズムに對しては餘りにも無力であつたとなし、かの「カソリック中央黨」の如きものすら、自家の宗教的立場に寧ろ敵對するが如き政黨と提携したのである。故に、茲に要求せらる可きものは、新しき自由への闘爭に對して躊躇するが如き教會ではなく、眞に其爲に勇敢に闘爭する教會であると言ふのである。茲には、平和主義、國際主義が克服せられて、民族又は國民主義が希求せられ、血液、民族的統一が基督教會に對しても求められたのである。要するに、此運動は指導者原理に立つ單一教會實現の母體となり、淵叢ともなつたのである。註63

註(67) Douglass, Paul F., God among the Germans, 1935. pp. 87—88.
註(68) Douglass, P. F., ibid, pp. 89—101.

宗教の分野に於て、一方に斯る實踐運動があれば、又、他方に於て、獨逸的基督教神學の樹立が、組織神學の畑の人々の間からも支援せられて、基督教教義及び教會の獨逸化、否、ナチス主義化は愈々拍車を加へられたのである。私は神學方面に就き語る餘裕がないが、カール・バルト(Karl Barth)やフリードリッヒ・ゴーガルテン(v. Friedrich (Gogarten)等の所謂危機神學の勃興が、このことを示してゐる。併し、組織神學上の新興勢力のことは暫く措いて、ナチス治下の獨逸に於ける教會合同運動に極めて有力なる、新しき獨逸的神學の普及・寄與をなせしものは、ウヰーネケ(Friedrich Wieneke)の著『獨逸神學』(Deutsche Theologie, 1933)であつたと言ふことを指摘しておきたい。この著書は『信仰運動獨逸基督者』が取つて以て、自家の神學思想となせるものである。彼に依れば、プロテスタント神學の基礎は聖書にある、而して基督教教義は世界觀ではなく、隨つて、哲學に比較せらる可きものではなく、聖書への信仰の上に樹立せらるる生命力である。聖書は如何にも今や世界的書籍となつたけれども、ルッターの業績を通して聖書は、また民族的書籍(Völkische Schrift)となつたのである、と言ふ。なほ彼に依れば、獨逸的基督教神學は、これを要約して述ぶれば、民族・血液・國土に於ける民族共同體(Volksgemeinschaft)に體現せられたる、自然の内に顯現する所の神的體系の强調の上に、新らたなる福音的使命を樹立すると言ふのである。而して、基督の普遍性を强調しつつもなほ、此運動は各々の民族的團體は夫々の特殊的立場、方法に於て、神に近侍し奉仕せむことを努力す可きであると言ふに歸するであらう[63]。

斯る運動をナチスが支援し、ヒットラーも亦篤き保護を加へたと言ふことは、多くの說明を必要としないであらう。隨つて、ナチス治下にあつては此運動、卽ち『信仰運動・獨逸基督者』(Glaubensbewegung Deutsche Christen)は基督敎界內部に於ては勿論、政治的にも團體としての勢力を占むるに至つたのである。斯くして、かの帝國監督制の實現や統一的單一敎會の結成に益〻拍車を加へたのである。併し、此勢力が强大となり、此運動の計畫が廣範圍に擴大波及すればする程、そこに反對が生じ、對立的團體が生起したのである。これ卽ち『青年運動』(Jugendsbewegung)及び『牧師緊急相互同盟』(Pastors Not Verbindung)の兩者であつた。この兩者は反對の態度・方針・及び團體そのものの有する根本觀念に於ては、强弱、異同があつたが、『獨逸基督者』への反對、延いて後日の單一敎會運動への反對に關しては、志向を等しくするものであつた。斯る對立・抗爭が激化すればそれだけ、ナチス的信條に立つ所の『獨逸基督者』は勢威を加へるの槪があつたが、反對側の反擊も擊破し難く、遂に前者は一九三三年一二月八日解體を宣言した。但し、これは反對派の勝利を結果した譯ではなく、既にそれ以前獨逸單一敎會たる獨逸福音敎會(Deutsche Evangelische Kirche)は、ともかくも生誕を告げ（一九三三年六月一一日）、帝國監督は獨逸福音教會の選擧に依る手續を經て、同年七月二七日決定をみて居つたのであるからして、此運動は言はば所期の目的を達成し盡したものとも見る可きであつた。解體と共に、ホッセンフェデルは該運動の統率者の地位より隱退したが、少壯氣鋭なるキンデル（Dr. Johannes Kinder）が該運動の更生的團體の指導者の地位に卽き、其運動の精神は依然繼續せられたのである。しかも、新指導者の新方策は教會内の分裂を認めず、飽く迄も指導者原理に立脚するものであつたが故に、獨逸的基督教運動は却つて玆に一段の、否、異狀なる發展を、政治的竝に宗教史的兩方面に亙つて示すものであつたと、言はねばならない。キンデルに從へば、獨逸基督教の綱領は二種である。

卽ち、一、全福音的、國民社會主義者の勢力の結合。二、國民社會主義と福音教會との全き全體である。彼は之を要約して、『Die Deutsche Christen sind die Sammlungsbewegung evangelischer Natioralsozialisten』と述べたのである。註70

註（69） Douglass, P. F., ibid, pp. 102—107.

註（70） Douglass, P. F., ibid, pp. 108—112.

III　人種原理問題

以上述ぶる如く教會の方面に於けるナチス的全體主義に卽する統合的統一運動が進展し、これに對して宗教的良心、人格の權威及自由、教會の本質及其歷史、教會の社會性乃至社會團體としての權利等々の基礎からの對立・反抗は劇しく戰はれたのであるが、この抗爭の頂上とも思召しきものは、帝國監督及帝國監督制度を中心とせる爭鬪であつた、——後述——が、それと共に、最も厄介な問題となつたのはユダヤ人問題であつた。

ユダヤ人問題はナチス治下に於ては、啻に宗教の分野に留らず、もろもろの方面を覆ふ所の、ナチス政治の根本信條の一つであることは、特別に斷るまでもない。この故にユダヤ人問題は多方面に亙る問題を有する譯であるが、本稿に於ては該問題を當面の課題の自づからなる範圍內に限定して、考察するに留めよう。

抑々、ユダヤ人問題は昔乍らの極めて古い歷史を有する。恐らく紀元前第四世紀のアレキサンダー大王時代以來、存在する一つの世界最古の問題であり、それがナチス運動を機會として再び新たなる問題の對象となつたのである。ユダヤ人問題は元來それ自體として見ても、歴史上にも學理上にも、亦實際的、政治的にも極めて重要にして、その關係する所の廣汎且つ深甚なる問題である。殊にユダヤ人は其郷國を有せず、然るに到所に土着し、諸々の國家に國籍を有し、有爲有能なる人物を各部門に於て輩出して居り、此故に到所に於て非常なる實勢力を占るが故に、問題は一層重大なのである。ナチス運動によつて新しくせられし、ユダヤ人問題の一面としての、獨逸民族主義的統合の表現として、基督教會の統合統一が策せられたことは既述の如くであるが、それに關聯して教會内に於ても、ユダヤ人問題が重大なる問題となり、それを巡つて抗議・反抗が喧すしくあげられ、戰はれつつあるのである。

『獨逸福音教會と其憲法』(Die Deutsche Evangelische Kirche und ihre Verfassung, 1933.)の著者(Dr. F. Koche)に依れば、『獨逸福音教會は「國教會」(Staatskirche)に非らざるを以て、其教會憲法にはアリアン條款を含まない、アリアン條款は民族主義的必要に該當し、この新教會の憲法は之に對して、福音から成り、福音的必要より規定する。これは異種的影響、就中對内的、教會的嚮導の防衛を排斥するものではない……[註71]』と言ふ。併し、この解明そのものが欺瞞的であるのはともかくとして、この新教會の教會規程には、教職者及教會吏員中から『非アリアン人』を排除する條項を規定してゐる。即ち教職者及教會吏員に關する規程の第一條に、其資格を限定して居り、又同條第二項には次の如く規定してゐる。

『アリアン族ならざる者、又はアリアン族ならざる人と結婚したる者は教職者、若くは一般の教會的行政の吏員として招聘されることを得ず。非アリアン族と結婚するアリアン族の教職者若くは官吏は退職することを要す。何人が非アリアン族の人として認めらる可きかは內務大臣の定むる所の規定に從つて之を決す』と[註72]。

又同第三條第一項に『民族的國家及獨逸福音教會に屬することとの保證を從來の行動に依つて、與へない教職者又は吏員に「就き、同第二項に『非アリアン族又は該族の人と結婚したる者に「就き、これらの者が休職に處せらる可きことを規定してゐる。無論これには除外例がないでもない。例へば「教會の建設に對して獨逸的精神に於て特殊の功績ありたる場合」とか「一九一四年八月一日以降其職にありたる者』とか、『世界大戰に從軍し若くは大戰にて其父又は子を失ひたる者」とかは、以上の規定から除外されることになつてゐる[註73]。併乍ら、これらの條項も民族主義的見地から規定されてゐるので、この新らしい教會組織が、國民、從つて國家と宗教とは一致す可きものであるとの原則の上に立つてゐることに於ては、何等關はる所なく、或は除外例と言ふことは出來ないものである。

註(71)　F. Koch, op. cit, ss. 14.—15.

註(72)　Reichsgesetzblatt, 1933. Bd. I, No. s. 433.

註(73)　ibid, ss. 433—434.

なほ、これらの事情について、石原謙博士、前掲論文、參照。

これらの規定中『非アリアン族』と言ふのは、取りもなほさずユダヤ人を指すのである。事實上ユダヤ人以外の者で獨逸教會内に地位を保持する者はあるであらうが、その數たるや無論微々たるものであり、且つ實際的勢力を有してはゐないので、殆んど問題とはならないとみて差支ない。併し、ユダヤ人に關しては甚だ重要な問題を成す。固より彼等總數の全獨逸人口數との比率は比較的に低いが、[註74]彼等は主として都市就中、ベルリン、ハムブルグ、フランクフルト・アム・マイン等の重要都市に集中し、其處に有力なる團體を結び、社會的經濟的勢力を壟斷してゐる。特に商人、金融業、實業家、醫師、辯護士、學者等として最も有勢に活動して居り、其經濟界

に於ける實勢力は獨逸人に取つて恐る可き脅威を成してゐるのである。[卅九]

特に又、ナチスに言はしむれば獨逸國家を危機に陷入るる社會的要因の一大脅威はマルキシズムであり、而してこれは彼等に依れば、ユダヤ人に淵源すると考へられ、說かれるが故に、一般社會及官吏の範圍に於けるユダヤ人排斥が、敎會內にも波及せる原由となつたことは、假に敎會合同卽ち單一敎會建設と、ユダヤ人問題とを切斷し得ると假定しても、ナチス的政策として一應は首肯出來ないことはない。併乍ら、よしんば、外部の社會に於て斯る情勢が成立したる場合とは言へ、敎會內に於てまで之に順應することが正當なる措置として、是認せらる可きであらうか。尠く共、宗敎の世界に於ては、特殊の判斷と態度とが要求せらる可きではあるまいか。而して若しユダヤ人問題も民族的感情や、もろもろの政治的乃至社會的經濟的利害關係を離れて、それ自體としてより高い、より公正な、より普遍的純理的立場から、對置せられなければならない場合があるとしたら、これは先づこの宗敎の分野に於て、洵にここに於てこそ、なさる可き筈のものではあるまいか。若しも、宗敎が自己個有の立場を棄てて、唯、國家・政黨の政策に盲從し或は民衆の淺薄なる喚呼に應じて、動くのであつたら、宗敎は何所に自己の獨自性と矜恃とを持し、又社會と

國家とに對して眞に寄與貢獻し得可きものを示すことが出來るであらうか。註76

併し、獨逸基督教會の間にはこのことに就ける良心的判斷と自覺とが喪失しては居らなかつたことは、既述の所に照して明瞭であらう。實に獨逸基督教會の間から、ナチス政策に對する反擊が强硬に續けられしことは、吾々の述べしが如くである。獨逸プロテスタント教會中には、ナチスの統一的單一教會に合同參加を最初から拒否せる教會・宗派のあることは前に述べたが如くである。所謂改革派教會(Die refomierte Kirche)や、自由教會(Die freie Kirche)等は主としてこれに屬する。合同參加をみたのは、主としてルッター派教會、就中ルッター派の地方教會(Die Lutherische Landeskirche)より成る福音教會(Evangelische Kirche)であつた。然るに、ユダヤ人排斥の政策が一度、教會内に迄適用せらるるに到るや、ルッター派教會の内にも大いなる衝動を與へ、敢然としてナチス政策に抗爭を宣言して立上つた教會及信徒達が尠からず生じ、ナチス當局を驚かしめたのである。併し、これは前段に論究せる如く、ルッター派教會は教會外部の事象、隨つて政治的、社會的方面には言はば無關心であるとしても、教會内部に外部的異分子の侵入することを極端に拒否することを以て、該派教會の本領・本質ともするのである。此等の點に理解を缺いだか否かは吾々のあづかり知らざる所であるが、ナチスの對教會對宗教政策は自己に最も忠實なる教會と見做さるるものの內からさへ反對者を輩出したのである。


註(74)　Douglass, P. F, op. cit. p. 277. によれば、獨逸國內の總人口の約〇・七七パーセント即ち約五十萬が、ユダヤ的宗教を告白表明すと言はれる。

註(75)　石原謙博士、前揭、參照。

註(76)　同上

事體は紛糾して、ナチス當局をして適正なる措置に迷はしめた。ナチス當局は滔々たる抗議に答ふ可く、その對教會政策の解明を伯林大學に委囑し、ゼーベルヒ教授(Prof. Reinhold Seeberg)に依つて之は公表せられた。これはナチスの對教會政策全般に就ける辯解的解明であつたが、それに依れば、教會と國家との合體否、教會は國家內部の存在物として說述せられ、血液・民族に基いて教職者及教會吏員を決定することは、正しく正當であると說かれたのである。この樣なナチス政策支持の見解が表明せられるのは、別段奇異とするにあたらない。が、獨逸基督教會中の眞面目な神學者や先達者にして、事象に關して良心的判斷を與へることに努力してゐる人々も乏しくはないことも前言したが、その幾干かの事例を擧げてみようと思ふ。

一九三三年七月、獨逸福音教會が成立して程なく、九月初旬に、ヘッセンカッセル州に屬する三教會區の代表者會議が、マールブルグに於て開催せられたが、其會合に於て此點が問題となり、論議の後に教職者並に教會行政吏員に關する規程――アリアン條款を含みて――が基督教精神と矛盾背違せざるや否やの問題を闡明する爲に、マールブルグ大學及びエルランゲン大學の神學科に對して『公けの責任ある教示を求める』ことになつた。この要求に對してマールブルグ大學神學部は九月一九日に、教授會を開いてこれを審議して全會一致の決議を以て、ナチス政策を否認した。このことは神學科のフォン・ゾーデン教授の名を以て意見書として發表せられた。このものの要旨は『上述の規程、第一條及第三條の原理的規定は基督教會の本質が聖書の權威と基督福音とにより宗教改革の諸信條によつて、證明せられてゐる限り、これと一致しない』と言ふことを宣言したものであつた。而してこれを『もろもろの觀點から詳論し、教會内ではユダヤ人と非ユダヤ人との差別なく完全な一致を保つ可きこと』を主張したのである。[註77]

他方、エルランゲン大學神學科も諮問に應じて審議を重ね、實質上の全會一致の決議に基いて、組織神學擔當のアルトハウス及びエレルト兩教授に意見書の起草を依賴し、一九三三年九月二五日附を以て、これが發表をみた。この意見書はマールブルグ大學の意見書とは幾分異り、ナチス政策をいささか辯護する所があつた。即ち、基督の福音の前には個人的な、況んや民族的差別はあり得ないと言ふ、基督教の精神は認めなければならないと言ふ點に於ては、言ふ迄もないことであるが、併乍ら實際的には基督者間に存在する所の生理的・社會的差別の無視し難いことを認めて、以て教職者たる者の個人的條件や資格の制限を重視してゐるのである。無論、ユダヤ人の制限には例外を認める必要を說き、又彼等を退職せしめる場合には常に特殊の理由を要するとなし、又、將來彼等を任職する場合にも此例外を立證する爲に、敎會的原則を定立しなければならないと附言してゐる。

これと殆んど同時に、各大學にて新約聖書解釋の任務を有する所の、教授が一致して『神約聖書と人種問題』と題する聲明書を公刊した。それによれば、新約聖書中には人種問題は取扱れてゐないこと、近代的意味に於ける人種概念も存在せざること、新約聖書の精神からみれば民族的差別を超越して、凡てのものは基督の體軀であると言ふ信仰を抱く可きことどもを、高調した。而してユダヤ人と異邦人との關係について、新約聖書の見解をも明記したのである。この聲明書には多くの知名の學者の署名が見出されるのであるが、その主要なるものは、例へは、ブルトマン、ダイスマン、バイム、ユーリッヘル、リーツマン、ローマイエル、シュミット、フォン・ゾーデン、ヴィンディン等々であつた。

玆に、ユダヤ人の信仰の立場から、ナチス政策に反對して、或は辯論に或は著述に或は講演に於て、最も眞摯なる主張を續けて來たのは、フランクフルト大學哲學科の教授・マルテイン・ブーバーであつたが、同教授については罷免が傳へられた。又、上述の新約神學者の聲明書に署名を列した所の、ボン大學のシュミット教授も亦解職の災に遭遇したと言はれる。

テユービンゲン大學のカール・ハイム教授の抗議も極めて强硬であつた。教授は『獨逸の國家宗教と福音的な民衆教會』と題する小著を刊行して、福音の實際的意義を論じ大膽に論破した。即ち『吾々はユダヤ人基督者と共に全く公然と聖餐式を守ることを喜としなければならない。このことを一般に問題とするやうな人は、福音の意味する所の何んたるかを知らないのである』と力說した[註73]。

カソリックの大僧正ファウルハーバー(Kardinal Faulhaber)は、獨逸プロテスタント敎會及信徒に對するナチス的暴戾なる政策に憤激し同情して、獨逸新敎徒はカソリックと提携して、基督敎敎義を異敎的民族主義的理說より擁護す可きであると、說敎して多大の靈感を惹起したと言はれる。即ち曰く『血液・人種ではなく、信仰こそ宗敎の基礎であらねばならない』と力說した。これは、カソリックとプロテスタントとの關係を念頭に置くときには、一つの注目す可きことである。[註79]

註(77)　Douglass, P. F., op. cit. p. 128.
註(78)　これらのことに就き、石原謙博士の前揭の論文に負ふ所、多大である。
註(79)　Douglass, P. F., op. cit, p. 229.

以上、幾干かの個人的報道をなしたが、今一つ玆に加へたいのは、カール・バルト敎授(Karl Barth)に關する事例である。バルト敎授のボン大學よりの罷免は一九三三年一一月に行はれ、大なるセンセイションを惹起した。敎授は廣く知られたる如く、危機神學者の最も著名なる代表者の一人である。罷免の直接的理由は、一九三三年八月二一日附法律を以て規定せられし所の、國家の下僕として、宰相ヒットラーに對する個人的忠誠の誓約を敎授が拒否したと言ふことであつた。バルト教授はスイス國籍を棄つることなき歸化獨逸國民であつた丈けに、其罷免はスイス政府を刺戟した。而して該政府をして『獨逸大學に於て、スイス人教授が政治的事情の故に退職せしめらるゝならば、スイス政府はスイスの教育機關に働く所の全獨逸人教授を罷免して、之に報復するであらう』と、ナチス政府に嚴重なる抗議を呈せしめた程であつた。バルト教授の神學思想は所謂危機神學であり、危機神學はナチス的、ファッシオ的神學であると言れるが、バルト教授にしてなほナチス的政策を全面的に支持する所はなかつたのである。教授は教會統一法の決定前、即ち一九三三年七月初め、『今日の神學的存在』(Theologische Existenz heute)なる小論文叢書を主宰公刊してゐるが、彼自身の信念を明白に表明した所の、その第一篇『今日の神學的存在』なる標題を掲ぐる小篇に於て、かの『信仰運動・獨逸基督者』――卽ち、ナチス的基督者團體――に對して、原理的批判を加へ、又、ユダヤ人問題に就ても非難を呈してゐるのである。

尤も、彼はその反抗につける裁判の前日、嘗て拒否せるヒットラーへの忠誠の誓約をなすことに同意したと傳へられるのであるが、それは、一九三三年一一月以降のことである。註30 併しこの誓約事件の發生以前には、彼はナチスの對教會・對宗教政策には反抗せるものであつた。即ち夙にナチス的教會政策一般に反對して『福音の自由の爲に』(Für die Freiheit des Evangeliums)と言ふ標語に依つて結ばれたる同志の團體を作り、彼の奉職せしボン大學内にも六教授の賛同を得た。この運動は獨逸全土に相當多數の共鳴者を出し、ベルリンにても廿二人の教職者が之に加つた。彼の『今日の神學的存在』叢書第二篇『福音の自由の爲』(Für die Freiheit des Evangelium, 1933.)は、僅か十六頁の小篇であるが公刊後四ケ月間に參萬部を印刷したと言はれて居る。この小篇は、但し、ユダヤ人問題を直接的對象としたものではないが、ナチスの教會統一問題を根本的に論究しようとする意圖を有するものである。

斯る類ひの個人的報道は他にも少くはないのであるが、吾々はナチスの對教會政策の反響の深甚なること、就中ユダヤ人問題の重大性を此等の數例より判斷し理解し得るであらう。

アリアン條款を焦點として生起せるナチス政策への反對、反駁は啻に獨逸國内に限らず、國外よりも强硬なる抗議乃至非難が寄せられたが、其内最も强硬なるものと考へられしは、American Section of Universal Christian Council 及びイギリスに根據を置く所の、Administrative Committee of the Universal Christian Council の反對難叱

であつた。[註31]

註(30)　Douglass, P. F., op. cit. p. 270.

註(31)　Douglass, P. F., op. cit. pp. 128—129

アリアン條款反對の氣勢は國外よりの支援を得て、益ゝ有勢となり、或は街頭演説に或は聲明文書に或は教會講壇に或は宗教的團體運動に於て、論述論難するに至つた。このことが政治的に有力となつた最頂のものは『牧師緊急相互聯盟』(Pastors Not Verbundung)の果敢なる闘爭の結果、一九三三年一一月一七日に、アリアン條款の適用が繫案中の新教會法の公布を、一時的に停止せる時であつた。併乍ら、その新法は結局下記の如き修正を以て、一二月六日發布施行をみたのである。其修正とは、要するに牧師たるに充分教養せられたる、且又練達の候補者のみは教會內に於て採用せらる可きこと、但し、獨逸民族に奉仕し、神の主權に服從す可きことが要請せらるると言ふのである。この規定は、ユダヤ人系統のものの牧師たること、又、ユダヤ人を妻に娶りたる者は牧師職を剝奪せらる可しと言ふ所の、かのアリアン條款が其の效力の終局を告げたるものであつた。併乍ら、ユダヤ人を牧師職より放逐することの、言はば直接的行動は或はこれに依つて廢棄せられたかの如くであつたが、他面、大學の神學科學生に對する、民族的資格的統制が適用をみるに至つた。故に法規の表面は緩和を呈示したと雖、背面の間道は遮斷された譯ではなかつた。かくて、越えて翌年卽ち一九三四年一月四日帝國監督ミューラー(Müller)はアリアン條款を停止せる十一月規程竝に敎會內に於ける民族主義原理を修正せる、十二月規程を復活し强要するに至り、敎會內に於けるユダヤ人問題は再生したのである。尤も一九三四年八月二四日以前には、非アリアン族の牧師の身分上に關しては、さしたる變化はなかつたが、その後漸次に變化・動搖が深まり、これは遂に一九三四年一月四日の帝國監督の布告と共に前年十一月十六日及十二月八日の所謂緩和的規程は全部廢止せられ、敎會內に於けるユダヤ人問題は、そもそもの最初の舞臺に迄押戻されたのである。隨つて、問題は依然反抗・鬪爭・苦惱の域に殘された譯である。ナチス政策としては法律的に、敎會內に於けるユダヤ人は其措置に關して解決に到達したのであらうが、社會的には、又、實際的には、決して滿足す可き狀態に達した譯ではなかつたのである。

IV　指導者原理問題卽ち帝國監督制問題

ナチスの教會統一政策中最も重要なるものの一つであり、且又、かまびすしき紛爭の一つでもあつたものは、既述の如く帝國監督制であつた。何故にこのことが斯る難澁なる事體の一淵叢となつたかは、およそ既に略說したが故に、茲にはそのことを反復しない。併し事體の全貌を觀取し理解するには、そのことに纏つはる事象の概況は尠く共觀察しなければならないであらう。茲に於て事象につき史實に卽して一應の簡單なる敍述を加へよう。

久しき準備を以て計畫せられし帝國監督(Reichsbischof) ルドウヰヒ・ミューラー(Ludwig Müller)の就任は一九三三年七月二七日に其實現をみた。帝國監督の就任と共に各部門のスタフの任命も行はれ、茲に『獨逸福音教會』に依る、ナチスの所謂教會統一は制度的完成を遂げたのである。當日、ミューラーはウヰッテンベルヒ(Wittenberg)の市教會堂(Stadtkirche)のマルチン・ルッターに由緒ある講壇に立ち、次の如く宣言じた。曰く、

『吾人は國家に對する責任の重要性を確認する。國家は教會の首長に非ざることは固より自明であるが、併乍ら、獨逸教會は獨逸帝國内に存在する、これは人爲のなせる業に非ずして、神の與へたる事實である。ここからして、吾人は我國民及我

祖國に於ける吾人の任務に就き、神に責任を負ふものなることを確信する』と。

玆には宗敎改革の國、マルチン・ルッターの國に於て、國家と宗敎との關係に就ける、新らしき時代が轄せられたのであり、國家と基督敎會との關係に就ても、社會的な又、政治的なる意義に於て、一エポックを轄したのであつて、獨逸敎會の新しき姿は世界の視聽を愈〻惹いたのである。併乍ら、帝國監督ミューラーが其國家的宗敎的職務に正式に就いたのは、其後約一ヶ年後のことであり、その爲の盛代なる祝典が擧行せられたのは、翌三四年九月二三日のことであつた。其間約十二ヶ月の月日が經過したのは、このことに關聯して爭闘が廣く深刻に展開したることの一端を物語るであらう。

ヒットラー政權の當初よりして敎會と國家との間には、緊張狀態が著しく感知せられて居つたのである。故に彼の政權獲得(一九三三年一月三一日)後第三帝國の政策が迅速に進捗して、同年三月二一日に彼は新しき祖國建設の爲の全權を掌握したのであるが、當時彼は敎會の內部的行政竝に敎會の規約には手を染めずと宣して、三月二三日國家が、既に敎會との間に締結せる和議は遵守する旨公約したのであつた。併乍ら、國家對敎會の關係は恆に一種の對立が存するが故に、其間の問題の解決を策せむとすることはヒットラーの夙に抱懷する希求であり、又、全體主義國家の統合的統一的建設はナチスの根本信條であるが故に、單一教會の設立、教會合同の達成はヒットラーの早期よりの希望であつた。彼は一九三三年四月二五日、國家と教會との問題の解決の爲に全權委員として、ルドウヰヒ・ミューラーを擧ぐることを聲明したのであり、帝國監督制定の意圖は既に當時より內藏したるものの如くである。註82

註(82) Douglass, P. op. cit. pp. 176—185.

ヒットラーは教會代表と共に、獨逸人の合同的統一教會の根本組織に着手したのであるが、其計畫の聲明の發せられし四月三〇日、教會聯盟よりの强硬なる反對・反駁が擧げられた。この反對の火蓋を切つた最初の人は牧師ウヰルヘルム・ペェックマン(Willhelm Peckmann)であつた。玆には教會の本質・使命、或は獨逸人の新教會の本質・精神・使命等を命題とする爭論が展開せられ、又、教會團體のナチス政策への實踐的反對運動も愈々顯著に活潑となつたのである。吾々はそれらに關する記述を今は割愛するが、玆に必らず語らねばならないと思ふのは次の事實である。

即ち、ヒットラーの支持を有するミューラーに反對する不平派は、別に會合して、五月二七日に牧師フリードリッヒ・フォン・ボーデルシュウヰンフ(Friedrich von Bodelschwingh)を來る可き帝國監督として擁立せむことを宣言した。而して翌二八日ボーデルシュウヰンフはベルリンのKathedral-KircheではなくZion-Kircheに入り、其處に帝國監督の職掌を開始したのである。斯くて、兩派間に抗爭の生起したのは必定であり、そこで、ナチス的基督教徒團體『獨逸基督者』は同年一〇月三一日、教會員の投票に依つて帝國監督を正式に決定せむことを主張した。斯様に、帝國監督の選定に關してはナチス政策に服して、統一的單一教會の建設に對しては敢て反背せざる所の、教會及基督者の間にすら、軋轢を生じたのである。況んやナチス的教會政策に服せざる者に於てをや。洵に帝國監督制度の設立は當初から紛爭の對象であり、且又、ナチス治下に於ける國家對教會の問題の最も厄介なる問題であつた。

轉じて、ナチスの單一教會建設に當初より努力しつつあつた基督教徒の團體『獨逸基督者』の外に、吾々が知つて置かねばならない團體に『宗教革命青年運動』(Jugend-Bewegung der Reformation)なるが存在したことである。後者は教會行政及神學に關しては前者に反對する團體であつた。但し、この團體の運動志向は新教會新法規作成に、デモクラティックな方法を排斥して帝國監督の任命による所の絶對的權限ある委員會(Kommissariat)を作成して、其指導監督の下に於て、統制的に遂行すると言ふ所にあつた。教會の自由主義、デモクラシーを拒否する所、而して監督行政を要望する所に、ナチス的指導者原理を採擇するものであつた。併乍ら、この宗教革命青年運動の主義・主張・綱領は、かの獨逸基督者の夫等とは必らずしも全部的に一致するものではなく、決定的なる點で相違する所すらあつたのであるが、兩者は獨逸民族に依る單一教會を可及的速かに建設すると言ふこと、而して斯くの如き教會を指導する爲に監督を選任すると言ふ點に於ては相一致した。なほ在來のデモクラティックな教會行政に代ふるに、經驗に富める、有力なる、しかも眞摯なる少壯人物に依れる教會行政を以てすると言ふ點に於ても一致した。更に又この兩團體は共に國民社會主義國家の鞏固なる支柱であり、ベルサイユ條約の排棄を主張し、ヒットラーの統率の下に於ける民族的更生を、謳歌するの點に於ても共通なるものがあつた。

この兩團體の重要なる相違點は蓋し次の三點に於て見出される。即ち(一)神學上の立場に於て、獨逸基督者は相對主義であつたが、宗教革命青年運動は普遍主義であつた。(二)前者はアリアン人種主義をその牙城となしたが、後者はこれに反對した。(三)政治的手段に於て、前者は、敎會に對する國家の干涉統制を、國民社會主義の見地からして是認し、其爲の政策・運動の指導的團體であつたが、後者は斯る關係、干涉を好まなかつた。この最後の相違が兩團體を區別した最大の相違點であつた。[註83]

註(83)　Douglass. P. op. cit. pp. 191—193.

併し、この宗敎革命青年運動の內部的指導者となつた所の、鬪爭的なる牧師マルチン・ニイメュ－ラ－(Martin Niemöller)がボ－デルシュウヰンフの監督選任の非合法性を、公然糾彈するに至ると(一九三三年六月三日)、元來ミュ－ラ－支持たる獨逸基督者よりの該監督選任への反對、難叱は一段と强化せられた。而して、當時の大統領ヒンデンブルグ、及宰相ヒットラ－への、ミュ－ラ－支持の爲にする所の、ボ－デルシュウヰンフ排擊の抗議的請願書は其數を頓に增大し、其非難攻擊は益〻其聲を大となしたのである。この爭論抗爭の結果即ち、敎會に對する統制に關する敎會內の葛藤の結果、『最高敎會評議會』(Die oberste kirchenleitende Behörde)の會長カプレル(Dr. Kapler)は其地位を剝奪せられ、空位となれる『福音敎會最高評議會會長職』

(Präsidentenstelle des Evangelischen Oberkirchenrats)は『ライン最高教務總長』(Rheinischer Generalsuperintendent)のシュトルテンホフ(Stoltenhoff)が、その委員に任命せられた。此罷免及任命の措置はプロシャの文部大臣ルスト(Rust)に依つて施行せられたが、これは、豫ねて國家と教會との間に締結存在する所の『教會契約』――Artitel 7 des Kirchenvertrag vom 11 Mai 1931 (Preussische Gesetzsammlung s. 107)――の約定に準據せざる、言はば非合法的措置であつた。しかも亦、文相ルストは、ウヰスバーデン(Wiesbaden)の地方裁判所判事、エーガー(Dr. Jäger)を『プロシャ全地方教會に對する政府全權委員』(Staatskommissar für die sämtlichen Landeskirchen im Preussen)に任命して、[84]ボーデルシュウヰンフの勢力を挫折す可く努力した。斯くしてボーデルシュウヰンフは遂に强權的に退位を餘儀なくせられ、其職を黜陟せられるに至つたが、彼は最終迄その良心的確信を抛棄することがなかつたと言はれる。[85]

註(84) Kried. Koch, Die Deutsche Evangelische Kirche und ihre Verfassung, 1933. s. 7.

註(85) Douglass, op. cit. pp. 196–197.

斯くて、委員の權限は擴大し、舊教會役員の廣範圍に亙る更新が行はれて、エーガーはプロシャに於ける教會行政、管理の全權を掌握し、ルドウヰヒ・ミューラーは獨立福音教會の全權を振ふに至つた。そして遂にはミューラーがプロシヤのみならず全獨逸の教會行政權を獲得する迄に躍進したのである。

併乍ら、獨逸基督教會はこれを以て平靜に歸した譯ではなかつた。國家的なる委員制度の設置は久しきに亙る基督教會の歴史と、本質と、經驗とに背違するの故に、大いなる反對を必然に惹起した。玆には又、劇しき抗爭が展開され、多くの反駁・抗議に次いで、ヒットラーへの要求・懇談も行はれたのであり、これに對してナチス的教會信條の辯明・辯證も相續いて現はれ、獨裁者ヒットラーは他の部門に於て經驗せず、又、窺ひ得ざる體の逡巡、遲疑、動搖を暴露した。これはポッダム(Potsdam)に於ける演説中『余は教會と國家とを其原理に卽して分離せしめむと決意した……』と述べた所にも、其一端を窺知することが出來るであらう。併し、單一教會建設の業は、ともかくも進捗し、一九三三年七月半頃には國民社會主義的志向に沿ふ所の單一教會建設は殆んど其目的を達成し、七月一四日にはエーガーは委員職を辭任するに至つたのである。

かくて、同月二三日、獨逸プロテスタンチズムに對する信認の爲の投票が擧行せらるるの日が來たのである。卽ち、教會統一、單一教會に對する贊否が問はれたのである。翌二四日、投票の結果は『信仰運動・獨逸基督者 Glaubensbewegung “Deutsche Christen”)の壓倒的勝利として、獨逸基督者の指導者ホッセンフェルダー(Pastor Hossenfelder)の名を以て、大統領ヒンデンベルグ、帝國監督ミューラー及敎會委員エーガーの下へ夫々報道せられた。即ちナチス的統一敎會『獨逸福音敎會』は全獨逸基督者の信認投票によつて、基礎付けられたのである。この投票は、宰相ヒットラーの保護監視の下に施行せられる可く、各人は各自の眞實に好む所の表《リステ》に、自由に記入投票す可く要請せられたるものであつたが、其選擧戰は如何に戰はれたか、卽ち、『獨逸基督者』の如何許りなる有利なる厚き保護と、そして、『宗敎革命青年運動』の如何許りなる干渉壓迫の下に於て、施行せられしかは、其後のナチスのヒットラー信認投票一般に於ける事件に就ける、一般の理解に委ねて特に多言を用ひる必要はないであらう。[註86]

註(86)　P. Douglass. op. cit, pp. 207—211.

一九三三年九月二七日ウキッテンベルヒのSchlosskircheの扉を開いて、一團の禮拜行列が靜肅に行進をなした。この扉こそ、一五一七年一〇月三一日マルチン・ルッターがかの九十五ヶ條の抗議文を貼付けし扉であつた。曾てルッターに依つて宗教改革が成長したる如く、今や獨逸宗教史上、新時代が開花し、茲に、宗教革命とヒットラーの國民社會主義國家との精神的合體が認識せられたと言はれたのである。斯る意義に於て、獨逸福音教會は國民社會主義革命の勝利を表徴するものとして歡呼の聲に迎へられた。盛大なる盛典が擧げられ、其歷史的記念日の夕刻、教會旗とヒットラー旗との棚引ける、Stadtkirche の聖壇所のマルチン・ルッターの講壇にミューラーは登壇して、獨逸國民の獨逸福音教會最初の帝國監督としての綱領的發言を行つたのである。

併乍ら、『獨逸基督者』と『宗教革命青年運動』との間の神學的爭鬪は、決して終止した譯ではなかつた。現に、二千名の牧師が宣言に署名して、ボーデルシュウヰンフは假令監督としての敍任を罷免せられたとは言へ、依然彼を支持するの旨を發表した。彼等は教會內政に對するナチスの國家的干涉、强權的干涉を排斥して、これには抗爭するが、福音の使者としての天職には飽く迄も忠誠を以て盡瘁することを誓ふ旨をも公表したのである。これは、教會は教會自體の力に依つて再建せらる可きか、將又、外部的勢力の支援を以て改造せらる可きかの爭論を中心とする。斯樣に抗爭は依然絕ゆることはなかつたが、獨逸福音教會は其組織を着々と整備した。

一一月二二日にミューラーの帝國監督正式就任が一二月三日に行はるるの公式告布があり、就任式當日は監督は多くの從者を率へて、戰勝並木路(Siegsallee)を通り、ブランデンブルク門(Brandenburg Tor)を經て、ウンテル・デル・リンデン大道を進みDom-Scholsskircheに入つた。其禮拜は全國に放送せらるる豫定であつた、然るにこの盛典は擧行せられなかつた。斯る計畫の中斷、蹉跌はその背後に新教會の嚮導への飽くなき根强き反對の存在することを示して居る。随つて、事實上の此盛典は越えて翌年、卽ち一九三四年九月二三日、最初の形式とは遙に異れる形式に於て擧行せられたのである。

統一教會への反對はさまざまなる機會に於て現はれた。就中ルッター四百五十年記念祭——一九三三年一一月一〇日——に擧げられし反對の氣勢は强大であり、强硬なる反對宣言は發表せられ、かくては、壓迫、强制は益〻增大するに至つた譯である。當時に於ける最も劇化せる反抗の頂點は、一一月一三日の『獨逸基督者』の大會に於ける、該團體のベルリンの指導者ラインホルド・クラウゼ(Dr. Reinhold Krause)の演說に關して惹起せられたるものであつた。この大會は、教會内に於ける指導者原理の高揚と、アリアン條款の徹底を期し、教會に關するユダヤ人排斥を、決議し、教會の内外に於ける國民社會主義の主張に呼應せるものであつた。この大會を境界として『獨逸基督者』は愈〻反動化し、其指導者ホッセンフェルダー(Hossenfelder)の反動的思想と相伴ひ、反對派への壓迫は漸く重壓を增したのである。

斯る對立の激化より生ずるであらう所の危險を憂慮すると言ふ方策及前提の下に、『牧師緊急相互同盟』の要求竝に斡旋により、ミューラーとボーデルシュウキンフとの會談が行はれ、兩者間に協定が成立した。これによりミューラーは國家及國教會(Staatskirche)に依る所の凡ての教會法規を取消す旨の教令(Dekret)を發布することを約した。其中にはアリアン條款取消を含有してゐたのである。斯る妥協成立の爲には海外、就中米國教會の支援が特に大であつた。これに對しては反動家ホッセンフェルダーは飽く迄も反對であつて、獨逸民族の爲の獨逸主義を强調高揚し、國外の無責任なる勢力に動搖せらるることなき樣に主張して反對した。この抗爭の結果はともかくも或る程度の勝利を反對派に齎したのである。それはホッセンフェルダーの宗教局職(Geistliches Ministerium)よりの退位(一九三三年一一月二八日)竝に全宗教局員の退官をみたことである。この事件が一つにはミューラーを帝國監督職に卽く可く豫定せられし、一二月三日の盛典を翌年九月迄延期せしめたのである。同時に、監督ホッセンフェルダーの、敍任が一二月一三日に施行せらる可しと豫定せられた、この豫定の如く實行せらるるや、ブランデンブルグ(Brandenburg)及、ポーゼン(Posen)の牧師達は、彼は異端と强制手段とを敎會内に導入せる所の責任を負ふ可き者であり、且つそれ故に、誤れる指導者原理を敎會の領域にまで適用せる者であり『プロシャ全般敎務會』(Preussische Allgemeine Synod)に依つて制定せられし、九月の非基督者法規に對する責任者であり、なほ又伯林の Sportpalast に於けるクラウゼの暴言につける、信仰運動の路を備へたる張本人である等々を根據として、ミューラーに對して抗議を寄せたのである。加之、全ルッター派監督も時を同じふして抗議を呈した。かくして、『獨逸基督者』よりの脫退をなす者、特にハンブルク、エッセン、ハノバーの諸地方に多數であつた。

轉じて、一二月一日、國民社會主義政黨と國家との合體を樹立する法の發布をみたのであるが、これは理論的觀點から見て極めて政治的重要なる事件であつた。この立法の第一項は次の如く宣言した。卽ち、

「國民社會主義革命の勝利の後、國民社會主義獨逸勞働者政黨は國家觀念の所持

者と成り、國家に合體した』と。

これと同時に、ヒットラーは凡ての國家機關竝に大臣に、帝國監督ミューラーと諸々の福音各宗派代表者間の商議に關與・干渉することを禁止するの旨を布告した。ヒットラーはこれに依つて教會に對する中立的態度を示したるものであつたが、固よりこれは局面を糊塗し、ミューラーに宗教界、教會行政の獨裁權を行使せしむることに依つて、ナチスの對教會政策の進捗を期するものに外ならなかつた。故に、これに對して釋然たらざるものは多數であり、ニイメェラー(Niemöller)の如く公然之に挑戰反抗する者もあり、又、カソリックの主教ファウルハアバー(Kardinal Faulhaber)の如きは、斯るナチス的なる異教的且つ民族的教義の欺瞞に對しては、プロテスタントもカソリックと協同して抗爭す可きであると、講壇より說教し、プロテスタントに對して大いなる奬勵鼓舞を與へたのは、注目す可き事柄であつた。

併し、ともかくもミューラーの下に新たなる宗教局役員は選定せられ、又、教會內の爭議を平和的に解決處理せむが爲に、和議調停委員の設置をみるに至り、『牧師緊急相互聯盟』は之に參加することを拒絕したのであるが、玆に表面上はアリアン條款を取消せる所の、教會法規が成立して、誠に波瀾紛爭に富める國民社會主義革命の第一期は終つたのである。併し先に指摘せる如く、神學部學生に對しては民族主義原理を適用する所のものであつて、隨つて、この教會法規はなほ眞正なる和解の上に卽するものではなかつた。この第一期の爭鬪の決算を顧みるならば、プロテスタント教會の合同は一應は成立し、『獨逸基督者』の團體より其指導者は選任せられ、教會の指導者と國家の指導者とは相互信賴に立てるものとなつたのである。他面、反對派なる『宗教革命青年運動』はミューラーをして恢なる攻擊に對する防禦の地位にあることを深く意識せしめ、ホッセンフェルダーをその團體指導者の地位よりのみならず、宗教局役員よりも退位せしめ、且つ獨逸プロテスタンチイズムをして、教會の本質に就ける論爭の神學的竝に社會的意義を自覺せしめる等々に於て、或る程度の成功を收めしめたのであつた。以上がナチス政權第一期に於ける、教會政策の多端なりし初期の經過であつた。そして以上の經過は吾々が先にナチスの對教會政策に纏はりし紛爭の最上點は、帝國監督ミューラーの任命に關聯してであつたと、述べたることを證左するであらう。隨つて、帝國監督制定に關する紛爭の實相は一應敍述したのである。故に、その後の經過、體樣はその概況を附言するに留めよう。[註37]

註(87)　P. Douglass, op. cit. pp. 211—231.

獨逸プロテスタント敎會の紛爭は多事なりし第一期の經過中、帝國監督並に宗敎局役員の制定、敎會法規の樹立等を以て形式的には鎭靜に歸したのである。併し乍ら、反對が消滅した譯では固よりなかつた。即ち、新たなる反對は、一九三四年一月五日ルッター敎會の數名の監督の名を以てミューラーに退位を要求することによつて勃發した。彼等は敎會の自治權を要求し、敎會への國家的干渉を排除せむが爲に、ミューラーの退位を要望したのであつた。彼はヒットラーを擔いで專制的對策を採つて之に對應し重壓を課した、これによつて先に廢止せるアリアン條款をミューラーは再び復活肯定したのである。茲に於て再びこれを中心として激しき抗議と、ミューラー排斥の聲は擧げられ、爭鬪は新たに擴大したのである。吾々はこのことに就ける多くの敍述を爲すの暇を持合せないが、特に顯著なる事實を一言しておかう。

ヒットラーの篤き支持の下にミューラーは新敎會構成に努力を傾倒したのであつたが、これに對する變らざる反抗は『牧師緊急相互聯盟』及その指導者ニイメエラーに依つて繼續せられた。[註33] 併し、該指導者への强權的拘留・訊問、同時に又約百人の該聯盟加入の牧師の抑制とに依り、遂にこの聯盟は失勢して、これはプロシャの政治警察の監督を受くるに至り、ミューラーは自派腹心の牧師を任命することに依つて福音教會內の爭鬪は鎭靜に歸した觀を呈した。

併し、爭鬪は他の形態を採つて繼續せられつつあつたのである。即ちそれはニイメューラーを中心として『自由教會』(Freie Kirche)が結成せられ、飽く迄も教會の自治權奪還に努力が拂はれたのである。この『自由教會會議』(Freie Kirche Synode)に參加せる人々には有力果敢なる鬪士が相當多數に及んだのである。しかも八月下旬デンマルクのFanöに於て開催せられし萬國基督者會議に於ては、獨逸プロテスタンチイズムの爭鬪が重大討議と成り、該會議の決議を以て、ナチス及ミューラーの政策を非難し、其旨の聲明を發表した。その聲明書には基督教會の使命・本質に就ける根本觀念並に教會の國家に對する關係に就ける理念が、明瞭に表明せられて居るのである。斯樣に警察力と政治權力とを借り來たつて、眞正の教會を破壞せむとするナチス教會政策に對する反抗、教會憲章、信教の自由、教會自治權の確立に就ける根本的要求は、洵に根絕し難き力を有するのである。獨逸各地方に於ける根柢深き反抗宣言書の發表、夫等は實に枚擧に暇ない程である。茲に紹介して置かねばならないのは、一〇月二〇日Dahlemに於て『全國自由宗會』(National-Freie-Synod)が開催せられ、ナチス的國家教會を否認して別個に眞正に聖典的なる『獨逸福音教會宗派會議』(Die Konfessionelle Synode der Deutsche Evangelische Kirche)は『獨逸福音教會總務局及代表』(Generalsynode und Repräsentanten der Deutsche Evangelischen Kirche)を作ることを宣明したと言ふことである。斯くの如き、新しき形態に於て反抗は終止する所を知らなかつた。ミューラーの隱退を迫る文書書翰にして、これを本人宛に或はヒットラー宛に之を要望するもの、しかも有力なる且つ又眞摯なる人々の署名を備へたるものも、極めて多數に登り、帝國監督は激しき攻擊の矢表に立つたのである。海外より之に協力するものも亦相當の數に及んだのである。

もとより、ナチス的教會政策、特にミューラー反對の中にも相當の分派――大別二派、細別すれば尠く共四派――があるが、[註89]ナチスの該政策の改訂をみる迄、恐らくは終止を見ざるであらう所の根深き反抗が續けられるであらうことは、當時より明瞭に推量せられた所である。吾々は、今なほ繼續せられつつある所の反抗の個個の實踐、竝に果敢なる鬪士の個人的報道を記述紹介することを割愛するのであるが、人、ありて、夫等の個々の具體的實證を如實に顧み調するならば、何人もこの想を更に深くするであらう。

既報の如く、今年(一九三七)二月、ヒットラーは教會のナチス化運動を撤回したと、傳へらるるのであるが、既に一九三四年一一月、彼は固より不承不承ではあつたが、勇氣ある監督マイザー(Bischof Meiser)その他に率ゐられて、伯林の官邸に押しかけし人々に對して聲明せる、教會の國家的干渉よりの自由並に爾來、宗教的迫害の禁斷に依る所の、所謂一種の和協・約條(Konkordat)を締結したのである。(89) 但しこれは、事象の背後に、ナチス的干渉、壓迫の事實的なる絶無をば意味するものであるとは毛頭考へ難いのではあるが、ヒットラーによるナチス的專制を以てしても、基督教會の、而して宗教の、ナチス的統合・統一・統制が至難であると言ふことば、人をして其處に單に社會的事實としての知見のみならず、また、社會學的なる、且つ政治學的なる原理的意義と理解とを把握せしむるものが存するのである。

註(88) Martin Niemöller, Vom U-Boot Zur Kanzel, 1935. ss. 184—187.

註(89) 大別二派とは左記のもの、

(1) Bischof Meiser, Murm, 及 Marahrens に率ゐらるるもの

(2) Pastor Niemöller 一派

細別した場合の四派とは下記のもの

（1）Bischof Meiser の一派

（2）Konfessionelle Synode der Bischofe

（3）反對派の左翼

（4）最も闘爭的なる反對少數派

註（90）The New Statesman and Nation, Nov. 3, 1934. pp. 610—611.

五　むすび

上來、ドイツ・ナチス治下に展開せられつつある所謂國家對教會の問題を考察し來たつたのである。今や、ナチスの强權の下に、さまざまなる社會的經濟的政治的要因に基因して、民族的統合・統一・統制を根基とする全體主義的志向が發展せられつつあるに呼應して、獨逸の基督教徒の間からも、ナチス的政策に雷同し教會の統合・統一・統制と獨逸的基督教の民族的乃至種族的純粹との爲に、狂奔しつつある者も多數存在する。惟ふに、このこと自體、實際問題として必ずしも荒唐無稽の無意味なる業でもないであらうが、併し、宗教個有の立場からこれを反省し批判しようと言ふ眞摯なる人々の存在すると言ふことは、基督教會の爲に、又、獨逸自身の爲にも幸ひなることであり、且つ心强き賴もしきことであると考へられるのである。

ともあれ、今、企圖せられつつある統合・統一統制が如何なる意義に於て、如何なる程度に於て、成功を收めるか、又如何なる結果に發展するか、或は又、反對者が如何に其確信する所を貫徹するかは、興味深き教會史的、宗教史的乃至思想的問題であり、そして、このことは又廣く、社會科學的、政治學的乃至公法學的問題ともなり得るのである。

洵に、歐米にありて、國家が人間生活の文化的內容の統制・統合に手を染め、しかも獨逸ナチスの夫れの如く、之を專斷的に强權的に着手實行せむとする場合、國家は教會との直接的葛藤に直面することと言はば必定である。しかも、獨逸ナチスの場合にあつては、國家は國民のエネルギーを民族的、種族的純粹と精神的自由との文化的理想への直接的動向に對して、全體主義的機構的統合を企圖せむとするが故に、そこに生起する葛藤は正しく白熱化し、高頂に達したのである。

他方、基督教會も覺醒せる倫理的意識を有し、自己の使命を現世のもろもろの事象の基督教的理想化にありとして自覺する場合、教會はナチス的國家とは必然に牴觸する。獨逸にては、宗派的自由並に教會機構に對しての國家的統合・統制に於て、よしんば整備せるものがあるとしても、古き開明的警察國家とは異つて、文化的且つ福祉的、奉仕的なる可き現代文明國家は其主張、要求を精神的恭順の上に有するのである。

プロテスタンチイズム個有の本質的概念は、良心を最高權威に迄高揚する。そこで、强權的國家は强制し得るが、敎會は單に說得し得るのみである。かかる國家は命令し得るが、敎會は眞理に對する良心的自覺を覺醒せしむるのみである。玆に、各自の、又、兩者の陷入れられ易き陷穽が潜んでゐる。卽ち、若し全體主義的國家が敎會に依つて其活動行爲を挑戰せられ、拒否せられるならば、該國家はその確實性を毀損せられ、該國家の權威は絕對性を喪失して相對性に陷入る。隨つて、絕對主義的國家は、その企圖――よしんば其理想は高く、或は低くとも――に服して調整する所の、敎會を必要とする。そこにては、福音はより個人的となり、より少く社會的となる。

これに對して、衆民政主義國家は良心の自由なる表現の相互作用によつて嚮導せられる。斯くの如き國家にありては福音は、益〻個人的ともなり、且又、社會的ともなる。歐米に於ける國家にして文化的領域に於て、人間活動を組織化し調整せむとすれば、恆に、それは、敎會との直接間接の提携を必要とするのであり、それと共に、これを全然無視する場合は庶幾の目的達成上、尠く共甚だ困難なのである。蓋し、生活のもろもろの問題は個人的人間的良心に關係せしめられるからである。人々の抱く所の自然、目的、及宗敎等の夫々の概念は、これらの國々では今なほ基督教教義の包括性の内に於て、夫々の人々の國家概念を規定し決定するの力に富んで居るからである。要するに、基督教會、更に該教義の社會的、政治的なる關心と勢威とは、その意味の影響や寄與と共に、今なほ等閑視することはできないのである。吾々は、これらの國々に於ける此方面の消息に兎角暗く、隨つて、此種の社會事象を屢・誤つて輕視し易いのである。それは、宗教革命や宗教的自由闘爭の經驗を歷史的に具へることとなき或はその種の經驗の極めて乏しき傳統によることが主要因であらう。隨つて、屢・言はれる所の、社會的、政治的而して公民的、市民的自由の享受が宗教闘爭の賜物であり、所產であると、かの國々の多くの學者に說かる所に對する、吾々の理解は往々にして低度なるを覺ゆるものがあるのである。[註91]

註(91)　Lord Acton, The History of Freedom & other Essays. 特に、Chap. VI. Political Thoughts on the Church.

飜つて、現時、獨逸に於て展開せられし宗教的竝に宗派的闘爭は、何等政治的目的隨つて、何等の政治的意義を有せずとの見解もあるであらう。併乍ら、假に斯る見解を妥當なりとしても、其闘爭が直接に又間接に何等の政治的結果乃至影響を有せずと、斷定することは許容せられないであらう。そこには、政治的結果乃至影響が不可避的である。即ち、現時獨逸ナチスにありては、多くの公法學者、政治學者たちが學問的に種々苦心の彫琢を加へて、もろもろの科學的辨證の下に、所謂全體主義國家の思想形態を樹立して、新しき支配組織の觀念機構を整備し、且つこれを國民に强要しつつあるのである。　謂ふ所の全體主義國家こそは、人間生活竝に人間性を全面的に包攝し、且つこれを統合・統制せむとする國家を表象する。　かかる要望、かかる觀念こそは正しく宗教の絕對性的性格と牴觸する。　言ふまでもなく、宗教も亦絕對的妥當性に卽し、自己に背反する他の要望を拒否する。　而してこれは、正しく全體主義國家の要望する所と、言はば同斷である。　宗教そのものは自家の教義・信仰以外に背叛する一切の教義を否認する。これは又、獨逸ナチスの絕對主義的全體主義國家の民族的乃至種族的信條も同斷である。　玆に於て、必然に、全體主義國家の觀念は實に基督教會の反對に挑戰せざるを得ないのである。　何んとなれば、全體主義國家なる觀念それ自體が、既に一種の潜在的なる宗教的性格を有するが故である。　斯くして、獨逸プロテスタンチィズムの内に發生せる闘爭は、其闘爭者の目的を遙かに超出せる結果に迄、押し進められるであらう。　この闘爭は元來、いかにも宗教の上に加へられたる宗教的反抗として意味せらる可きものであつた、としても、併し、この闘爭は現時政治形態の背後に於ける、政治理念に對する、宗教的文化的反抗の中に歸せられざるを得ないものである。斯樣にして、茲には宗教的鬪爭反抗の中に、絕對主義、全體主義國家に依つて作られたる、潛在的なる宗教的要求に反對する所の政治的反抗が含まれて居ると解す可きである。

さて、現時獨逸に於けるこの鬪爭は屢々觸言せるが如く、ヒットラーの側よりの和議提唱に於て一應の落着を呈したるものの如く報道せられるが、併乍ら、果してこれが所謂最終的なる結末として觀取し得るか、若くは、これはさまざまなる難澁なる實踐に依つて學び得た所の、ナチスの單なる表面的なる形式上の讓步より出でたる、政策的事象なりや否かは、要するに歷史の進展にしばし待たねばならない所であらう。併し、この鬪爭の、而して、今や傳聞せらるる所の和議成立の事象の教ゆる所は、多方面に亙るものがあるであらう。吾々はその謂ふ所の多方面の分野を、茲に點檢し羅列し、而してそれらに就き解明するの必要はなく、且又、その暇を缺く。ただ、それは、政治的强權的强要に對して基督教會が、人格、良心の自由や權威の擁權者として、かてて加へて、且つこれに依つて、廣く自由と文化との守護として、今なほ相當根强き力や立場を占有して居る、と言ふが如き言はば倫理的方面に關するのみに留らないと言ふことを附言したいのである。人は、茲から人間目的の第一義性、その悠久性を學ぶと共に、所謂國家全體主義は吾々の社會學的認識からしても妥當視し難いと言ふ理説に關して、理論的知識と共に實證的知識を會得し得るであらう。かくして、人は、人間目的並に人間生活の多義性を顧慮し、かの全體主義國家の理論的、竝に實證的なる空虚を理會し得るであらう。（一九三七・四・二八・稿了）

附記　これは一九三六年七月政治學研究會例會に於ける報告の底稿を基礎として、諸先生、先輩、友人の御教示を反省參考として書上げたるものである。資料の蒐集が甚だしく、不充分であるために遺憾の點が多く、いつか充分に補遺し得る日の來らんことを希つてゐる。

中期ヴィクトリヤ時代の政治的型相

秋永肇

目次

一　第一次グラドストン内閣の自由主義的政策の本質とその崩壊の基盤的契機

(1) 第一次グラドストン内閣の自由主義的政策の本質

第一次グラドストン内閣(Dec. 9, 1968 —— Feb. 21, 1874)は一八六七年の選擧法改正以後最初の總選擧における自由黨の勝利によつて成立したのであるが反對黨に對して約百二十名の大差を下院に有するこの自由黨政府に課せられた任務が、單に總選擧の起因であり且つ選擧闘爭題目であつたアイルランド國教會問題の解決のみではなく、(註1)かへつて「トーリー主義に對する進歩的自由主義の全面的闘爭」(註2)であつたことは「今やその手中にあらゆるものを收めたかれに國は精力的なる改革の道程を翹望」(註3)してゐるといふグラドストンへの期待のうちに呈露されてゐる。

この自由主義的改革を斷行せしめた基礎は一八七三年を以て完成され、最高の段階に到達したレセ・フェア的資本主義がその被覆にまつはる舊來的なるものを廢棄するに充分な力を獲得したにつけて、最早や古き形骸は新しき内容には相應しい姿とは言へず「着古された諸制度」は新衣に更へねばならなかつた事實である。(註4)從つて第一次グラドストン内閣の性格は工業的利益の「政治的表現」であり、グラドストンその人の人格は自由黨内に於けるホイッグ貴族に對する產業貴族勝利の「象徴」をなすものと言はるべく更にかれが首相の印綬を帶びたことを以て南北產業資本家の國家支配における優位の典型化となされえよう。(註5)

(註1) ディズレイリ内閣の下においてアイルランド國教會に關するグラドストン決議案は三百三十票對二百六十五票を以て議會を通過したゝめにディズレイリは解散を斷行した、グラドストンは選擧鬪爭題目をこの問題に集中したのである。

(註2) Justin McCarthy, A History of Our Own Tiems, 1899, vol. IV, p. 248.

(註3) Ibid., p. 252.

(註4) F. C. Dietz, A Political and Social History of England, 1927, p. 543.
「イギリスは舊來の陋習を廢止し、着古された制度を更新又は廢棄し、そして古い過誤を訂正しうる程に富裕となつた。」

(註5) Ibid., p. 539.
「中期ヴィクトリヤの繁榮は第一次グラドストン内閣(1868―1874)においてその頂點に到達した。總ての階級がイギリス工業の作り出しつゝある驚異的な富の分前にあ

づかつたのであるが、分前の大部分は一方工業主、企業家に、他方組合的熟練工に行つたのである。かれらのイギリスにおける富に對する増大した支配は言ふまでもなく國民生活におけるヨリ多くの權力と影響とを意味する。その明確なる政治的表現はこの第一次グラドストン内閣に見出された。グラドストン自身は自由黨内における工業的利益のホイッグ貴族に對する勝利の象徴であり、そして彼の自由黨政府においての首相への昇進は國家統制における西北工場主の優位の典型化である。」

(A) アイルランド教會法案(一八六九年)

グラドストンが最大の關心を有し政府が最初に對策を與へんとするアイルランドの狀態に就いて冒頭若干の理解をえておかねばならぬ。

一八四六年の飢饉はアイルランドに新しい悲劇と共にその轉回を遺産として殘した。悲劇とは最小限に見積つて百二十二萬五千人が眞の生理的飢餓で死んだことである。轉回とは追放eviction竝びに移民による農業革命である。飢饉及び移民のために生じた人口減少と並行に行はれた追放によつて土地淸掃clearance が實現されると同時に耕地の牧場化及び小作地の集中を招來してイギリス資本に依存するアイルランド農業の資本制的開發が强度に發展したのである。土地淸掃を數字で示せば、一八四九年から一八五六年に亙つて五萬家族、一八六三年

——六四年には二千家族、一八六六五年から六六年には稍〻減少したが、それにしても依然として略〻千家族——が追放され、移民數は、一八四六年——一八五一年に約二十五萬人一八五一年——一八六九年には年々約十萬人合せて二百三十二萬人にして人口は以前の半分に減少した。

かくて「飢饉、追放、移民——これは人々の心を戰慄せしむる不幸の三波動であつた。その汚點はアイルランドの記憶の底深く殘され、イギリスに對する憎惡は遺產として第三、第四の世代にまで殘された」とバーカーをして言はしめたのである。(註6)かくの如き憎惡がフィアナ黨に結晶した。フィアナ黨はアイルランドの獨立を目圖する革命的黨派であつて、il faut faire peur (戰慄せしめよ)なる言葉に、呈露さるゝ如き暴力主義を基礎とし「土地は人民のものか、征服者のものか」をスローガンとしたのである。O'Mahoney を中心に一八五七年アメリカにおいてアイリッシュ・アメリカンによつて組織されたこの祕密結社は一八六三年——六五年を通じて最も活動し一八六七年二月にはアメリカより武器を擕つて來攻し、同年秋には有名な「マンチェスター殉教者」事件を惹起する等終始テロリズムを以て反逆を續けた。政府は人身保護條例を中止して鎭壓を敢行したのであつた。かゝるアウトレージの原因に觸れることなき消極的な彈壓のみを以てしては社會不安を芟除しえないことは言ふまでもないことであるが、特にグラドストンに積極的對策が要請されたには二つの理由があつた。(一)アイルランドの社會不安は今や強力なるグラドストン政府によつて代表さるゝイギリス産業資本によるアイルランド農業開發の重大なる障害であつたこと。(二)この社會不安が一八六七年の選擧法改正によつて參政權を獲得したる勞働階級を刺激してイングランドの産業平和を亂すおそれのあることである。ところでアイルランドの有する根源的問題とはグラドストン的表現を借りるならば「ユーパス樹の三枝」即ち敎會、土地、敎育の問題である。一の幹より出でた枝なるが故に切り離しえない性質を有する。一八六九年の議會劈頭の勅語は「平等的自由の原理」に基いてアイルランド對策が實施さるゝことを宣言したのであるが、この抽象的原理が具體的にはいかなる形態で顯示されたかは各法案の內容が規定してゐる。

根基的規定と目さるべきは、フィアナ運動が勞働階級の若き知識的分子、大都市の賤しき小商人の若き世代、勤勞職人らによつて支持され、實踐されたるにつけて、(かれらが農村窮境の結果に壓迫されたるは言ふまでもない)かれらの影響からイングランド巨大資本農業者によつて漸次壓迫さるゝに至つたアイルランドの大中部類の小作人を引き離すために、對策の目標が必然的にこの層の社會的不滿に向けられたことである。この運動は事實支配階級によつて憎惡されたのみならず、カトリック僧侶竝びに農民の大多數に嫌惡されてゐたのである。(註7)

アイルランドにおいては農民の壓倒的多數がカトリック敎徒であつてこの信仰の力により長年の苦痛に堪えてきたのであるが、この敬虔はまた同時に感情が一度あらしに遭ふと敎會の說敎が導く靜寂なる原野からかれらの魂を引出して獰猛な行動者とならしむるを妨げない。アイルランドの歷史を飾る農民一揆がそれを示してゐる。然しながらかれらが合理主義者ではなく信徒であつたがためにそのアウトレージもまた自然發生的であつた。かくの如くアイルランド人は神祕な力と複雜な紐帶によつてかれら自身の敎會に拘束されてゐるのであつてみれば、カトリック敎會を廢止することはかれらにとつては宗敎を否定することを意味するのみではない彼等の鄉土に對する裏切であると思はれたほどであり、かれらがプロテスタント敎徒になることも同じく同胞に對する背敎者たることを意味したのである。イギリスによつてアイルランドに設立されたるプロテスタント的國教會はかれらにとつては抑壓の象徴であり、かれらの同胞カトリック教徒を何代かに亙つて抑壓した權威によつて立てられたものであり、カトリック教徒であるが故に洞窟に、山地に逐ひやられ、アイルランド人であるが故に首を絞められ腹を切られたのである等の意識は特にアイルランドをして國教會に反感を抱かしめたのであつた。イギリスの制度に對してあらゆる讃辭を惜しまなかつたカブールでさへ「アイルランドにおける國教會はカトリック教徒にとつてはかれらの慘狀原因を代表するものであり、敗北と抑壓の徴である。惱みを募らせ屈辱を一層鋭く感ぜしめる」と述べた。イギリスにおいては、制度としてのプロテスタント國教會はイギリス國民の大多數の宗教的信念を表はし、それなくしてはイギリス人の宗教的教導は不可能であるが、アイルランドにおいては反對にカトリック教徒が人口の五分の四以上を占めてゐてプロテスタントは少數者に限られてゐる。アルスター州においてすら僅かに二〇パーセントに過ぎない。かかるプロテスタント教會のアイルランドにおける地位にも拘らずそれが國家から特權的保護を受けてゐることこそそれをして「征服のバッジ」たらしめてゐるのである。即ちアイルランド人の反感の核心はプロテスタント教會そのものに對してよりもむしろその國家によつて保護されたる特權的地位であつた。從つて國教廢止によつてプロテスタント教會の力はかへつて發展の可能性を有してゐた。プロテスタント教會が國教廢止によつて發展することは何を意味したであらうか。カトリック教徒は大部分零細小作人大衆であつた。

アルスター州における如く資本制農業が進んでゐた地方に居住するプロテスタント教徒は多く大中アイルランド小作人であつたのである。實にこの社會層にこそプロテスタント教會の發展すべき可能性があつたのである。差當り政府としては零細小作人たるカトリック教徒を眼目とする必要がなく、上層の社會層をこそフイアナ運動の影響に對して防衛すべきであつたから、國教廢止によるプロテスタント教會の力の發展はこの層をある程度イングランドに接近せしめるであらう。

グラドストンの國教廢止案の意味がこの契機にあつたことは結果の示す如くである。(註8)

新議會は一八六八年十二月十日に開會され、グラドストンのアイルランド教會法案は翌年の三月一日に議會に提出された。

該法案によれば、一八七一年一月一日を期して、アイルランド教會は國家から完全に分離され、イングランド國教會との聯絡も除去されて、自由なる監督教會に改組される。同時に宗教裁判所は廢止され、僧正の上院における席は失はれる。從來の宗教會議は廢止され新教會へ移行するための會議が新に組織される。

更に他の規定は教會財産沒收に關する相當煩瑣な計數を含んでゐる。グラドストンは沒收さるべき教會財産總額をあらゆるものを含めて約千六百萬ポンドと見積つた。その内譯は十分の一税(貸地料)の額が九百萬ポンド、土地その他の財産額が六百五十萬であつた。その中牧師の俸給の換算額が五百七十萬ポンド、プレスビタリアンチャーチ及びMaynoothへの下附金が百十萬ポンド、牧師推薦權所有者への賠償金が九十萬ポンド、其他の費用等併せて八百六十五萬ポンドが教會に賠償されたのである。

その殘額の七百五十萬ポンドは、提案に依れば、アイルランドにおける救貧法の保護領域外にある「不可避的な災害」の救濟に使用さるべきであつた。即ち法案の前文の言葉によれば「教會並びに僧侶の維持のためにあらず、更に宗教の教義のためにあらず、主として不可避的な災害・困苦のために」あてられねばならぬ。ブライトは「吾々は聾者、啞者をして聞きえさしめ、語りえさしむることはできない、だが、少くとも不幸の重荷を輕減し苦しんでゐる多數の人々の生活程度を緩和しうるであらう」となして此の項を辯護したのであつた。救貧税以外の財源による救貧策は土地清掃を促進するの效果があつたことに注意しなければならぬ。下院における討議に際しては、絶對多數の支持を有する政府案に對する保守黨の攻撃演說も何らの效果なく空虛な響を與へるに過ぎず、第三讀會を多數で通過した。

然しながら保守黨議員を多數有する上院においては剩餘金條項に反對を附され、修正案は該條項を否決し代りに Concurrent endowment の原理を挿入した。既に支配的勢力を失墜してゐる土地貴族によつて構成さるゝ保守黨は發展的要素なきが故に單に一特權の消滅でさへ絶對的喪失を示現するのであつてみれば、必然的に現狀維持に傾かざるをえない。かくて上院と下院の對立は決定的なるが如くに見えたが、基底的に自由黨的勢力に依存せざるをえず、且つ自由黨勢力もまた土地貴族に終局において對立する意味を持たなかつたから、妥協の契機は客觀的に存在した。グランビル卿とケァンズ卿との間に決定された八十五萬ポンドの敎會への賠償額の增加によつて上院の修正案と政府案との妥協が實現した。同時に上院提起の原理は却下され、剰餘金の使途は法文に明記せず議會の自由裁量に委されることゝなつた。該案は現實においてプロテスタント教會を破壞するどころでなく、形式的改革によつて、實質的にはかへつて充分な生存の力を教會に與へたのである。

教會自身はこの變改によつて何らの苦痛をも受けなかつた。否反對に「政治的影響から解放されることによつて利益をさへ享受した。即ちその活動は活潑となり、その侵略性は失はれ、一層憐みと教化の家となり、かへつてその成員の努力によつて物質的富の喪失による償ひを充分に見出したのであつた」と一史家は述べた。(註9)

然しながらアイルランドにとつて國教會は"sentimental"なものであつて、アイルランドにとつての重要性においてその唯一の生活手段たる土地問題には比ぶべくもない。次にその問題に移る。

(註6) Low & Sanders, The History of England during the Reign of Victoria, P. 225 ff. Connolly, Labour in Ireland, 1917, pp. 170—173. The Cambridge Modern History, Vol. xii, p. 65 ff. E. Barker, Ireland in the Fifty Years, 1919, pp. 11—13.

（註7） S. Walpole, The History Twenty-Five Years, 1904, Vol. II, p. 354. Connolly, op. cit., p. 206.

（註8） Cf. J, MacCarthy, ibid., pp. 230—256.

アイルランド選出の議員 J. Francis Maguire は國教會の存在について「恥ずべき、忌はしき變則」と言ひ、グラドストン内閣の藏相 Lowe は前議會のグラドストン決議案討議において次の如く述べた。「國教會は無限の苦痛と無用なる紛擾とをもたらすべく遠方の國より運ばれたる外來種である。大きな困難と莫大な費用とともに惠まれざる土地と氣候の中に生きながらへてゐる。無益なる呪ひが投げられてゐるだけだ。葉もなく花も咲かなければ實も結ばぬ。切倒して終ふべきだ。何か存在の理由があるであらうか？」

（註9） この法案は一八六九年七月二十六日法律となつた。

I　ヴィクトリヤ女皇はこの法律の成立に當つて上院と政府との間に生じた對立に甚しく焦慮された。女皇は法案の政策には不贊成を表示し且つグラドストンがかくの如き法案を提出することの必要を感じてゐるのを遺憾に思はれると同時にこの法案に因由して起るであらう議會の兩院間の鬪爭を回避せんことを切望され、非常な恐駭を以て上院における反對投票の結果を御覽になり、第二讀會に際しては、Tait 大僧正がその力を法案のために至さんことを力説されたのであつた。(Life of Archbishop Tait, II, 24 における女皇と僧正との書簡參照)大僧正はディズレイリの手紙によつて動かされることなき聰明な、自主的な政治家であつて、教會の高僧型とは數を異にしてゐたが故であらうか、現在のまゝのアイルランド教會では辯護の餘地のないことを承認したのである。(Lord Eversley, Gladstone and Ireland—The Irish Policy of Parliament from 1850—1894, 1912, pp. 32—33) 女王はグラドストン宛、一八六九年二月十二日書簡において政府が、後になつてひつ込みのつかぬやうな提案となるに過ぎない法案を輕卒に提出することに強く反對しなければならぬ、それにつけても此の法案は上院においては承認されぬ、而してその結果、激しい紛爭が初まりよしそれが終つたとしても問題の満足な解決を不可能にするであらう」といふ意味の御意見を示され、「融和的な意向」をかれに希望したのである。(John Morley, Life of Gladstone, Vol. I, pp. 170—675) 事實、この法案は單にその裁否の問題を越えて、上院と下院の衝突といふ制度上の問題を惹起せんとしたのである。John Bright は上院がこの法案の前に尙ほ躊躇してゐる時、尖鋭に此の點を浮び上らせる如き公開狀(一八六九年、六月九日)を發表して次の如く述べたのであつた。

「上院は甚だ賢明ではない、だが、偶〻その不見識でさへ國民には有利な場合がある。もしかれらが三ケ月、間アイルランド教會法案の通過を延引するならば、重要な問題に關して議論を沸騰せしめるであらう。この紛議たるやかれらが血道をあげることなかりせば永年の間まどろんでゐたであらう如きものである。恐らく、心ある多數の國民は、特定の政策に對して一つの議院では百人の多數贊成者を、別の議院には百人の多數反對者を存在せしめる憲法の特別な價値とは何ぞやと問ふであらう。又、王がその下院における關係を通じて國民と協調せるにもかゝはらず上院が一般に眞向からそれに反對しゐるは何故であるかと問ふであらう。 貴族達は一代貴族を下手にいぢくり廻すよりも出來らべくんば現在の意見と要求との線に沿うて行くべきであらう。國民と調和するならば末長く進みうるであらうが、そのコースに逆はんか、かれらは考へるだに愉快ならざる事件に逢着するであらう。」(G. M. Trevelyan, The Life of John Bright, 1925, p. 403) 當時パンチ誌上の漫畫は馬丁ブライトが上院の馬車に向つて、「こんな『血迷つた』古馬車は邪魔つけだ」と叫んでゐるのを執事たるグラドストンが、彼の肩に手をかけ「ジョン、ジョン、お前は自分の位置を忘れてるぞ――今そんな言葉を使つちやいかん」と言つてゐる所を描いて政治狀勢を諷刺したことを附加しておから。因みにブライトの公開狀は閣僚の一員の言葉として政界に嵐を捲き起したのである。

Ⅰ　該法案の反對黨を率ゐてディズレイリが自由黨の壓倒的勝利に先立つ保守黨政府期においてグラドストン決議案を葬るべくヴィクトリヤ女王を「毒しつゝ」あつたことを指摘しなければならぬ。自由黨の幹部達はディズレイリが不當に該問題を葬るべく女王に働きかけてゐた事實をすでに承知してゐた。「クラレンドン卿はディズレイリがアイルランド教會問題に關して女王の心を毒しつゝあると考へてゐる」――ブライト、一八六八年四月廿五日の日記。(Trevelyan, op. cit., p. 392) 二十五年前ブライトとディズレイリとは「外來教會」を拒否する最初の政治家であつたことを記憶するならば、かつてこの國の發展に沿うて自由主義に接近したディズレイリが今やブライトと袂を分つて反對の陣營を指導し、自由主義を壓伏せしめんとしてゐる事實は興味深いことである。然しながらディズレイリがヴィクトリヤ女王を「毒しつゝ」

あつた點を鋭く追求したブライトによつて提起された問題の所在は更に重要であらう。一八六八年五月七日の議會においてブライトは「君主を欺くディズレイリを「王位簒奪者」たる謀叛人と同じ位置にあるものと呈露し、「かくの如き大きな政治闘爭の前線に君主を立てる」者は君主竝びに國民に對して拭はれざる罪過ありと攻撃した。(Cf. Trevelyan, op. cit., pp. 390—391.)

■ 保守黨イディオロギー。ディズレイリがアイルランド教會法案に反對したのは國家と教會とを分離せしむることとの不得策、大きな集團の財産を收奪することの不穩當に着目したからばかりではなく、また、アイルランド教會問題は更にイギリス教會問題にまで發展することを恐れたこともあらう、だが根基的には一歩突き進んで、「收奪の政策が、一度開始されるや不可避的にそれに續く收奪が來るであらう」ことと、竝びに「もし今日宗團財産が流用されるならば明日には私有財産が攻撃されるであらう」ことを懸念したのである。(S. Walpole, op. cit., pp. 360—361.)ワルポールが該案を目して「宗教的共産主義」となせるは同じく教團財産のみならば「あらゆる種類の財産もまた」收奪されるのではないかといふ不安の表示でなければならぬ。(W. N. Molesworth, The History of England, 1876, vol. III, p. 409.)

■ 自由主義的イディオロギー 宗教的平等と正義。だが「その方法は厳格であるとはいへ、余の同僚ならびに余自身が此法案について熟慮し用意した宗團としてのアイルランド教會に對する精神は不親切な精神ではなかつたのである」に顯示せられてゐる如く、又既述の如く、本質的に所有權を侵害するに至るべき精神ではなくか

へつて新装下における保護であつた。（グラドストンの議會における法案上提演説）
Cf. The C. Modern Hist, ibid, pp. 66—77.

（B）アイルランド土地法案（一八七〇年）

一八七〇年の「地主小作人法」は左の如き三つの主要規定によつて構成せられてゐる。

（一）Ulster Customアルスター慣習——アルスター州以外におけるアルスター慣習に類似の慣習をも含めて——に法的効力を與へるべき條項。此の時代に至るまでこの慣習は何らの法的効力を與へられず、單に地主と小作人との間の了解に過ぎなかつた。小作人が不公正な待遇を享けざることと地代は不當にあげざることと、小作人は立退きに際して農地における自己の利益を自由に販賣するの權利を有する等が慣習の内容をなすものである。その地域に依つて甚だしく相違があつたが、その共通せる主要なる内容は大體左の五項目に區分される。（イ）年小作人は小作人として不都合なく振舞ひ地代を納める限り妨げられざる占有を繼續しうるの權利又は慣習。（ロ）土地生産物の價値の増大に對して公平にして公正且つ充分なる分前を地主に與へるべく、絞取地代 rackrent を收取することによつて小作人の利益を絶滅せざる程度において週期的に地代をあげる地主の相關的權利。(ハ)小作繼續を欲しないかまたは地代を納めえなくなつた場合その利益を販賣する小作人の慣習。(ニ)讓受人について相談を受け且つその承認、不承認に關して有力な發言をなす地主の相關的權利。(ホ)地主が自己のために小作人から土地をとりあげる場合小作權の公正な價格を支拂ふ地主の義務。

(2) 法律は追放の場合に地主を罰し且つ地主をして小作人に對し賠償を與へしめる。小作人は追放された場合その改良に對して地主賠償を請求することができる。更に侵害に對する損害賠償は法律の定むる額を超えることはできぬ。規定によれば十ポンド以下の借地は七年分の地代、三十ポンド以下は五年分の地代、五十ポンドは三年分の地代、百ポンド以下は二年分の地代百ポンド以上は一年分の地代をそれぞれ賠償される。但し賠償はいかなる場合にも二百五十ポンドを越えることはできぬ。

(3) 所謂ブライト條項にして、地主が進んでその所有地を賣る場合小作人はそれを購入することができる。購買價格の三分の二に限つて國家が金を貸與す。但し三十五年間に亙つて貸金の五パーセントの年賦を以て償還する。

(4)　法律はその價格四ポンドを超えざる自作小農に對しては Grand Jury 税の全額、その他は半額の支拂を强制する。

アイルランド教會法案は自由黨、保守黨、竝に上院、下院の對立を生じて活潑な討論が議會において行はれたのであつたが、この土地法案に對しては地主をその社會的基盤とする保守黨議員も基本的な規定原理にはなんら反對しなかつたのである。

從來アイルランドの農業經營においては資本制的改良は地主の無償追放のために充分行はれるところがなかつた、改良を施せども何時追放の運命に遭遇するやも知れず、且つ自己の改良にはなんらの賠償が與へ得られないのであつてみれば、小作地改良が發展する筈もない。だが、既にアルスター慣習における如く資本制的經營の進展は慣習によつて規制されゐる。その法的保護は最早や自明であつた。更に資本制的經營による小作地改良は地代を騰起せしめるのみならず地代に就いては規定はなんら觸れるところなかつたのであるから地主が反對する筈もなかるべく、議會における該法案に對する一致的支持も理解される。かくて土地法の諸規定はアルスター慣習の存在する場所はそれに基きその他は規定によつて資本制的農業經營を保護育成することにその重點がおかれてゐるのである。アイルランドには當時、既に保護を要せざる小作經營數六パーセントにして小作地面積四〇パーセントを持つ純資本制的な大規模の借地農業者がゐた。これらは總てイギリス人である。他に小作經營數四十三パーセント、小作地面積四九パーセントのアイルランド人の準資本制的小作人がゐたがこれも大中小の部類に分けられ小部類の小作人は十五エーカー以下の零細小作人に轉落の危險に暴されてゐた。最下層の零細小作人は小作經營數五一パーセントにしてその小作地面積は僅かに十一パーセント事實上、日傭勞働者である。

さて、法律によつて與へられた保護又は非保護の具體的内容はどうであつたかと言へば、先づ十五エーカー以下の零細小作人 Small Cottier はこの法律の保護から除外された。地主と任意に結べる契約に違反せる改良並びに土地にとつて妥當なる改良とはなされざる改良に對しては地主に賠償責任なしと言ふのであつてみれば、土地競爭の激しいために常に不利なる條件で小作契約を結ばねばならず且つ既に一八六〇年の小作地改良法によつて認められた「改良」たる耕地に對する排水、荒蕪地の開墾、通路の開設、灌漑、洪水に對する築堤、その他の工作物の設置をなすの資力を有せず僅かに肥土の搬入、深耕などの改良に止まつて、それが改良と認められざる零細小作人は、遺憾ながらこの法律から除外されざるをえぬ。イギリスの巨大借地農業者によつて壓迫を受けてゐた大中部類のアイルランド準資本制的小作人は、この法律によつて一應は保護された。地主の專斷的なDistusbanceに對しては地主の賠償責任を生ずる結果、小作人はこれによつてこの專斷的追放からは免れうるのである。だが、規定によれば地代を拂はざるものはよし改良に對する賠償は與へらるゝにしてもなほ追放からは免れることができない。地代不拂の追放は小作權の侵害とは認められず單に改良に對する賠償に止まつたから、土地競爭の激しいアイルランドでは非常に重額な地代によつて賠償金を相殺することのできる地主はその追放を欲する時は地代をあげさへすればよかつた。從つて所謂三F要求の重要なる項目をなすところの「小作權の安定」「公正なる地代」に就いては事實上何らの保障を與へられてゐないのである。從つて追放から免れんとする小作人は重額の地代に甘んぜざるをえなかつた。事實多くの地主は地代を增騰したのである。(註10)

規定における購入條項は專らジョン・ブライトの主張を容れて挿入されたもの

であるが、これは殆んど無效であつた。多くの小作人は國家から必要な購入額の三分の二を借りても後の三分の一を支拂ひうる餘裕を持たなかつたから。

かくの如くにして與へられた小作人保護は地代の騰貴を防ぐ何らの規定を與へられなかつたから、大中部類の小作にしても農産物價格の繼續的騰貴と景氣の狀態においてのみ保護たりえたのである。地代は高くなるともそれに對應して農産物價格が高ければ充分に採算がとれた譯だから。從つてまた外國の農産物がイギリス市場に充滿することによつて起る物價の下落又は凶作による産物量の減少に遭遇してはこの土地法の效果は全く無に等しくなると言へるであらう。一八七八年から七九年の凶作はこの可能性を現實性たらしめた。同時に一八七〇年の入門的土地法は一八八一年のより體系的な土地法によつて補充完成されねばならぬ。

要するに、グラドストンの土地法は半年又は一年の隨意解除借地にして且つ更新されること殆んどなき小作權の不安定、高率地代に對する保護を與へなかつたが、第一次的、原初的土地改良の收奪からは小作人を解放した。(註11)

(註10) Cf. S. Walpole, op. cit., p. 386. なほ土地法案に關聯せる他の事項については三七七頁

以下を參照。その他 James O' Connor, History of Ireland, 1926, vol. II, p. 21 ff. 參照。

（註11）　I　ミルが言へる如く小作農業者の主たる要求たる土地改良に對する賠償、小作權の確立が保障さるべきは當時自然の勢ひとなつてゐたが、その中、小作權の確立は除外された。のみならず、小作權の確立でさへ過小經營制の下では「地代の制限なるより重要な點に對しては全く第二次的であつた」とされたのである。ところで他面「零細小作人(放逐されたる)竝びに農業勞働者の狀態はどうであつたか。依然としてかれらの狀態は非常に貧困である。なるほど名目賃銀は騰貴したが、生計費はそれ以上にのぼつた。かれらの生活標準が改良された何らの徵候もない。」かつ、全人口を支へうべき可能性なく過剩人口は依然として存在する。(J. S. Mill, Principles of Political Economy, 1926, pp. 333—9.) なほ土地法案はその議會的努力はともかく、實際的の立案においてはアイルランド總督 Chichester Fortescue 及び Sir Edward Sullivan の努力に歸せられる。他面土地法案は閣內に意見の對立を生じ、危ふく「イギリス的觀念」に終止せる Lord Clarendon 及び Duke of Argyll 竝びに Lowe の辭職を見るところであつた。土地法案は一八七〇年八月一日勅許をえて法律となつた。

Cf. Eversley, op. cit., p. 41. Morley, op. cit., p. 690 ff.

I、土地法の保護より除外されたる多數過剩人口に關する限り事態には變りなくむしろかゝる人口に問題があつたのだから、反抗分子は該法を無視し依然として孤立的反抗を續けた。一八七〇年春該案の議事進行中においてさへマヨウ州のアウトレージが勃發し、今やアイルランド教會法竝びに土地法が農村の暴行を絕息せし

めざることが明らかとなつて、議會は躊躇するところなく一八七〇年四月四日の治安維持法を以て暴行を彈壓した

Ⅲ 此の土地法が現實的に如何なる結果を招來したかの證明は歴史が與へてゐる。一八八〇年十二月十八日のエコノミスト誌上に發表せるA City Whigなる匿名氏の計數を拜借して見よう。

小作地營經數

	1841年	1878年	
1—5 acre	[illegible]52,000	66,000	減
5—15 acre	310,000	163,000	減
15—30 acre	79,000	137,000	增
30acre以上	48,000	161,000	增

この統計は三十エーカー以上の經營を細分せずに百エーカー以上に巨大なる大規模借地農業者と單に普通の生活をなしうるに過ぎない三十エーカーの小規模小作人とを同一單位の内に含めた不完全に加ふるに單に經營數のみにして小作地面積を示してゐないが故に甚だしくづさんなものではあるが、零細小作人の沒落だけは明瞭に露呈されてゐる。十五エーカー以下の零細小作人が減少したに對して十五エーカー以上の小作農業者は增加してゐる。更に十五エーカー以下の小作人の中でも特に五エーカー以下の零細小作の減少率は特別に大きく、反對に十五エーカー以上の小作の中でも三十エーカー以上の小作數の增大率は特別に大きい。

匿名氏の寄稿を採用したエコノミスト編輯部の説明によれば匿名氏の意見はロンドン實業界の自由主義者グループの代表的意見であるとされるのであるから次にその見解を見る。

「かくて消滅せる零細小作人の大部分は移民となり殘餘はかれら自身竝びに國家にとつて非常に有益なる農業勞働者となつた。アイルランドが眞實に救濟されんとするならば、この自然の作用の進行にまかせねばならぬ。恐らく弊害なく關與しうる唯一の方法は國の最も貧困な地方からの周到な移民計畫に一時的援助を與へることであらう。」そこで氏はグラドストンの一八七〇年土地法を「小農竝びに中農保護の特殊政策」と規定してそれに反對し附加して曰く、「自然の成行にまかしておけば救濟が生ずる。もしその後の四分の一世紀成行にまかしておけば零細小作はアイルランドから消滅したであらう」と。巨大なる大規模資本制經營の增進を要望してゐるのである。その立證。「アイルランドが惱んでゐるあらゆる害惡の底にある害惡は舊式の道具と無知と迷信とを以て小農的耕作に適しない氣候の土地で、且つは全然不充分な小面積の土地において勞働する三十萬人(家族を含めて百萬人)の小作人の存在といふ大害惡である。さゝいな不作によつて不可避的に耕作者竝びにその家族は文字通り饑餓線上に追込まれる」。從つて零細小作の農業勞働者化竝びに移民政策こそアイルランドを救濟する。かつてみづからも贊成せるグラドストンの穩健なる立法でさへ今や否定せざるをえない一八八〇年代の自由主義的實業家の變化せる態度を止目せよ。因みにミルはかくの如き救濟案を不當なりとしてゐる。

（前掲書三四〇頁）
Cf. Econom.ist, 1880, Dec. 18, 29.

(C) 教育法案（一八七〇年）

初等教育機構の改革の必要については既に一八六八年の選擧闘爭においてブライトが主張してゐる如くアイルランド教會法案と竝んでグラドストン内閣の重要法案の一つをなすものであつた。(註12)

改革の主なる契機は一八六七年に選擧權を與へられた勞働階級の教育であつた。更にサドワにおけるプロシャの戰勝が初等教員の勝利と呼ばれ、アメリカにおける戰勝者たる北部が一般的教育制度を有することもその契機の中に數へ得られるであらう。從來非國教徒は教育に對する國家の干渉に反對して來たが此の當時に至つてはかへつてそれを肯定したのである。

一八六九年における初等教育の狀態は四百三十萬の就學年兒童の中、國家より補助を與へられた學校に就學せる者、百三十萬人、補助を受けず監督もされざる全く不充分な學校に百萬人、殘りの二百萬人は全然教育を受けてゐないといふ如き有樣であつた。主としてイングランド教會に屬する國家の補助を受けた學校の經費は年百六十萬ポンドであつたが大體その三分の一は國家の補助、三分の一は授業料、三分の一は二十萬の人の任意の寄附に依つたのである。學校を經營しうる可能性は事實上此の寄附の繼續性にあつた譯で、全國民の負擔たるべき教育費が一部少數の者の手に委ねられ且つかくの如き學校が兒童を强制就學なしえたとしてもなほそれを收容しうるだけの數がなかつたのである。(註13)

そこで法案の提出者たる Forster の前に置かれた改革の主樞點は(1)全國的に學校を設置すること(2)兒童を就學せしめるべく親を强制するに必要な機構を組織することの二つであつた。この目的を實現するに當つて企てたフォースターの計畫は既存の教育機構を替えることなくそれを補充することであつた。從つてある地域に既に適當に學校が配備されてゐる場合は左の如き條件が充たさるゝならば國家はそれに干渉しない。(1)學校がそれを利用せんと希望するあらゆる兒童に開放されてゐること。(2)宗教教育が信教自由の條項によつて嚴重に强制されてゐること。(3)宗教教育は授業時間の初めか終りに與へられること。然し、不幸にして其の地域に適當な學校の設備がない場合は町においては町會、田舍の教區では教區委員會が學務委員會を任命し、學務委員會は課稅權を與へられその税金によつて自由に既存の學校に補助するか或ひはそれ自身の學校を建設するか何れかをなすことができる。學務委員會がそれ自身の學校を建設した場合、信教自由の條項はあらゆる學校に適用されるのであるから同じく宗教教育の課程を決定しなければならぬ。更に學務委員會は特定の標準を通過しなかつた總ての兒童を强制的に就學せしむるに必要な細則を規定しうる。一八七〇年二月十七日に此法案は議會に上程された。

從來初等教育の全機構は任意の努力によつてか乃至は勅令によつて建設されてゐたのであるが、フォースターの手によつて初めて、この大きな教育機構が立法部の承認を受けた。だが、舊來の教育機構が承認され援助されるに止まり改革され建直されることとなかりし所に問題が潛んでゐるのである。眞實に教育改革を熱望せる非國教徒は學務委員會に指揮される宗教教育が完全にイングランド教會の教義による教育を意味するであらうことを恐れた。あらゆる宗派の改革者の法案に對する不滿は、次の如く要約される。即ち既存の學校に餘りにも思惟があり過ぎること、一般的に或ひは法律によつて義務教育を施行せざること、地方税納税人によつて作られる新規の學校に兒童を無料で就學させる規定もないこと等。非國教徒はこれらの不滿以外に尙ほかれら獨自の批判を宣言した。即ち學務委員會が、その學校に與へられる宗教教育を自由に決定しうるといふ提案は常に學務委員會議に宗教上の困難を招來し多くの場合明らかに既に優勢なる國教會の勢力を補强するであらうと。

法案は最初議會に於いて何らの鬪爭を惹起することもなく平靜に通過するかに見えたが日が經つにつれて反對が增し特に與黨たる非國教徒からの反對は政府にとつて重大であつた。

かくて委員會においてグラドストンは遂に法案の一部變更を聲明した。(1)新學務委員會は Voluntary School を支持するために稅金から出金しえざる規定の挿入。(2) Board School においては特殊なる宗派の特色が存在する教義、問答、宗教的信條を敎へてはならぬ。更に法案では學校を三種類に分けたがグラドストン修正案では、(1)不足を議會の補助に仰ぐ任意の努力に依存する宗派的學校(2)不足を稅金でみたす Board School の二種に分けた。

グラドストンの修正案が相當の讓歩を示したにしても、宗派的學校の世俗的"學校による代替を意圖せる非國教徒とは可成りの距離があることは明らかであらう。教義、問答並びに宗教的信條の教授を禁止せる修正案ですら宗派的教育はそれによつて妨止されないことを充分に知り拔いてゐる非國教を滿足せしめうるには至らぬ。そこで非國教徒は委員會に修正を動議したが否決された。宗派的學校は甚だ増大した補助金によつてかへつて有利となつたのであつて、形式上は非國教徒、カトリック教徒を平等に待遇しながら實質的には有産者部分よりなる國教に壓倒的な利益を與へたことになつた。（註14）

（註12） Trevelyan, op. cit., p. 394

（註13） Morley, op. cit., vol. I, p. 701

（註14） Walpole, op. cit., pp. 366—413

「初等教育がいかに閑却されてゐたかは次の言葉によつて分明する。「イギリスが貧困なる兒童の教育を無視した風習は古くからイギリス文化の不面目であつた。世界の大國の總てより後れてゐた許りでなく恐らくどうみても大きいと言はれない國にさへ後れてゐた。プロシヤ並びに殆んど總てのドイツ諸國は何世紀もイギリスより進んでゐた。アメリカ然り」「國民の教育は政府事業であつてはならぬといふ主義のためにイギリスの政治家は永年の間缺陷を克服せんとする眞面目な企てを妨げられてきたのである。國家によつて統制された教育は何らか非イギリス的だといふ觀念が充滿してゐた。」(MaClarthy, ibid, vol. IV, pp. 289—290.)

Ｉブライトは病氣と土地法案のブライト條項とのために教育法案には全然最初から關與しなかつた。もともとかれは教育法案は一八七一年まで延期すべきだと考へてゐたのである。土地法案のみにて七〇年度は充分に議會を占有するだらうと想像してゐたためである。ではブライトは此の法案に對してどんな意見を持つてゐたか。

「年補助金の增加は教會側をして一層その學校に執着せしめたのみならず以前よりも遙かに大きな努力を新設學校の通知に拂はしめるやうにしむけた形だ。……この大きな讓步は期待しないことであつたし且つ思ふに全く有害である……國を舊組織に結びつける效果があつた。そして、學務委員選擧に、一つの教育法案に正直な且つ成功する役割を果さしめるには全く不都合な要素を投込んだのである。至上權に關する古臭い問題が持上りそして國家の金錢賦與のために公的教育の眞實の利益はそつちのけにされ、僧侶達はそれを奪ひ合ふのである。」「一八七〇年の政策において私が主として非難したのは年補助金の增加である。それは法案の精神なり性質なりを全然變へてしまつた。そして民衆に與へられる筈の權力が宗派の手に渡る選擧方法をも非難する。」(一八七三年十月のForster宛書簡。(Trevelyan, ibid., p. 407.)「一八七〇年の法案はトーリー黨が提議したにしても通過させえなかつた如きものである」とも言つた。(同年グランビル宛書簡、Ibid., p. 408)

法案はどんな政治的意味を持つたか。

恰も一八四六年竝びに一八六七年に保守黨政府が自由黨に支持されて自由黨政府

が實現しえたものよりもヨリ民主的な法案を通過させた如く一八七〇年にグラドストンとフォースターは教會がかれらに期待したよりも、また保守黨から獲得しえたよりもヨリよき條件を教會に與へた譯である。しかも保守的自由主義者グラドストンは持前の專制を以て味方の陣營における反對派を處罰してまで教會に讓步したのである。されぱブライトはグラドストンに手紙を以てその感想を述べた。「すべての不幸は――その大きさは計り難い――新法律を宗派的學校の組織を保有し際限なく擴張せしめる手段たらしめんとする過誤から起つた。あらゆる宗派あらゆる教會の學校が徐々に新組織に合併されその一部となるといふ希望をもつて、宗派組織が殘した穴をうづめるために新法を使用すべきであつたのに。この過誤がどうしたら恢復されるかは分らない。もし恢復されなかつたら引續き騷ぎが起るだらう。――政府が解體し假にもこれだけ多くの事をなし又將來多くを期待されてゐる政黨が破壞されやしないかと恐れる。」「一八三二年の改革政府はその敵を喜ばさうとして又は宥めようとして崩壞した。教育法案は教會を喜ばした。だが、教會は政府を支持しないだらう。」（一八七一年十一月グラドストン宛書簡――Ibid., pp. 408―409.）Nonconformistが有力な自由黨の支持者であつたことを思ふ時ブライトの懸念も當然のことである。なほこの初等教育法案は、その點において全く不充分であつたにしても、農業における成年勞働者の賃銀を最低限に壓迫し、且つかれらから職を奪ひ、のみならず兒童を墮落せしめてゐた幼年勞働を排除せんとする法案の少くとも、スタートを切つたものであつたことを注意しなければならぬ。

Cf. Hasbach, A History of the English agricult. Labour, 1920, p. 268 ff.

(D) 諸他の改革

グラドストン政府の改革の重要なものは既述の三法律であつたが、改革の任務を負はされたゞけに其の他多くの改革を成し遂げたのである。例へば、一八六九年、債務者の投獄廢止、一八七〇年、文官登用試驗制度の外務省を除いての總ての官廳への擴大、一八七〇年――七一年短期入營制施行による兵制の改革竝びに軍職購求の慣習廢止、同じく一八七一年にはオックスフォード、ケンブリッジ大學の學位請求のための宗教テストの廢止、一八七二年、祕密投票制の施行、竝びに酒店の閉店時間の改正、一八七三年、司法體制の改革、など。

2) 第一次グラドストン內閣崩壞の基盤的契機

一八七三年三月十一日、グラドストンのいはゆるユパス樹の最後の枝たるアイルランド大學法案が三票の差を以て否決されて以來、グラドストン政府は崩壞の一路を進み、各地の補缺選擧は政府黨の不利を傳へられた。越えて一八七四年の一月二十六日政府は遂に議會解散によつてその信任を國民に問うたのであつた。

その結果は自由黨の强力な地盤が各地において保守黨に流れ、結局保守黨は自由黨に對し五十名の超過黨員を議會に送つたのであつた。

Lowe氏の言の如く政府の最初の組織に際しての綱領は誰が見ても餘りにも大膽なものであつたが、まるでお伽噺のやうにあらゆる項目が成功した。にもかゝはらず、今や、この綱領を敢行せしめ且つは成就せしめた選擧民がかつて壓倒的に優勢なりし自由黨に敗北に次ぐに敗北の屈辱を與へたのは如何なる理由であらうか。

もろもろの改革に伴ふ一部社會層の不滿が合一して自由黨の反對勢力に移行したのであらうか。例へば郵便局のスキャンダルが政府の威信を傷けた如き派生的損害に加へてアイルランドの土地、敎會問題の解決は不徹底なものであり、敎育法は敎育同盟の憤激を買つたに過ぎなく、陸軍の再編成は陸軍の不滿を買ひ、司法部の解組は新控訴院に對する攻擊を伴ひ、アルバマ條約は國民的屈辱であると思はれ、Licensing Actは敵陣を整備したかの觀あり、等の如き全階層的不滿がグラドストン崩壞の判決素因となつたのであらうか。われわれはそれを否定しなければならぬ。かくの如き不滿はそれ自體としてトーリー主義に結びつくものではない。(註1) ディズレイリが、グラドストン的改革政府の存在を以て「掠奪と失態の全生涯」と規定せることは事實であつたにしても、輿論を支配してゐる重大なる勢力の變化がなかつたならば、この不滿をトーリー主義の旗の下に立たしむることは不可能であつたと思はれる。上述の解釋は政治史家の通例な見解である。

(註1) Economnist, sep. 13, 1873, p. 1107. 例へばブルウスのビール法案がある一派の選擧民を害つたとして、それは自由主義的信條の逸脱でもなく、且つビールとトーリズムとの聯結は自由主義とビールの聯結程度以外には自然的に結びつかない。

むしろ、逆説的に、自由黨は諸改革を成就したが故に失却せざるをえなくなつたといふ命題はどうであらうか。即ち自由黨の失政によつてではなくかへつてその成功的政治によつて席を保守黨に讓るべき運命となつたといふのである。(註2)

(註2) 例へば自由黨から保守黨への政權のリレーに就いてのエコノミストの見解。「自由黨がとり除くことを誓つたところの大きな政治上の不平の種、自由黨領袖が煽る個人に對する大きな熱情がなくなると、國民の傾向は必然的に保守黨に傾く。保守黨は政治的雰圍氣が稀薄となることによつて得をする。自由黨の風が吹かない時には保守黨は當然の權利によつてその地位を保持する。……保守黨は勞れ果てたあらゆるアジテーションの殘りを受ける遺產相續人である。國民は奔命に勞れては休息を欲する。熱にあきては冷靜ならんとする。そして、當然にも、休息の友、冷靜

の友によつて與へられる總ての投票を保守黨は獲得するのである。」

言はゞ政治的改革の世代の遺產相續人としての新しき保守的世代の交替である。

今や過ぎ去りつゝある時代は優れて政治的關心の旺盛な時代であつた。此の世紀の初めに生まれた人々、または穀物條例廢止以前に生まれた人々は一般に政治に熱心であつた。その時代には右か左かを決すべき大きな問題があつたのであつて、青年は政治に關心を持つた。當時の進步的黨派たりし自由黨はその側にイギリス社會の教養あり力ある多數の人を持つてゐた。その時代が現代まで支配し續け、政治的關心と自由主義とを存續せしめた。最近二十年かそこらの內にその教養を作りあげた新しき世代の人々は以前と同樣なトレイニングを受けてゐない、從つて非常に違つた結果を呈露してゐる。

一八五〇年以外はファースト・レートな政治問題もなく穀物條例の廢止、一八三二年の選擧法改正の如き熱を煽るやうなものがなかつた。

新しき世代は舊き世代の人々の尖銳な政治的關心をむしろ奇異な眼をもつて眺めてゐる。大體において政治プロパーに冷淡で、社會、宗教、科學の問題に興味が傾いてゐる。

この世代の交替と新しい世代の傾向は保守黨を二重に優勢ならしめた。(一)政治的鋭意の退潮は一般に現情維持派に惠まれる。(二)死滅した鋭意が實質的には自由主義的鋭意であつたこと。「活潑な改革者の世代は不活動な中性主義に繼受される。(註3)」

(註3) The Economist, Jan. 10, 1874, pp. 30—31.

この世代の現實的な擔荷者は産業革命以後イギリスの舞臺に登場した産業資本であつて、世代の交替は政治的支配へと進み、かつそれを實現したレセ・アェア的資本主義そのものゝ自己轉身による段階的發展に過ぎぬ。

卽ち現世紀の始め、新しき富の所有者達はトーリー主義のために政治的領野を把持されてゐたのであつたが、政治的アジテーションの結果、一八三二年の選擧法改正を勞働階級の協力によつて獲得し、次いで一八四六年の穀物條例廢止によつて決定的にトーリー黨を打破つて政治權力を壟斷した。チャーチスト運動によつて大きな攻撃をこの層に與へた勞働階級を一八六七年の選擧法改正によつて自由の陣營に呼び入れてからはかれらは政治的に獲得すべき何物をも失つた。

かくて、自己の姿にふさはしい諸形態を整へるべき課題をグラドストン政府の諸改革において實現し終らせた時期に新らしき世代が要請さるゝに至つた。

上記のエコノミストの見解は國内的改革に對する鋭意が失はれて自由黨政府が崩壞したとなす點においては正しい。だが何故に帝國主義的保守黨にリレーされねばならなかつたかが全然解決されないのである。それは自由、保守兩黨を單に改革休息の黨として抽象的にのみ理解し、與へられた特殊的歷史的條件の具體的分析を缺除してゐるからである。特殊的條件とは一八七三年の經濟恐慌でなければならぬ。この恐慌の結果について十九世紀經濟體制の統計的研究の權威ボウレイからの引用を以て示す。「イギリスの十九世紀經濟體制の統計外國工業の增大した競爭によつて長びき强度を增した。この外國工業の競爭は當時ドイツ竝びにその他の國において非常な注目を受けつゝあつたのであつて、自由貿易に對する反動を伴つたのであつた。自由貿易に對する大なる反動によつてわが工業は中立市場以外においては正當なる機會を持つことを妨げられたのである。何となれば、大陸諸國は國內市場を自身のために保持しわが商品の侵入を拒むためにその關稅を引上げたが故である。反動は非常に遲かつた。物價は崩落し續けた。資本は蓄積されたにもかゝはらず、利子率は層一層低下し賃銀はイギリスにおいては大陸におけるよりもヨリ急速に騰貴しそして、製産者が獲得しうる利潤の低下はあらゆるこれらの原因によつて大きな不安の一原因となり續けた。(註4)」

(註4)　A. L. Bowley, England's Foreign Trade in the Nineteenth Century, 1905, pp. 84-85.

卽ち資本は利子が急激に低下した程に豐澤であり利潤は競爭の壓迫によつて低下したのであつてみれば、今やこの過剩な資本を競爭の壓迫から守つて有利に投資しうる場所を發見せねばならぬ。先づ植民地は最も强固な競爭に對する城砦であつて、これの本國との聯繫の强化が問題となる。次いで對外投資市場の獲得が問題となる。かくの如き問題をとりあげた政治集團が他ならぬディズレイリの率ゆる保守黨であつた。

こゝにディズレイリの帝國主義が存在價値を持つに至つたのである。

ディズレイリの「經濟學」はかゝる要請を如實に反映してゐる。

「あらゆる黨派のあらゆる大臣が經濟に贊成する。然し問題は經濟の意味如何である。私は敢えて言ふ。首相がその國の對外的利益を無視することを自慢にするやうな國に經濟的政府がありうるとは信じないと。……吾々はウエリントン公の政府が最經濟的であつたといふことをよく聞く。何故か。それはウエリントン公がわが國の如何なる大臣よりもより多くイギリスの對外的利益對外的地位に絶大なる注意を拂つたからである。[註5]」（圏點筆者）

（註5） Monypenny and Buckle, The Life of Benjamin Disraeli, 1929, vol. I, p. 620.

又他の要請たる植民地に就いて曰く、

「自治が認められたのは帝國合同の偉大なる政策の部分として認められたのでなければならぬ。私の考ふる所に依れば、植民帝國を可能なる限り改革しこの國の無限の力と幸福の淵源となるべき遠隔の地からの同情に應答するの機會を無視する大臣はその義務を全うするものではない。」（Ibid., p. 535.）

更に資本の厖大なる蓄積に對し勞働階級の賃銀は相對的に騰貴してゐないにも拘らず、グラドストン政府は政治的權利の賦與以外には何らかれらの生活を顧みるところなかつたに對して、ディズレイリは社會改良を日程に上せたのである。政治的制度の安定によつて惠まれた國民の繁榮の增進に勞働階級をも參加せしむべきであると云ふ信念を主張したかれは社會改良の重點を國民の健康に置いた。

「結局、政府の第一の考慮は國民の健康でなければならぬ。」(Ibid., p. 530.)

自由黨は社會改良を「汚物政策」として輕蔑したのであるが、ディズレイリに依れば、

「それは人民の住居の狀態を含む。これの精神的結果は物質的なものに劣らず重要なのである。――それは自然の主要素――空氣、光、水の享受を含む。それは産業の統制勞働の監督を含む。それは設備の清潔を含む。そしてそれは過度及び殘酷の習慣を矯正しうるあらゆる手段に及ぶ」(Ibid, p. 534.) ものである。

一八七二年から七三年にかけて勞働階級の賃銀増額要求のストライキがあらゆる産業分野に亙つて行はれ、「雇主は被傭人をおそれ、工場主はストライキをおそれ……非常な恐怖のうちに總ての人が保守黨に避難した」と言はれた狀勢を思ふならば、この激しい對立を緩和統制する保守黨の社會改良は政治的諸改革の中止と共に政治的エネルギーを國内より國外に向けしむる政策であると言はねばならぬ。(Molesworth, ibid, p. 474. John Morley, ibid., vol. II, p. 75.)

かくて保守黨は經濟的變化によつて打擊をうけ且つ長年自由黨の支持分子で

あつた産業層を自己に引入れ自黨を變身せしめるとともに自由黨を分裂弱化せしめて逐鹿戰の勝利者となつた。一八三二年の選擧法改革以後の變革的時代を輝やかしく進んできた自由黨的自由主義は最早やこの敗北を以て終りを告げその後の自由黨は、基盤的な帝國主義政策の線から外れることを許されず、徐々に質的變化をなして行つた。かくの如き基本的構成上の變化をその基底に有することにおいてこの政變は特に重視されねばならぬ。

二　第二次ディズレイリ（ベカンスフィールド）內閣（一八七四年二月二十一日—一八八〇年四月二十一日）の帝國主義的政策の本質とその崩壞の基盤的契機

(1) ディズレイリ內閣の帝國主義政策の本質

(A) 帝國主義政策の發現

「帝國合同の偉大なる政策」をディズレイリは先づイギリス女王の稱號に Empress of India の稱號を加へることによつて實施した。たとひその稱呼に諸種の異論があつたとは云へ、その窮極の精神は印度をイギリス帝國の一部分としてその鎖の一環たらしめることにあり、これによつて印度民衆は直接にイギリス國民と同様にその君主を自己の頭上に仰ぐことになつたのである。

他方植民相カーナーヴァン卿（Lord Carnarvon）は南亞聯邦案を作出して南亞における植民地聯合を計畫した。

「南亞聯邦建設の强調はそれによつてのみ植民者が土人との戰爭の重荷に堪へ

るところのものである」とされ、ナタル に於けるカフィール人の急激なる人口増大による危険に備へバーバリズムの反抗打破を目差して、政府はGarnet Wooslyを南阿に送り、さては蘭領植民地とさへ提携してバーバリズムに當り、更にはカーナーヴァンの實踐的政策の哲學的表現を把持するとされるFroudeを南亞に滯留せしめた。

かゝの如き事態は「最近非常に著しい傾向がイギリス植民政治において明らかとなつてきた。地球のあらゆる地方に於けるイギリス植民地の不可避的な運命は『聯邦』なる言葉に要約される」と指摘され、帝國主義政策の一環としての植民地への體系的關心がこの內閣と共に初まるのを「最近になつて初めて植民省が植民地問題に關する運動に乘出した」と表現され、兎も角も植民地は何らか價値高きものとして認識され甫めたのである。

カーナーヴァンはHenry Barkly宛の文書において、

「紛擾の鎭壓なると物質的利益なるとを問はず植民地の二三の國家乃至地域において人類に重大な利害關係あるあらゆる問題を統禦する決定的な一貫せる政策を缺くために由々しき不利な狀態が釀成されてゐる」ことに就いての注意を喚

起し、且つ「それらの相互的孤立は、異なれる條件の下に行はれてゐる新しい植民的發展に存する利益と事業の差異に原因してゐるのである」とされ、更に「領土の所有權乃至境界問題(從來解決困難な問題であつた)があるために非常に熱望されながらもその接近を妨げられてゐた」とされた。

然しながら今や「土人問題の再興(Langalibalele事件)とダイアモンド發見の新しい利益が問題を明確にした。」

英蘭植民地は孤立をおそれてゐる。その植民地は數ヶの獨立政府によつて統治されてゐるが、それらの地域に住む約二十五萬の白人がホッテントット、カフィール人らの野蠻なる襲擊に對して統一するの必要が叫ばれ、カーナーヴァンは共通な「土人政策」を作り窮極は聯邦たらしむべく、統一的行動を研究するための會議開催の要を說き、聯邦案はケープの西、北部の諸洲のみならず、西グリカランドの新植民地及びナタルを含め更にオレンヂ自由國とトランスヴァール共和國を加へる意圖だと表示した。

かくてこの實現が達成さるれば「南阿の繁榮を伸張せしめ永年の無意味な論爭を一掃し且つ散在せるヨーロッパ人の集團を一つの有力な調和ある統一に結合

せしめるであらう筈であつた。」

この案は遂に案に止まつたが、植民地の編成替が熱望されてゐる事態が示されてゐる。(註1)

(註1) Economist, June 12, 1875. 更にかゝる動向が私的營利會社によつてとりあげられたことは言ふまでもない。一八七五年「反奴隷制協會」Anti-Slavery Society はカーナーヴァン卿に對して「ニューギニア植民團體」のニューギニア遠征計畫が恐らく劣等なるパプア種族の奴隷化に歸着せんことについて注意を喚起するところあつた。かつての海軍士官にして當時投機事業に狂奔してゐたリーダーを有するこの冒險者らの植民計畫が軍事的組織を有することに注意しなければならぬ。そしてその窮極の目的もまた注意に値する。「帝國政府がニューギニア島並びにニューギニア植民團體の遠征軍によつて占領された島の一部がイギリス王の直割自治領に併合されたる事實を宣言するに至るまで、及び上述の併合領土に正式に組織されたる政府が任命されるに至るまで、」獲得された領土は遠征軍によつて支配されねばならぬとなす。カーナーヴァンは「かれらが土地を獲得するとも王は不穩當な方法にて獲得せるものに權利を承認しないであらう且つ今後ニューギニアが植民化されるともかゝる占有は法律上認められないであらう」と通告した。政府は公然援助することなかりしも少くも禁止はしなかつたのである。更にニューギニアのその後の運命は人の知るところである。(Economist, Nov. 27, 1875.)

他方、たまたまエジプトの太守 Khedive が財政的困窮をのがれるべくその有するスエズ運河株を賣拂ふ旨が知られるに及んで政府は直ちにその買收交渉を開始して、フランス側の運動を抑へて遂にその買收に成功したのであつた。この株の買收はいかなる目的の下に行はれたのであらうか。今四つの場合が考へられる。

(1) スエズ運河が他國の所有となるを妨ぐるの必要。

(2) 印度への大道の眞實の城砦を確保する必要。恐らくイギリスほどにこの大道に關心を有するものはあるまい。從つてこの大道の途上にある重要なる場所を他國に占有されるのを恐れる。

(3) 運河における英國の利益が損傷せらるゝ場合エジプト政府に勸告するの權利が與へられる。運河株を有する時は最早やイギリスはアウト・サイダーではなくなる。

(4) 印度のためのみならず、運河を航行する船舶の四分の三はイギリス船である。故にそれを統制しなければならぬ。

以上について若干吟味してみよう。眞實に印度への大道を確保するためならば恐らく單に株の買收のみでは不完全であつて軍事力をも必要とする。又イギリス船の利益のためであるとして不正が現在ある譯のものではない。

そもそもこの株のエジプト太守からの買收は一營利會社の株の買收であるからこれによつて直ちに政治的な意味をもつことは豫想されない。且つ經濟的には十九年間配當は延ばされねばならず、株の占有も會社を絕對に支配しうるほどのものでない(フランスが大部分所有する)上にフランスとの確執の端緖ともなりうるであらう危險を賭してまで何故に政府はかゝる行爲を敢てしたか。單に目先の利潤ではなく國策的なものとしても運河の主權は依然 Khedive にある。(註2)

(註2) イギリス政府の意圖は然らば奈邊にあつたか。

これに就いてダービイ卿が唯一の公式聲明をした。「太守がその株を賣る意志と必要とをもつてゐることを吾々が知つたのはつひ今週の初めである。私の希望は――そして發表したのであるが――かれがそれを手離さないことであつた。然し一方かれはのつ引ならぬ辨濟のために資金をうる必要に迫られてゐたし他方 Société Générale とエジプト政府との間に株讓渡の交渉が進められてゐたことを知つてゐる。從つて吾々はそれを他の手に渡すか自分のものとするか何れかを擇ばねばならなかつた。私は吾々が唯吾々にかくも重要な事柄に對する外國の支配的影響を妨げる意志を以て行動したことを確言する。……私は私の同僚並びに私自身のために會社の評議を支配したり又は最近の株占有を會社の決議を强要するために濫用する意志を否定する。吾々がなしたことは純粋に防禦的である。」にもかゝはらず外國では「イギリスは遂に何を狙つてゐるかを示した。今までは疑つてゐたが今やそれを知つた。トルコが没落する時イギリスはその分前としてエジプトを要求する。恰も他の列强が分前として他の領土を要求する如く」と解釋されたのである。英本國の機關新聞も修飾された形においてではあつたが同じやうなことを述べた。「印度への路を獲得した」と歡呼した。同時にエジプトの財政調査のための特命使節が派遣されることが傳へられた。かくて、エジプトの接合には到らぬにしてもそれを管理するに至つたとは思はれるのであつて、從つて必要に應じて「確保する」といふ觀念は充分に見えるのである。然しダービイ自身は依然運河を國際シンジケートの管理に委ねる意志のあることを聲明してゐた。(Economist, Dec. 11, 1875)

さて、全株四十萬株のうちの十六萬六千六百二株に對してロスチャイルドの手から四百萬ポンドの金が出され、この株の配當が出ない間だけ五パーセント年々支拂ふことをエジプト政府は約束したが、もしそれが確實なら好い投資であるが、財政建直しをやつてゐる政府が果してそれをなしうるや頗る怪しい。そこでイギリス政府の政治的後見が必然となるであらう。事實今やエジプトに對する財政的支配は確實である。「ヨーロッパの總ての投機的金融業者は騷いでゐる。名目上はどうであれ事實上金を支拂ふべきイギリスを背後に有してゐるエジプトに金を貸すほどに有利な投機はない。現在の利潤率は高く最後の保證は世界一である。……次のやうなどとが言はれる。卽ちイギリス政府が太守を監督してゐる。したがつてかれにばかな事をさせないに違ひない。かれへの債權は安全である」と。當時エジプトから の電報によれば「イギリス政府の要求でエジプトの軍艦がザンジバルから戻された。アビシニヤ遠征は軍事的示威に限られるだらう」と。その電報を受けてエジプト株は直ちに騰貴した。政治的後見を最もよく示すものと思はれる。又一八七六年三月六日夜エジプト金融に關するディズレイリの發言によれば、エジプト國立銀行の取締役の任命を要求されて拒んだ。商業的責任を課されるが故に。だが單に收入を徵集しそれを減債に當てるための事務官なら「考慮」すると言つたということである。議會はこの「考慮」を「引き受ける」と解釋した。その事實はどうであれディズレイリの眞實の意圖はエジプトの新公債に應募することをイギリス國民に勸誘するにあつた。(Economist, March 11, 1876.)

(B) 近東問題とイギリスの政策

クリミヤ戰爭終結に際してアバディン卿が近東平和に關してなせる豫言よりも三年早く、近東には又しても一大動亂の兆が見え出めた。

一八七五年七月初め外相ダービイ卿の手元にヘルツェゴヴィナにおける擾亂、ボスニアにおける殆んど組織的と言へる叛亂勃發の報が屆いた。バルカン半島のこの地方には、種族を異にし宗教を異にせる人々がトルコの支配下に封建的壓政を受けて比較的狹い地域に住んでゐたし且つかれらが共通に有するものはトルコ支配からの離脫であつたのだから、從來、歷史的なヨーロッパ紛爭の樞軸點をなせるは人の知れるところ、ギリシャの獨立に終つた叛亂はこのダニューブの流域に始まり、クリミヤ戰爭然り、またその後と雖も一八六二年のヘルツェゴヴィナ擾亂、一八六七年のクレテ島擾亂など、而してその度每にヨーロッパ列强の干涉を受けねばならなかつた。のみならず、これらの叛亂を利用して又は釀成してコンスタンティノープルを百年以上に涉つて狙つてゐるロシアが存在する。同一の歷史はこの度も繰返された。だが甚しく異なつた條件の下に全く異なれる結果を伴つて。而してこの歷史的に特殊な條件こそ吾々の論究の對象を成すものであると言へよう。

一八五六年のパリ條約によつて要請された期待——トルコの擾亂地域支配機構の再編成による治安確保——はその後裏切られ、オットマン帝國の威力はサルタン支配下の人民に及ぶことなく、トルコの失政による離反は繰返され、唯野蠻なる封建的オットマンの暴力のみによつて維持されてきたのであつたが、一八七五年のヘルツェゴヴィナ、ボスニアに於ける叛亂は最早や、外債を支拂ふ能力なく自己の軍隊をさへ維持しえなくなつたオットマン帝國によつて該地方が制禦されえないことは明らかであつた。

他方、一八七〇年の普佛戰爭に破れ去つて飛込んで來たフランスをその胸に抱いたヨーロッパの「妖怪」ロシアは一八七二年、三帝王同盟の締結によつて獨墺をも自己の陣營につなぎ止め、年來野望せるコンスタンティノープルへの道にとつての最好の條件を準備しつゝあつた。(註1)

(註1) 三皇帝同盟(Drei Kaiser Bund)は一八七二年九月ベルリンにおいて露獨墺三皇帝の會合によつて形成された。一八六六年のボヘミアにおける對普戰の敗北の衰勞より建直つたオーストリヤは鄰接するバルカンへの野望を普佛戰爭の覇者プロシヤ＝ドイツに依存して遂行せんとし、プロシヤ＝ドイツは普佛戰爭後の激甚なる資本主義的統一國家への發展と共に徐々ロシアへの對抗勢力たらんとしつゝあつた過程においてオーストリヤを心よく自己にひきつけ、ロシアはたとひ基盤的にはドイツの擡頭を氣にしながらも、尙ほその發展途上にあつて依然形態的にはロシア反動の前驅をなしてゐた點に着目して、窮極三皇帝同盟は成立しえたのである。三國の同盟を以て最も積極的にバルカンへの遠征の契機とならしめえたのは言ふまでもなくロシアであつた。又バルカン分割へオーストリヤが消極的乍ら參加してゐる

ることも理解されうるところである。されぱこそコンスタンティノープルのイギリス政府代表Sir H. Elliotをして一八七五年におけるトルコの倒潰を三皇帝同盟の結果に歸せしめたのであつたし、(Diplomatic Recollections, pp. 277 seq., cited in S. Walpole, ibid., vol. IV, p. 71.) 又當初より存在せし基盤的な露獨對立を一八七五年ビスマルクをしてゴルチャコフの挑發による協調破綻なる形で發言せしめてその對立の最早や調和しえない姿態を暗示せしめたのであつた。(Prince Bismarck, his Recollections, vol II, p. 249. Cited in Walpole, ibid.)

かくてボスニヤ、ヘルツェゴヴィナに於ける擾亂・叛亂がロシヤ、オーストリヤの物質的支援はなくも少くとも精神的な、表面的でないにしても實質的な援助によつて觸發釀成されたことは爭へない。從つて個別的には可成り明瞭な支援と言はるべき性質のものが送られた場合が多い。更にオーストリヤが自國内にスラブ人をその國民として有してゐる事情が鄰接地域に住むスラブ人に働きかけんとする意圖を成起せしめるであらう契機、又特に有名なロシア政府＝ツアーリズムの汎スラブ主義の契機も亦こゝでは看過されない重要性を持つ。

オーストリヤ皇帝のダマルチア訪問に端を發するヘルツェゴヴィナの擾亂が

上述の諸契機より判斷する時、ヨーロッパ南東部の分割戰爭の導火線としての意味を持ちうるほど重大なものであつたことは歷史的に明らかなところであるがこの重大性を當然に理解すべくしてしえなかつた政治家にイギリス外相ダービイ卿(かつてのスタンレイ卿、今や父の榮爵を繼いでから呼ばれねばならぬ)があつた。最初かれは慢性的バルカン叛亂として以外にはこの叛亂を考へえなかつたのである。(註2)

(註2) タイムスは一八七五年十二月三十一日、「トルコ帝國崩壞の不可避なることは既に早く有能なる觀察者によつて豫想されてゐた、にもかゝはらず、それは突然に資本家、政治家達を驚かした。この必然性の直接の表出がヘルツェゴヴィナにおける叛徒の活動の復活であつた」と記した。トルコによる公債支拂拒絕は一八五四年、五五年に契約せる公債に關聯せるためにイギリス議會に討論を喚起したのである。一八五四年の公債は半年毎にエジプト太守から直接にロンドンにある公債機關に送られる筈であつたエジプトの貢税を擔保として起された。又一八五五年の起債は英佛の共同保證による。されば イギリス投資家におけるトルコ問題はヨーロッパ・トルコに對するよりもエジプトに力點が置かれねばならなかつた。又トルコの財政的崩壞による政治體制の弱體化が叛亂勃發の基盤的原因とされるは正しい。

(Walpole, op. cit., p. 74)

さて、オーストリヤの精神的影響下に(勿論「運命的」な三皇帝同盟は止目されねばならぬ)蜂起せる叛亂にオーストリヤが最も重大な關心を持つは當然のことであつて、一八七五年十二月三十日附を以て所謂「アンドラッスィ覺書」Andrassy Note がパリ條約調印國に發せられた。この覺書において獨露墺は共同して次の如く宣言した。即ちトルコ政府によつてなされた改革の約束が何ら實現されをらざることと、及びヨーロッパ列强の共同動作によつて失敗せる諸多の任務を完全に遂行すべきをトルコ政府に强調すること、又何らかの工作がなされざるときは、セルビア、モンテネグロ二政府は自己の人民の熱情止むなくトルコ諸地域の叛亂を支持せざるをえぬことと從つて普遍的爭亂を妨止する唯一の手段は西歐列强の確固たる決議によつてクリスト教徒人民の苦痛を除くべき工作をトルコに强制する事云々。佛伊は直ちに參加した。イギリスは遲ればせに參加した。

かくて、この覺書はトルコ政府に通達されたのであるが、トルコ政府は鄭重にあらゆる要求を受諾し、且つその親切な暗示に對して最大の滿足を感ずると表明し同時に覺書に提示されたる任務を實行することを宣言した。

ところがこの宣言にもかゝはらずトルコ政府はヨーロッパ列强の要求に沿ふ

べき何らの工作をも實施しなかつた。トルコ政府をしてかゝる態度を執らしめた原因はイギリスが傳統的パーマーストン的政策に依存してトルコを支持するものと樂觀してゐたからである。數週間後既にトルコ政府がなんらの行動をも執らないのみならず、行ふ意思さへもないことが明らかとなり更にその後擾亂は次第に擴大するに至つたので露獨墺三國代表はベルリンに會して「アンドラッスィ覺書」を實現せしむべき方法を協議して、より强硬な所謂「ベルリン覺書」を一八七六年五月起草したのである。覺書は次の如き内容のものであつた。

卽ちそれはヨーロッパ南東における擾亂の擴大する危險の存在並びに直ちに「アンドラッスィ覺書」の目的を實現することの必要を指摘し、トルコ政府と叛亂地域との間の二ケ月間の鬪爭中止を提案し、その間に平和交渉が遂げられヨーロッパ列强の代表は約束された改革の實現さるゝを監視する云々の條項を有するものであつた。最後に、鬪爭中止期間に、希望されたる目的が達成乃至少くとも開始されざることを認めたる場合は列强は一般的平和のために次の手段に就いて協定する旨の重大な表示を以て宣言を結んでゐる。この最後の表示がもしトルコにして改革を實現せざれば、實力に訴へられるであらうことを表示せるは明らかであつた。この覺書に對してイギリス政府は參加を拒絕した。既に一八七三年以來、露獨墺に祕密協定の存在することを知つてゐ且つロシアが叛亂の背後にあることをも探知しえてゐたイギリス政府は紛爭に捲込まれる要なく靜觀するを妥當としたのである。イギリスの參加をえなかつたためにこの覺書はトルコ政府に通達されずに終つた。

一八七六年六月二十三日になつてデェイリイ・ニュウス紙はブルガリヤにおける虐殺事件を報道した。トルコ政府はブルガリヤ叛亂を鎭壓するために暴虐と劫掠を以て聞ゆる私兵(Bashi-Bazouk)を送つたのであるがかれらは鎭壓を婦女子の虐殺にまで進めたのである。

ブルガリヤにまで擴がつた叛亂の火は遂に七月一日になつてセルビアの對土宣戰布告、同月二日のモンテネグロの布告となつた。自己の力によつて對土戰爭を敢てなしえない筈の兩國の宣戰は明らかに背後にロシアあるを示唆する。事實かれらは汎スラブ主義の前衞だと考へてゐた。モスクワにその本部を置く汎スラブ主義の運動は過去十年の間ヨーロッパ南東のスラブ人の感情を刺戟しつつあつた。トルコの抑壓に抗して立つた叛徒に本部は資金並びに人材を供給してゐたのである。

ロシア政府はその運動を默認してゐる形で、表面から支持することはなかつた。だが該運動はコンスタンティノープル政府代表イグナティエフの如き運動の熱心な支持者を有し、且つ將軍ティエルネイアフの如きがセルビア軍を指揮するなど、半公的な性質を有してゐた。首相ディズレイリは「ヨーロッパの祕密結社がセルビアを通じてトルコに宣戰布告した」と語つた。(註3)

(註3) Walpole, op. cit., p. 108.

この間、ディズレイリはブルガリヤ暴行に眼をふさぎ、ダービイ卿はセルビアの宣戰布告の日に當つて不干渉政策をとる旨をロシア大使に通告してゐる。

ロシア將校の援助にもかゝはらずセルビア軍はトルコ軍に抗する能はず八月二十四日には Prince Milan は列强の代表者に戰爭中止の工作を要請せざるをえぬことゝなりセルビア軍は事實上トルコに屈した。モンテネグロ軍は頑强に抵抗はしたけれど、戰の方向は最早や叛軍に有利には展開されなかつた。イギリスも最早や不干渉政策を持續することはできなかつた。かゝる叛軍の不利な事態は露土戰爭の可能性を充分に包含してゐるからである。ダービイ卿は遂にトルコ政府に平和回復の方法を提示した。然しイギリスの傳統政策に樂觀してゐたトルコ、或ひは少くも駐土イギリス大使エリオットの傳統政策的傾向に安んじてその提示條項に異議を唱へたのである。これに對し解決の餘りに延引するを焦つたロシアは九月廿六日新規の提案をトルコに通告した。それによると、ダービイ卿の平和條項をトルコが認容しない場合は、ボスニアをオーストリヤが、ブルガリヤをロシアが占領し且つ聯合艦隊をボスフォラス海峽に入れるであらうといふのである。ダービイ卿はその提案の餘りにも强烈なのに驚いてその受諾を躊躇し、一方休戰を提案し直ちに列國會議を開催すべくロシアを說伏し他方トルコに對しては休戰を同意せしめた。ダービイ卿はトルコ不承認の場合全權大使の引上げを辭せざるの態度を示すべきことをパーマーストニアンたる大使に訓令したのである。トルコは決斷に迷ひ回答を延引し僅かに五ヶ月乃至六ヶ月の休戰に同意しその間に列强の會議を避けるべく工作せんとした。ロシアは、セルビアにとつてかゝる長期間の活動中止は不利なりとして却け、十月三十日トルコに對して六週間の休戰を要求し且つ四十八時間以內に要求が認められない場合トルコとのあらゆる關係を絕つ旨通告した。交涉の間にもトルコ軍は攻勢に出て決定的な敗北を與へたのであるが、遂にロシアの强硬な通諜に對してその要求を承諾した。

休戰協定の成立と共にダービイ卿はコンスタンティノープルに列强の會議を開催して、トルコ支配下の諸地方の適當な政治形態に就いて協定せんことを提案して列强の承認を得、一八七六年十一月八日、印度相ソールズバリとコンスタンティノープル駐在イギリス大使エリオットが會議に列席する旨發表した。會議に先立つ十一月二日ロシア皇帝はイギリス大使にロシアはコンスタンティノープル獲得の意思なきことよし必要に應じブルガリヤを占領することありともそれは一時的に過ぎないことを誓言したのであるが、イギリス政府は最早やロシアが單獨に軍事行動を準備しつゝあるを疑はなかつた。

その頃ベカンスフィールド卿(一八七六年八月十一日貴族に列せられたるディズレイリを吾々は今やかう呼ばねばならぬ)はギルドホールにおいてある演説をした。その演説に曰く、

「イギリスほど平和の維持に關心を有する國はないのである。平和は特にイギリス的政策である。イギリスは侵略國ではない。何故なら欲する何ものもない

から。……イギリスが欲するものは今まで築き上げてきた前例なき帝國を維持し享受するといふことであり、力と同時に同情に依存してゐることを想起するはイギリスの誇りである。だが、イギリスの政策が平和にありとはいへ、吾國の如く戰の準備が整へる國もないのである。もしイギリスが正義に組して戰ふ場合、――私は正義のため以外にイギリスが戰爭するとは信じないのであるが――もし戰爭がイギリスの自由、獨立乃至帝國に關するものであるならば、資力は無盡藏である。……イギリスは正義が實現されるまでは中止しない戰ひをなす」[註4]と。

(註4) Monypenny and Buckle, The Life of Benjamin Disraeli, 1929, vol. II, p. 964.

この首相の發言はたとひ既に一八六二年になせるかれの帝國禮讃演説と同じものであつたにせよこの時に於いてはロシャに對する警告的示威を含んだものに相違ない。だが勿論かれがトルコ問題と結びつけて政策的原理を明示せるものとはとれない。然し他面イギリスを「支配的地位」に置かんことを熱望してゐたかれが事態の進展と共に、對露戰爭に傾いて行つたことも事實である。

コンスタンティノープル會議は一八七六年十二月二十三日から翌年の一月、二十六日に亙つて開催されたが、最初からトルコが列國の提案を拒絶することは明らかであつた。事實、トルコ政府は列强の內政干涉に反對し、示威的にオットマン憲法發布を宣言して會議に對抗したのである。遂にトルコ政府は六列强の忠告を拒絕した。だが、直ちに戰爭とはならずに三月初めまでの休戰協定を利用してその會議の失敗に就いて協議し、更にロシア側原案提出になる共同プロトコルを三月三十一日ロンドンにおいてトルコ側に提出したが再度拒絕された。一八七七年四月二十四日遂にロシアはトルコに宣戰を布告した。

既にソールズバリが出發に際して、「今やトルコが無理なく從ふと期待されるやうな條件でもつてロシアが甘んずる可能性があるかどうか疑はしい。……私は嚴かに喜劇をやつてのけよう」と表示したのは正しかつた譯である。(ダービイ宛一八七六年、十一月三日附書簡、L. G. Cecil, Life of Salisbury, vol. II, p. 90.)さて露土戰爭に際してイギリスにとつては二つの方向が與へられてゐた。(1)トルコと同盟しトルコの獨立と統一を救濟するためにロシアと戰ふか。(2)それともトルコを解體せしめて再編成するか、である。前者を傾向的に擇んだのがディズレイリ、後者に加擔したるがソールズバリであつた。前者は傳統的パーマーストン的政策で若干の回顧的精神を擔はされてゐるが、後者こそ當代的なると共に將來的滲透性の立場にあることと言ふまでもなく、こゝでもその批判者に語らしめるであらう。従つて後者は前者の政策的批判者の立場にあることと言ふまでもなく、こゝでもその批判者に語らしめるであらう。

一八五六年のパリ條約においてオットマン帝國が外敵に侵略された場合その獨立維持を保障すべき立場を自から承認したイギリスは現在のロシアのトルコ攻撃に對してトルコを防衛すべき義務を負はねばならぬとされる。國際條約にして何らかの意味ありとせんか現在のイギリスはそれに制約さるべしとも言はれる。だが果してさうであるか。私的協約が然る如く否國際條約であればこそ時代的環境に制約される。國際的義務の原則において國際條約締結の內容的事實が全く變化した場合當該國は條約履行の義務はないのである。永遠の協約の如きは力關係の變化常なき國際政治においてはありえない。愷かに一八五六年以後トルコのヨーロッパにおける地位は變化したのであつて、それは條約の拘束力を破壞するに充分な變化であつた。各國家の發展テンポの不均衡による力關係の變化は或ひは條約を締結せしめ或ひは條約を破棄せしめると確言なしうるのであるが、この場合においてもその例證が提示されたとされえよう。それではその變化は如何に現はれたか。

一八五六年においてはロシアがオットマン帝國を領有するといふことはヨーロッパにとつて著大なる脅威であつた。ヨーロッパに於ける反動の最後の障壁としてのロシアの地位が自由主義ヨーロッパにとつては特別な脅威であつたためである。然しながら今やドイツの勃興によつて、ロシアがトルコを領有するか否かといふ問題は無視されていゝ程に完全にヨーロッパをロシアから防衛しうる狀態となつた。たとひロシアがトルコ侵略の意圖を有するともドイツはロシアに敵對する强力な防壁として役立ちうるのである。

イギリスが與へた保障の主たる契機は最早や過去のものとなつたのみならず、他面トルコ自體における狀態も非常に變化した。一八五六年においては、トルコは自からその改革を(財政的紊亂及び統治狀態、特にはキリスト教徒を良好に統治する)なしうるであらうといふ希望があつたが、今トルコは改革されうるどころか、かへつて墮落したのである。財政狀態は一八五六年におけるよりも惡く政權は弱まり統治は惡化してゐる、キリスト教徒を如何に扱かつたかは言ふまでもないこと、ブルガリ暴動がそれに答へてゐる。

かくて國際的拘束力は明確に破棄されうる環境の變化を來たした。にも拘らずそれに基いてトルコを守るのは無意味と言はねばならぬ。

更にトルコを防衞せんとする政策には、トルコを維持することなくば、名義はどうであれ事實上コンスタンティノープルをロシアが占領するであらうといふ懸念がかくされてゐる。事實コンスタンティノープルを確保しうる力を有するものはトルコを措いて外にはなく、キリシャ、ルゥマニア、セルビアなどはロシアに抵抗するにはあまりにも無力であり、且つ問題はコンスタンティノープルにかゝつてゐるのであるから、コンスタンティノープルを守るためにロシアに對する唯一の障壁たるトルコに加擔すべしとなす見解は一應理解される。だが、戰爭を賭してまでさうするだけの利益があるかどうかゞ問題であらう。手段として戰爭を賭してトルコを守る(よしコンスタンティノープルを確保せんとする目的は必然だとしても)といふ觀念は既述の如く「前ドイツ時代」に屬する。ロシアが依然としてヨーロッパの恐るべき脅威であるといふ傳統的觀念の遺產と言はるべきである。

其の他トルコのためにロシアと戰ふべきだとする政策の目的に關しては各種の說がなされたものゝ如く、例へば、ロシアを地中海における海軍力たらしむべからずとなす如き、エジプトの領有を確保するためにトルコを防衛すべしとなすが如きこれである、エジプトに關しては、エジプトはトルコの統合的部分をなすものではなく單に地代の貢納國たるに止まり、トルコ解體し、エジプト獨立するもイギリスのエジプトに對する關係は何ら變るところはなく失ふところもない。エジプトとトルコは何ら關聯的に考ふる必要を認めないのである。

ところでグラドストン的觀念はトルコにおけるキリスト教的國民の自由解放に着目してゐるが、これはロシア、ツアリズムの二重外交に奔弄されたものとして帝國主義時代におけるグラドストンの對外政策の自由主義的弱點とされうるであらう。因みに自由主義的アヂテーションは相當に激しく行はれたにもかゝはらずその力をうることができなかつた。

ディズレイリが特に着目せるは豫めコンスタンティノープルを別個に占領すると云ふ主張であるが、この點に就いては閣議に激しい紛爭を惹起せしめたのである。(Economist, Oct. 21, 1876.)

これに關聯して考へねばならぬことは、やはり狀勢の變化である。一八五四年にはオットマン帝國の維持は一つの原則であつた、この原則を辿る限り問題は甚だ簡單であつた譯である。然るに一八七七年においてイギリスの政策形成の基礎はそれほど簡單ではなかつた。今やその原理はない。インドへの道を確得し地中海における制海權を維持する目的には變りないとしても、トルコ政府に援助を與へ又は援助を受けることなくしてこの目的を實現しなければならなかつた。從つて狀勢の變化に精細な注意を拂つて政策が決定されねばならなかつた。

こゝに注目すべきは近東政策に對して甚だ高い視角から問題を採り上げてその方向を暗示した見解の存在したことである。

「アジアにおける切迫せる領土配分の變更問題はその眞正の道德として、その變更を妨げ又は現狀維持に止めんとするのではなく吾々の力でなしうる別個の變化を惹起せしめうるといふ自覺を持ちうるであらう。卽ちアジアにおける損害に對してイギリスの利益を保護する最良の手段はアフリカにおいてイギリスの利益に特別の保障を與へるといふことだ」となして手段の選擇における自在性を强調した鋭き論說を吾々は見る。(Economist June 16, 1877.)

次の時代に來るべきイギリス帝國主義政策におけるアフリカ時代を暗示せるものとして注目さるべきであらう。

當時の對外的政策が利益の計算を尺度として絶對的な平和主義を基調とせるは、イギリス資本の要請であつた。イギリス資本は印度への道を守る以外に近東問題に對して消極的であつた。況んや戰爭を賭してまでトルコを防衞する意味もなく、且つドイツといふロシアの對立物を控えては、更に消極的になりえた筈である。それはむしろアフリカに眼を向けてゐたのである。同時に、當時、イギリスにおいてはなほ産業資本の力強く、金融資本は自己の足の上に立つてゐなかつたから、それと協調しうる程度を越えて進むことはできなかつた。

かくの如きイギリス社會の要請を最もよく反映せしめたのは他ならぬソールズバリであつたから主としてかれの傳記(前掲、以下L.Sと略稱す)に從つてかれの見解を述べ併せてベルリン會議にその終末を遂げたイギリス内閣の對策の經過を述べてみたい。

ソールズバリはトルコにおける叛亂地域の人民、特にはブルガリヤ虐殺の當面の被害者であつた人々に同情を寄せて反トルコ的感情を持つてゐたカーナーヴァンに對して「吾々の將來の政策に就いては、貴下の言ふことに全く贊成である。唯私は犯人の處罰よりも不幸な地方における災害の再發を防止することに一層の關心を持つてゐる」(一八七六年九月十三日、L・S八十四頁)となし、また一方駐土イギリス大使のトルコ派的見解にも反對して「エリオットは明らかに何から何までトルコびいきである。今やイギリスにとつてこんな政策からは何らの有利な結果も生れない。むしろ兩國の同盟及び友誼は吾々には不面目の極である。たとひ殺すまではしないとも齒は拔かねばならぬ」(同掲、圈點筆者以下總て同じ)と述べ、更に具體的にベカンスフィールドに對して「傳統のパーマーストン的政策が終りを遂げたことは全く明らかなことである。吾々はトルコ政府に叛亂地方を引渡さんことを希望したにしても今や無效である」(九月二十三日、L・S八十五頁)と述べた。コンスタンティノープル會議におけるトルコの態度に就いては「列强の提案に對してかれらのなしつゝある反對は單に子供騙しである。かれらは決つて命令はかれらの『威嚴』を損ふと云ふ……恐らくかうした事の最も大きな原因はロシアは今弱いといふ信念であらう。又あるものは戰爭はトルコに有利だとさへ言つてゐる。」(ダービイ宛書簡十二月三十一日L・S百十一頁)コンスタンティノープル會議の失敗後ロシアに就いて「吾が國とロシアとの間には恐らく重大な衝突はないだらう。ロシアは餘りにも弱過ぎると思ふ。勿論トルコに對しては恐るべきものだが、然しこのトルコ戰爭でも非常な重荷だらう」(L・S百二十九頁)と述べてロシアの地位の劣惡となれるを指摘した。

ロシアの宣戰布告と同時にイギリスは條件附中立を宣言した。內閣は全體としてはトルコとの同盟の廢棄に贊成したのであるが、特にその廢棄を强く主張したのはカーナーヴァンとソールズバリであつた。それはトルコがヨーロッパ列强の要求を拒絕した際、イギリスがトルコに加擔する事はトルコ失政の全責任をイギリスが負はねばならぬといふ結果になるからである。然し女王、首相の個人的好意は傳統のクリミヤ戰爭的政策に傾いてゐたためにトルコの保全にあつた。例へば首相は、前掲ギルドホールの演說において「トルコの獨立と領土的保全は訊上の仕事では確保されない」と述べてゐる如くである。又女王の首相宛祕密文書には「何を遲疑してゐるのか、そのために外國に對する吾國の威信と地位が失はれつゝあるのに。ロシアは進軍してゐる。間もなくコンスタンティノープルに到着するだらう。さうなつたならば政府は非難され女王は直ちに退位しなければならぬ。屈辱ではないか。大膽になるべし! 何故に上院、下院の黨員を召集しないのか。かれらに告ぐべし、大英帝國の利益は危殆に瀕してゐると。キリストのためには非ず（彼等はトルコ人と全く同じく殘酷である）この殘酷な愚かなる戰爭の目的たる征服に對してである。更にロシアはトルコと同じく野蠻にして專制的だ！　と告ぐべし」とあつて甚だ焦慮されてをられるのが明らかに看取される。(Life of Disraeli, vol. II, p. 1020.) この文書は七十七年六月二十七日附になつてゐるからロシア軍がダニューブ河を渡つてトルコ領に進軍した時に當る。

カーナーヴァン卿は閣内に危機のあることを指摘し且つ首相は二人の閣僚に辭職を强要せんとしてゐる疑ひがあると述べた。それに答へてソールズバリは言つた。「私は貴下が考へてゐる程亂暴な手段をB氏がとるとは信じがたい。……首相が戰爭を用意するために内閣を分裂さしたと云ふ表明は平和の恐るべき爆發を生むだらう――暴擧である――そして商業界の感情の平和を破つてかれは打倒されるだらう。」（L.S 百三十八頁）ガリポリをイギリスが占領することに對してトルコにその同意を要求せんとする首相の提議に關しかれは述べた。「私はこの提議に非常に反對した。　そして私は主張したのである、かゝる手段は事實上トルコとの同盟であること、イギリス國民、ロシア、そしてトルコ自身によつてさへさう解釋されること、……ロシアがバルカンを通過するまで、あるひは少くとも通過の意思を示すまでは何らの行動をとる必要のないこと、たとひロシアがコンスタンティノープルに到着しても吾々は容易にはじき出すことができること、そして、ロシアがコンスタンティノープル攻撃の決意を示すまで行動を延期しても危険のないこと且つそれによつてブルガリヤにおいてトルコを守るために吾が軍が出動するだらうと云ふ疑惑を拂ひのけうること等を、そして私はロシアがコンスタンティソープルを攻撃する意思があるかどうか疑はしいこと、それよりも恐らくブルガリヤにおいてトルコ軍を破つた後にロシアはトルコと都合のいゝ條約を結ぶだらうと云ふ私の豫想を附け加へた。そして私はかれに言つた、かゝる條約はパリ條約になんらか牴觸するものを含んでゐるに相違ないから、その時こそどんなにでもしてイギリスの利益に必要な方策をとることができるだらうと。然しかれはこの見解に全然不滿であつた。――そしてブルガリヤにおけるトルコの地位を維持するためにサルタンを援助する意思のあることを示すやうな言葉を二三使つた。勿論これがかれの眞意であらう。」（L.S.百三十九頁――百四十頁。）

このカーナーヴァン宛の手紙はこの時におけるソールズバリの對外政策を示すものとして重要なものであらう。かれの眞意は印度への路を守る事であつた。

かれは言ふ「私は印度への水道を確保するためにあらゆる努力を捧げてきた。――エジプトの或ひはクレテ島の獲得によつて」と。(L・S百四十五頁――百四十六頁)

かれは國内における産業資本の戰爭に反對してゐることを確信してゐた。「吾が國の工業は不景氣である。そして戰爭に絕對に反對してゐる。」(L・S百七十頁)だが閣内には對露政策に就いて意見の對立があつた。「吾々は閣内における戰爭派、平和派などの如き有害なゴシップを消滅せねばならぬ」と首相自身が言へる如く。(L・S百六十九頁)藏相ノースコートの覺書には次の如くある。「近東政策に關して閣僚の間に意見の相違、感情の對立が實際にあることは、否定できない。(よし抑へられてゐても)吾々の困難な狀勢の初期には閣内における平和派はダービイ卿、ケアンズ、クロス、リチモンド公、ソールズバリ、カーナーヴァン、及び余であつたと言はれる。時がつれてケアンズ、クロス、リチモンドはその意思を稍〻變へたらしい。私はソールズバリ、カーナーヴァンと密接に聯絡し、ダービイ卿とも聯絡してゐた。ダービイ卿と前二者との間には若干冷いものがあつた。カーナーヴァンは首相が戰爭を欲してゐると堅く信じてゐた。ダービイ卿はヨリ正しく判斷して、余に言つた。かれが戰爭を欲してゐるとは思はない、かれはイギリスを支配的地位に置きたいと思つてゐるのだ」(Life of Disraeli,p. 1011.)と。首相に就いては妥當した見解であらう。然しカーナーヴァンの首相に對する强い反感が辭表提出となつて現はれて來た時、ソールズバリは次の如く述べてその辭表を抑へた。「近い中には吾々の中の二三の者は辭めねばならないだらう。然し賴むから明らかに示された大きな政策上の問題に基いてしてくれ給へ。個人的問題でなく、個人的問題でさうすると國民は何れが正しいのか、如何に重要なるかを理解しえないだらう。神は吾々の手に誤まつた戰爭から國を守る信賴を與へられた。」(L.S.百七十五頁、一八七八年一月八日カーナーヴァン宛)

さて、丁度この頃バルカンにおいては、既に先年十一月十八日にKarsを占領し、十二月十日にPlevnaを陷入れたロシア軍は、七十八年一月三日にはSofiaにトルコ軍を破り、十日にはSophika Passにおいて決定的な勝利を博した。その後トルコ軍の抵抗は全く崩れ、侵略せるロシア軍は無人の野をゆくが如く南下してきた。一月二十日にはロシア軍はアドリアノープルに乘込み、他の部隊は更に南下しつゝありとの報に、政府は一月二十三日裝甲艦をコンスタンティノープルへ出動せしめた。カーナーヴァンは遂に辭職した。ロシアがイギリスの利益にとつて危險なる範圍にまで蹈込んではソールズバリも最早や平和を主張することができなかつた。トルコに加擔して戰ふことを誤りだと考へはしたが。「進行しつゝある吾吾の原理の相違は橋渡しするには餘りにも大きい(L・S百九十二頁)とカーナーヴァンに書送つたのである。その間、トルコ軍は完全に崩壊して休戰協定に調印することを餘儀なくされ、平和の基礎を含む協定をも調印せざるをえなかつた。にもかゝはらずロシア軍は進んで二月の五日にはコンスタンティノープルの最後の防禦線にまで達し尚ほも進んで首都の郊外にまで達したとの報があつた。そこでそれ以前にダービイの辭職を飜すためにベシカ灣に呼び戻されてゐたイギリス艦隊は再び出動を命ぜられて、二月十五日コンスタンティノープルの二三哩下に錨を下した。英、露、の陸、海軍は殆んど相互に見える程の距離をおいて對峙したのであつた。

ロシア側は最早それ以上如何ともすることができずに、トルコとの條約交渉を進めた。

所謂サンステフアノ條約によつてロシアはキリスト教徒のゐる地方をトルコから完全に獨立せしめ、新たにブルガリヤ國を創設することを決定した。イギリス政府はこの條約の承認を拒絶し、且つ列强會議にこの條約を提出することを主張した。だが未だ國際會議の召集への見透しが不明でありロシアの該條約における要求が餘りにもイギリスの利益に牴觸するので政府は警戒のために豫備を召集し、インド軍をマルタに輸送し、サイプラス島を占領した。この占領は英土條約によつて行つたもので不法だとは言へない。陸軍の輸送に反對であつたダービイ卿は遂に辭職しその後にソールズバリが廻された。かくて平和派の望みは完全に失はれた。

だが會議召集の機を狙つてゐたビスマルクは遂にベルリン會議の開催を發表して招待狀を發し、こゝにトルコ問題は國際列强の解決に委ねられた。

イギリスは首相、新外相を列席せしめたがその結果は次の如くである。

ルウマニア、セルビア、モンテネグロは完全な獨立を承認され且つ增大させられた。バルカンの北部にブルガリヤ國を創設し形式的にはサルタンの主權下にあるが實質的にはロシアの朝貢國たらしめられた。バルカンの南部に東ルウマニア國を創設した。これはサルタンの直接的政治、軍事權力下に殘された。がこれも事實上はロシアに支配權を握られた形である。ギリシャに關してはその國境變更に關しトルコと協定することゝされ、もし協定成立せざる場合は列國の干涉に委ねられる。ボスニアとヘルツェゴヴィナはオーストリヤの領有に、ルウマニアはバリ條約によつてロシアから分離されたベッサラビア區域をロシアに割譲せしめられ、アジア・トルコに關しては、Ardahan, Kars, Batoumをロシアに割譲せねばならなかつた。

かくてベルリン條約はロシアの影響下に各獨立國を立たしめロシアの過去の損失は償はれ、一方トルコは領土の損失、精力消耗、莫大な戰爭賠償金に依つて完全にロシアの隷屬國たらしめらるゝに終つた形である。從つてコンスタンティノープルの獲得はロシアの意のまゝになるかの如く思はれる。言ふまでもなく、ベルリン會議そのものゝ事實上の成立はロシアとイギリスとの祕密協定によるのであつて、ソールズバリのロシアに對する妥協工作によつて始めて會議召集の運びとなつたのである。六月三日にビスマルクのベルリン會議招待狀が發せられたのに英露の祕密協定の調印は五月三十日イギリス外務省において行はれたのである。即ちベルリン會議は一祭典に他ならなかつた。

右の如き一見ロシアに有利に見える解決もその基礎たる、ロシアのイギリスに對する軍事的劣勢、(これこそイギリス軍出動によつてロシアが戰闘を中止せねばならなかつた理由である)加ふるに國際的勢力關係の不利を把握する時は異なれる解釋が表出される。

即ちオーストリヤをこの度のトルコ戰爭竝びにその結果たる平和條約を通じて完全にドイツの腕の中に送り込んだために、ロシアがコンスタンティノープルを現實に占領しうるためにはドイツ・オーストリヤを相手にしなければならぬ。かくてヨーロッパは露佛、獨墺の二大陣營に分れた。ドイツはかつての如きロシア反動の前驅をなす地位から今やその對立者となつて現はれてきてゐる。從つて兩陣營が雌雄を決することなくしてはコンスタンティノープルは獲得されないのであるが、この大戰爭に必要なるヨーロッパの穀物が總て輸入に依存し且つその輸送は戰時においては海上に依らなければならない。ところで制海權を把握するものは他ならぬイギリスである。こゝにロシアの野望は完全にその實現性を奪はれて終つたのである。

イギリスはベルリン會議をいかに自己の立場に利用したか。トルコとの祕密協定によつてイギリスはアジア・トルコの防衛に對する保障を與へ、その條件としてサイプラス島を自己の領有に歸せしめた。このことは何を意味し、又イギリスの眞の關心は如何なる點にあつたか。

「トルコ政府の將來を思へば思ふほど、いかに一八五六年の條約の地位にかへしたにしても、減少せる領土と消耗せる力とを以てしては單に全オットマン帝國の分解に導くに過ぎないことを確信する。『獨立と保全』を語る時代は過ぎた。一八五六年にはトルコは見せかけものであつた——事實が證明した如く。だが今やもてあそびものになるだらう。トルコ政府は保護の必要なことをみづから認容しなければならぬ。」(一八七八年五月二日レイヤード宛ソールズバリの書簡L.S二百六十六頁)「トルコが解決しなければならぬ大問題は……如何にしてかれのアジア帝國を維持してゆくかである。おそかれ早かれヨーロッパ帝國は滅亡しなければならぬ。……よしかれが獨り自己の力を信じたにしても人はその抵抗力を信じないだらう。……トルコの唯一の運命は大強國との同盟をうることである、——そして唯一の有效な強國はイギリスである。」

「同盟することはイギリスにとつて可能であるか」とソールズバリは設問して答へる。「イギリスにとつてアジアにおけるトルコの問題とヨーロッパにおけるトルコの問題とは非常に相違してゐる。……ヨーロッパ・トルコの諸地方に對するロシアの影響はイギリスにとつて比較的に遠い間接的な禍であるが、そのシリヤ、メソポタミヤへの影響は非常に重大なる邪魔であり、バグダッドとボンベイとの關聯を通して確かにインドにおける吾が支配をより困難ならしめる。それ故に、イギリスがかゝる防衞同盟を作るのは絶望的だとは思はない。然しその目的のためにはイギリスがマルタよりも接近することが絶對不可缺の必要である。」(レィヤード宛一八七八年五月九日附書簡、L・S二百六十七頁——二百六十八頁)

「トルコ政府は吾々にサイプラスを讓らねばならぬ。サイプラスは小アジア竝びにシリヤの西方に近いといふ二重の利益がある。それは明白な敵對行動をなすこともなく、ヨーロッパの平和を亂すこともなくして、軍需品を蓄積し、必要な場合は、小アジア、シリヤにおける活動に必要な軍隊をも駐屯せしめうるのみならず、他の列强が本土の獲得において感ずるジエラシイをも刺戟しない。」(レィヤード宛同年五月十六日附書簡、L・S二百六十九頁)

ソールズバリの書簡は最早や説明を必要としない程明らかにイギリスの意圖を顯示してゐる。サイプラス領有の意味も明らかにされた。ロシアへの讓步の大きく見えた意味も理解される。特に鮮明に浮び上つてきたのはトルコの地位の變化である。從來の獨立國から今やそのアジア・トルコにおいてイギリスの屬國の如き地位に落ちた。

トルコの地位の歴史的變化の意味を最も的確に摑んだソールズバリの表現を通して理解されるものは一八七三年以後この國が這入り込んだ帝國主義政策の宣揚である。トルコが明らかに帝國主義政策の對象に變化されたことは、言ふまでもなくこの國の政治の現段階を特徴づける帝國主義の一現象形態を呈露するものと思はれる。

戰爭か平和か、のスローガンによつて對立せる國民の意識は閣内の對立に反映されその基盤にある資本の制覇鬪爭の對立を暗示したのである。

一方にベカンスフィールド的傳統政策と、他方にグラドストン的自由主義とにおける舊來的なるものを止揚したるがソールズバリの帝國主義であつたと言へるであらう。かれは勿論產業資本の平和主義を充分顧慮しつゝ、而かも、國際的力關係の變化を示すドイツの擡頭とオーストリヤのそれへの傾斜、竝びに兩國とロシアとの對立等によるロシアの相對的・絕對的弱體化を摑み、かくて、それを利用して、或ひは軍事的手段をも用ひながらも戰爭を避けうる見透しを持つて、基盤的にはその帝國主義政策を貫徹したのである。カーナーヴァン竝びにダービイとの「原理的對立」も、かれらが平和主義的原理に加擔してゐるのであつてみれば致方もなくたゞベカンスフィールドの傳來的帝國主義を是正しつゝ行動したのである。トルコの體制變更に對するかれの帝國主義的認識の尖鋭さは、よつて以つて將來のイギリス帝國主義政策のリーダーたるの資格をかれに與へたと言はれうるのである。

（2）ベカンスフィールド内閣崩壞の基盤的契機

一八七九年、政府は印度を守るために殘されたる他の問題を解決せねばならなかつた。それはアフガニスタンを通じて行はれるロシアの中央アジア進出が印度の不安を惹起したことに起因する。政府はディズレイリの所謂「合理的國境」の定設を意圖しつゝアフガニスタンと紛爭を構へた。この問題は平和條約によつてイギリスの支配下にアフガニスタンを置くことによつて解決したのであつたが、この解決は將來において國に相當の負擔を蒙らすやうな平和條約を以てむしろ早過ぎる程急いでなされた。のみならず、Yakoob khanをして父の領土の一部をだに渡すことなくしかもイギリスの同盟を確保し侵略に對する保障をえたと言はしめてゐる。

かくの如き平和への要請は、カーナーヴァンの南亞聯邦案を實現せんがためになされたるトランスヴァール接讓によつて惹起したズル戰爭に對しても向けられたのである。

南亞における戰爭は莫大な軍事費を要しその費用は財政を壓迫し、增稅によつて支辨されねばならなかつたが、ベカンスフィールドは一八七九年の五月中旬まではでは自己の帝國主義政策の具體化として目的を貫徹する意思を持つてゐたのである。然し問題は簡單には解決されなかつた。政府は紛爭の擴大を恐れ、武力によることなきを期してゐたにもかゝはらず現地の Chelmsford 卿の新なる援軍要求は軍部當局を駭かしたことは言ふまでもなく大藏省宛に振出された手形に藏相は困惑した。植民地出費が甚だしく增大する見込みに政府は狼狽して不名譽な讓步をせずに濟むならば平和を確保するに決意したものゝ如くである。政府は直ちに總指揮官の更迭を行ひ、Chelmsford に代つて Garnet Wolsley を据ゑ、そして Zulu 王の提案を承認しそれを出來るだけ都合よく考慮せしむべく訓令を授けた。

この戰爭はイギリス軍の勝利に終り一時的な辨法によつて政治的構成を形作

つた。政府が平和政策を强調し且つ速やかなる解決を望んだ理由、更に解散の契機ならびに保守黨敗北の原因は同一の基盤即ちアイルランドの社會不安に歸一される。即ち既にして蹈み出された帝國主義政策は一應收束して形態を變へて行はれねばならなかつたこと、並びにその基盤がアイルランドの社會不安であつたこと、かゝる事態こそこの政變の契機でなければならぬ。グレート・ブリテン全體を襲つた農業恐慌は工業界における不振に增して深刻な結果を伴つたのであるが、わけてもアイルランドにおいては破滅的であつた。農業生產物の不作に加ふる價格の低下はアイルランド農民をして高率地代の收納を絕望的ならしめた。かくの如き經濟的破局は農民をアンテイ・イギリス運動に結集せしめた。

憲法的アジテーションとして出發したホーム・ルール運動はパーネルの指導下に、既に土地同盟に結集しダビットの指導下にあつた運動と併行していよいよ革命的形態をとり始めた。アイルランドにおける地代收納の拒否――この地代の不公正こそ一八七〇年の土地法が全然觸れなかつた事項であつた――並びに下院におけるアイルランドのホーム・ルール派による議事妨害は一八七九年の秋には危險なる事態を醸成しつゝあつた。ホーム・ルール派の議事妨害は一八八〇年の議會の議事を不可能にするに相違ないことが明らかだつたので、政府は任期滿了による秋の解散を志向してゐたにもかゝはらず、三月八日解散宣言を發したのである。解散宣言が特にアイルランド對策について國民の總意を問うてゐることも今や附加するまでもない。

總選擧は自由黨議員三百四十九名、保守黨議員二百四十三名、ホームルール派議員六十名の結果を以て保守黨の敗北に歸し、グラドストンは再び政府を組織した。貿易不振も底を突いて一八八〇年には稍〻上昇線を辿りはじめ且つ對外問題も一應收束したにも拘らず、保守黨が敗北しなければならなかつたのは、一にアイルランド改革に何らの關心を有せず、又アイルランド人の利益と直接に對立し從つてアイルランドの絕對に排斥する「組織的獨占」狹隘にしてセクト的利益」たる地主利益を保守黨が擁護する任務を擔つてゐたからである。アイルランドがイングランドの富の城砦であるのみならず、實に政治的支配そのものゝ基盤を形成するのであつてみれば、イギリス社會が帝國主義政策をその赤裸の姿でなさずに、アイルランド改革の任務を一身に背負ひ又アイルランドの要望の少くともある部分を達成しうるしまた既に一八七〇年にその任務を遂行してきた改革黨派たる自由黨を政權に就かしめてアイルランドを慰撫し、而してその後は再び帝國主義の軌道に上らしめんと意圖しまた現實にかくの如く實踐されたことは當然と言はねばならぬ。(註1) この政變の意味はかくの如き局相に存在したのである。

さて吾々は政治的型相に重點を置いて帝國主義政策を敍述して來たが、この自由主義より帝國主義への轉換は經濟政策と相併行して行はれたのである。

經濟政策における轉換は自由貿易政策への反動として現はれた。しかもこの反動を歴史的に見透す時「經濟的不振期には常に保護政策の要望及び傾向が起る」と云ふ定式化がなされる。

この國における自由貿易主義への反動は一八六八年――即ち自由貿易政策による未曾有の高景氣以後の最初の一般的産業不振、不景氣が開始された時――に始まる。この時多くの勞働者が失業したのである。イギリスの一方的自由貿易に對する反對が起り、互惠政策が要望され、報復關稅によつて强制的に外國特にフランスを自由貿易に入るべく强制すべしとなす論が擡頭したるは此の年の秋であつた。自由貿易運動がその勝ち誇れるコースをスタートした同一の市マンチェスターに貿易復興協會が創立された。(註2) だがこの互惠主義運動は尙ほその理論支柱をアダムスミスにおいてゐたのである。貿易の不振、Pauperismの増加に關する不平は、一八七〇年に下院の二つの提案となつて現はれた。一つは移民の國家的援助、他は互惠政策に關聯して、通商條約を檢討する議會委員會の任命である。(註3)だが、一八七〇年から一八七三年にわたる貿易並びに工業の急激にして異常なる復活は不平を減殺し、互惠政策運動を消散して終つたのである。

更に一八七四年から一八七九年の不景氣に――而してこの段階が保守黨内閣に相當するし且つこの段階以後においては、一八六八年の恐慌後における如き自由貿易の復活が現はれずに、基盤的に保護主義を以て貫かれ、自由貿易は終局的に支配的ではありえなくなつたのである――再び新たなる自由貿易政策への反動が現はれたが、この時には、所謂貿易バランスの不均衡に關して論議が沸騰したのである。「イギリスは輸入超過を如何にして支拂ふか」に論點が置かれ、エコノミスト、タイムス紙上において、自由貿易政策に關する疑惑が投げられた。

だが、基盤的に自由貿易政策を否定する契機が存したにもかゝはらずなほその反動は支配的となる能はず、ジョン・ブライトは「狂人的愚見」と嘲り、ベカンスフィールド卿ですら「互惠は不生産的」となす程であつた。又この一八七九年にいたるまでの著しい不景氣は始めて、植民地と母國との密接な聯絡の要望が具體的な形で現はれたのであるがそれに續く好景氣はこの運動を沈め、八十年代の中頃の不景氣によつて始めてFair Trade同盟となつて現はれたのである。(註4)

かくの如き徐々たる發展を通して、帝國主義的保護政策へ轉換しつゝ十九世紀の終末から二十世紀へかけての好景氣竝びにそれに續く恐慌以後決定的に帝國主義段階に這入つた。

要約すれば、ディズレイリ政府の帝國主義的對外政策はパーマーストン以後繼續せるイギリス對外政策における「アジア時代」の決算であつたと同時に、次の「アフリカ時代」の出發點でもあつた。然しながら同じく「アジア時代」に屬せしめられながらディズレイリのそれをパーマーストンから區別せしむる契機はその帝國主義的な局相であることは言ふまでもない。帝國主義的軌道が敷設されたにもかかはらず、政權がその反對物たる自由黨政府にリレーされなければならなかつた理由は既述の如くであるが、この軌道は勿論自己を貫徹せざれば止まず、第二次グラドストン政府もその軌道に引き入れられ、その自由主義はハーバート・スペンサーによつて「新トーリー主義」と規定されたるは人の既に知れるところであらう。

われわれはイギリス對外政策に於ける「アフリカ時代」を次の機會に檢討せねばならぬ。

（註1）　Life of Disraeli, vol. II, p. 1380 ff. Morley, op. cit, vol. II, p. 164. R. H. Gretton, A Modern History of the English People, vol. II, p. 33 ff.

（註2）　Life of Disraeli, vol. II, p. 532

「保守黨がランカシアのかゝる支持を受けたこと並びにマンチエスターがディズレイリをかくも熱狂的に歡迎したことは慥かに異常な兆であつた。思ひみよ！　イングランドにおいてこの地方以上の工業地域なく、且つヨリ强力なる勞働者はどこにもないのである。マンチエスターは自由貿易の本家であり、ディズレイリが演說したホールは穀物條例廢止鬪爭の間、コブデン及びブライトの得意なる演壇であつたのだ。ランカシアはグラドストン並びにブライトの生れ故鄕であり、この時代の自由主義の柱石であつたのである。」

（註3）　C.A. Bodelsen, Studies in mid-Victorian Imperialism, 1924, pp. 114—115.

「植民地はアイルランドと同じく高價にして必要だ。」

英帝國統一案實現せざれば「イギリスは第二のオランダの地位に立つのみならず、更に巨大なる pauperism のためにより不幸とならう。」

（註4）　C. J. Fuchs, The Trade Policy of Great Britain and Her Colonies since 1860, 1905, pp. 183—210.

――一九三七年四月三十日

船舶「モルゲージ」について

中川　正

目次

はしがき

海上運送企業の經營には、その中樞的經營設備たる船舶の建造・艤装及び運行維持等に巨額の經費を必要とするため、他の部門に於ける企業經營に比し比較的多額の資本の調達を必要とし、これがため古くより海運企業のための特殊な資本集結の手段が認められてゐる。彼の海上に特殊なる金融制度たる冒險貸借の起源は未だ明確でないが、既に希臘に一種の海上貸借の制度の存したことは學者の認めるところであり、羅馬(1)の特殊海商制度たる foenus nauticum の制度がその淵源を希臘に發するものであることも一般に學說の一致するところである。(2) 特殊な組合形式を持つ企業形態(Gewerbsgesellschaft sui genelis)(3)たる船舶共有が、海運企業經營の主要なる形態として古くより一般的に行はれてゐた所以も亦、海運經營に必然的に要求せられる多額の資本を多數人より集結しこれによつて企業危險の分散を圖らんことを欲したために他ならない。(4)(5) 近時資本の集結と企業危險の分散に卓越した結果を約束する株式會社制度の發展を見るや、海上運送企業も亦主としてこの形態によつて經營せられ船舶共有の形式が小資本時代の遺物に過ぎずとして輕視せられるに至つたことは、船舶共有制度の有した本來の使命に鑑みるとき誠に故なしとしない(6)。

動産たる船舶上に早くより抵當權の設定を認られて來たことも、船舶が不動産と同様に個別化(Individualisierung)を可能ならしめる內在的性質を有したによることとは勿論であるが、著しき資本の集結を前提とする海運企業の經營に外部資金導入の最も直接且つ有效なる手段を供するためであつたことも疑ひない。のみならず自己資本の形を採る船舶共有が株式會社制度の普及によつてその意義を喪失し、等しく借入資本の形による特別なる冒險貸借の制度が保險制度と船舶抵當制度に地位を讓りたる今日に於ては(7)、船舶抵當の制度は海事金融上愈ゝその重要性を高め、近時我國に於ても船舶抵當法制の完備の强調せられる所以も亦斯くの如き事情に基けるものに他ならぬ(8)。船舶抵當の制度は既に羅馬に於て認められた如くであるが(9)、元來羅馬法はその hypotheca について目的物の動産たると不動産たるとを區別しなかつたから(10)、船舶上の hypotheca の認められたことは敢へて異とするに足らない。然るにその後中世に及び歐洲各國共にゲルマン古法の如く(11)動産上の抵當權を認めざるを原則とするに至つた後にも、船舶のみはその例外をなし、船舶上には他の動産と異り不動産と同樣に目的物の占有移轉なき抵當權を設定し得た。[12][12ノ2] 中世末葉より近世初期にかけての國內法の統一及び商法法典化の傾向に促かされて、普魯西普通國法(一七九四年)が先づ船舶抵當制度を法典上に採上げ、續いて葡萄牙商法(一八三三年)・和蘭法(一八三六年)及び英國商船法(一八五四年)これに倣らひ、[13]更らに舊獨逸商法普魯西施行法・伊太利商法・佛國法及び白耳義商法等亦この制度を採用するに及んでは、Schröder の言へる如く、[14]まさに船舶抵當制度は『實質上ヨーロッパ海法の共同財(Gemeingut)』となつたと言ひ得るであらう。 のみならず獨逸[15]・日本[16]・北米合衆國[17]・中華民國[18]及びソヴェート・ロシア[19]等の現行法亦この制度を認め、殊に一九二六年ブリュッセル外交會議により『海上先取特權抵當權統一條約』(案)[20]の成立を見たる今日に於ては、むしろこの制度は一の世界海法の共同財たるの實質を有するものとするも過言ではない。[21]

註(1) vgl. Wagner, Seerecht. I. s. 55.

註(2) vgl. Schröder, Endemann's Handb. IV, s. 235.; Wüstendorfer, Ehrenberg's Handb. VII, 2, s. 44.; Wagner, a. a. O. s. 56.; Wrede, Ansprüche des Gläubigers aus dem Bodmereiverträge. 1908, s. 6.

註(3) Goldschmidt, ZHR. XXIII, s. 352.

註(4) Schröder, a. a. O. s. 52 ff.

註(5) 船舶共有を認める古代の法制については、vgl. Wagner, a. a. O. s 189. Anm. 1.

註(6) 小町谷博士、海商法研究三巻六一頁以下、九〇頁以下。西島博士、海商法要論八六頁參照。尤も我國でこの形式による海運經營は今日も存してゐるから、これを全然無用視するのは當らないが(烏賀陽博士、岩波法律學辭典三巻一五九九頁參照)、往時に比してその意義を僅少ならしめてゐる事實も亦疑を容れない。

註(7) 勿論獨逸商法の如く今尙ほ冒險貸借(Bodmerei)の制度を保持する立法例は存するけれども、實際にはこの「中世に於て重要なる意義を有した法現象は、法生活より絶滅したに近い」(Müller=Erzbach, Handelsr. s. 834.)と謂うて差支ない。我新商法も冒險貸借を認むる舊商法九四六――九五二條を繼承してゐない。

註(8) 大橋氏、海上先取特權抵當權統一條約案概說(法學論叢三五巻二號)。最近獨逸が船舶抵當證券銀行法(Gesetz über Schiffspfandbriefbanken)を制定して船舶金融に新しき道を拓かんとしてゐることは周知の如くである(石井照久氏、海法會誌二〇號、同氏、岩波法律學辭典三巻一六一二頁、大橋氏、上揭六一〇頁參照)。尙船舶金融の重要性につき細矢祐治氏、「我國ニ於ケル船舶金融」(國民經濟雜誌二六巻)參照。

註(9) vgl. Goldschmidt, Handelsr. 1868, I, 2, s. 881, Anm. 9.

註(10) vgl. Dernburg, Pandekten, 1896, I, s. 653. 船田享二氏、羅馬法五一一五頁。

註(11) vgl. Goldschmidt, a. a. O. § 85, Anm. 9—15.

註(12) vgl. Meibon, Das deut. Pfandrecht.

註(12)ノ2 我國に於ても船舶を擔保とする海事金融の方法は既に古くより行はれたものゝ如くであり、享保六年正月の御布令に「船質ノ儀是迄賣券證券取置候、自今船質證文ニ可取置事」と定められてゐると言ふから(住田正一氏、日本海法史に據る)、この當時既に單純なる質權の設定による債權の確保が船舶については海事金融上不便であり、これがため船舶賣渡抵當の方法が弘く慣用せられてゐたことが推知されるし、更らに船質の慣行はそれより遡つて存在したことを窺ふに足る。尤も公簿への登錄によつて對抗力を有すべき現在の船舶抵當制度の如きものは別に存在しなかつた由である(住田氏、上掲四五一頁)。

註(13) 尤も當初ALR.は伊太利舊商法と同樣に船舶抵當についても未だ擬制的占有移轉の觀念より完全に離脫し得なかつた(vgl. Schröder, a. a. O. s. 300.)。

註(14) Schröder, a. a. O.

註(15) 周知の如く獨逸新商法は船舶抵當に關する規定を有しないが、獨逸民法一二五九條以下は動產質の一種として船舶質を認めてゐる。而かもその法的取扱は通常の動產質と相違して抵當に近似した諸點を示してをり、學者も亦船舶上の登記質權(Registerphand)を質權と抵當權との混合形態(Mischform)であるとなしてゐる(Wüstenhorfer, a. a. O. s. 244)。

註(16) 舊商法八五二——八五五條、現行商法六八六——六八八條。獨逸民法は船舶質を動產質の一種として規定してゐること前註の如くであるが、我新商法が登簿船につ

き抵當を認めて質を認めぬことゝした理由を法典調査會の商法修正案參考書は次の如く説明してゐる――「蓋シ船舶ハ運轉航行ヲ以テ其目的トス從テ質權ヲ認メタル國ニアリテモ實際ニ於テ質權ヲ生セシムル場合極メテ少シ殊ニ質權ヲ法律ニ認ムルニ於テハ之ニ關シテ尙詳細ナル規定ヲ必要トシ實際ニ適用ナキ無用ノ法文ヲ多ク設ケサルヘカラサル立法上ノ不利アリ」（同書一五二――一五三頁）。立法論としては獨逸の如く「原則的には動産質たる法律的性質を有するも、尙純粹の動産質にあらざる」(Wüstendorfer, a. a. O.) ものとして取扱ふよりも、むしろ我修正案の如く專ら不動産の抵當權に關する規定に從ふものとする方が簡明である。

註(17)　米國法は一九二〇年の商船法により大體英法の船舶「モルゲージ」と同様な船舶「モルゲージ」を認めてゐる。大橋氏、上揭六〇九頁參照。

註(18)　民國一八年一二月三〇日の中華民國海商法は三四――三八條に船舶抵當權について規定してゐる。概して我商法の規定するところと同樣であるが、船舶質權をも認むるものなりや否や必ずしも明瞭でない。中華民國法制研究會、中華民國海商法(上)一七九――一八〇頁によれば「特に之を禁止する規定の設けられてゐない本法のもとに於ては船舶質權を否定することは出來ないであらう」が、「併し船舶質權の如き單に之を認むる必要なきのみならず之を認むることは法律關係の錯雜を來し不當である」と言はねばならぬ」と。後半の所論前註引用の商法修正案參考書のそれと軌を一にする。

註(19) 一九二九年ソ國海商法三七條以下。ソヴェトト・ロシアの海商法については、Heinrich Freund, Das Seeschiffahrtsrecht der Sowjetunion, Beilageheft der ZHR. Bd. 95. 及び烏賀陽博士、「ソヴェート」聯合政府の海商法(法學論叢二三巻)による。

註(20) この條約案の成立經過及び内容の研究は大橋氏、上掲論文參照。

註(21) 最近法學協會雜誌上に引續いて動産抵當制度についての資料が紹介せられ、最後に(五五巻四號)我妻教授はデンマークの動産抵當制度について誠に興味深い紹介をなされてゐるが、一方で不動産の證券による流動化=動産化が近來法制の傾向であるのに對して、更らに進展した動産の證券による高度流動化の傾向が一般的とならうとしてゐるのは、船舶抵當法制に關する一つの資料を供しようとしてゐるとき特殊な興味を覺えしめられるものがある。 以上私は船舶抵當法制をこのやうな側面から觀察して來たのではなかつたが、一般的動産抵當制度の發展が示してゐる如く、既に物の使用價値とそれの交換價値とは信用經濟體制を基底とする近代社會の經濟的必要に促されて彌々分化の度を高め、法制も亦この經濟的必要を如實に反映して既成の法概念に必ずしも一致し難き制度をも自由に發展せしめてゐるのである。 船舶抵當が特殊の動産抵當として早くより存在したことが、往時よりの海事金融の必然的要求によるものとしたこの拙文冒頭の規定が謬りにあらざることを確信する所以である。

一 緒論

船舶抵當制度が現代世界海法の共同財たる所以は既に一言した通りであるが、それにも拘らず現在各國の船舶抵當法制は著しくその内容を異にし、(1)これ等を統一して名實兼備した世界法を成立せしめることは今のところ不可能に近い。この問題についてひさしく努力を傾注して來た萬國海法會も、つひに一九二六年ブルュッセル外交會議の成果たる「海上先取特權及び抵當權についての規定の統一に關する條約」(案)に於て、締約國の法令によりて適法に設定されたる抵當權「モルゲージ」及び質權は他の一切の締約國に於ても有效と認められ且つ尊重さるべきものとして(同條約第一條)、船舶抵當法制の内容を締約國の國内立法に留保することによつて滿足する他はなかつた。他の取引部門に比して涉外的關係を生ずべき可能性の顯著な海上取引につき諸國海上法制の相違によつて齎らさるべき實際的不便は多言を要せざるところなるに拘らず斯く統一を困難ならしめてゐる理由は、その法律的側面に於ては、主として大陸法系立法と英國法系立法との間に存する乖離に據ると見て差支ない。この意味より將來のより完備せる統一を期せんとする努力の中には、各國法制の更らに充分なる研究が含まれなければならぬ。ブルュッセル統一條約は未だ我國の批准せざるところであるが、最近の諸國立法は既に多くこの條約を參酌してなされてをり、(2)我國も亦近き將來に於てこれを批准し且つこれを參酌したる國內立法を採らんとしてゐるから(商法改正要綱第二二八參照)この條約の研究は緊急事に屬すると言はねばならぬ。こゝに英國の船舶「モルゲージ」制度を概觀せんとする所以も、一方に於て將來の安備せる統一法成立のための研究資料の一端を供し、他方右の統一條約に依據する我商法改正の行はれるとき商法解釋上も當然要求される「モルゲージ」制度に關する知識を準備せんと欲したために他ならない。(3)(4)

註(1) 大橋氏、上掲論文三參照。

註(2) この條約を參酌した最近の諸國立法例については、大橋氏、上掲六四〇頁。

註(3) 從つてこゝでは主として船舶「モルゲージ」の性質・效力等を檢するを主眼とし、一般に英法の「モルゲージ」の本質の究明とか、特に英法に於て一般に security と言はれるものが如何なる本質を有するものなりやの問題の如きものに觸れない。

註(4) 參照し得た文獻。

1.　一般的のもの：——

Coote, Treatise on the law of mortgages. 1927, vol. I. II.

Fisher., Law of mortgage and other securities on property. 1910.

Ashburner, Concise treatise on mortgages, pledges and liens. 1911.

Strahan, The principles of the general law of mortgages. 1925.

Bouvier, Law Dictionary. 1934, pp. 818—822.

2.　船舶「モルゲージ」について：——

Constant, The law relating to the mortgage of ships. 1920.

Abbott, Merchant ships and seamen. 1901.

Maclachlan, Merchant Shipping. 1932.

Temperley, Merchant Shipping Acts. 1907.

Scrutton, Merchant Shipping Act. 1894.

Scrutton, Charterpaties and Bills of Lading. 1931.

Carver, Carridge of goods by sea. 1925.

二 「モルゲージ」の意義及び種類

一 意義

英法に於て債權確保の目的を有する擔保權として認めらるゝものは「モルゲージ」mortgage・「プレッジ」又は「ポゥン」pledge or pawn・「ハイポセケーション」hypothecation及び「リァン」lien の四つであり、この中「リァン」のみは法規に基いて直接に成立する法定擔保權にして、他は當事者の契約によつて成立する約定擔保權である。[1] これ等の擔保權に共通なる特性は、(一)債權者は目的物を自己の債權の引き當てとなす權利を有すること、(二)債務者は債務を履行して目的物上の權利を回復する權利を有すること、(三)債權者は債務の履行ありたるときは目的物を所有權者に返還する義務を有することであるとされてゐる。[2]

「モルゲージ」は、目的物の所有權 property を設定者 morgagor より權利者 mortgagee に移轉することによつて行はれる債權の擔保である。[3] 從つて「モルゲージ」の設定あるときは、設定者は目的物上の所有權 property を喪ひ、單に目的物上の所有權を債務の履行によりて囘復する權利 right of redemption を有するに過ぎない。目的物の占有の移轉は「モルゲージ」の成立要件にあらず、又その存續要件でもない。從つて「モルゲージ」は、一種の動產寄託 bailment にして目的物の引渡を要件とするとされる「プレッジ」又は「ポゥン」とは占有移轉を要せざる點に於て相違し、目的物上の所有權の移轉ある點に於てその移轉を伴はずとされる「ハイポセケーション」及び「リァン」と區別せられる。(4)(5)(6)(7)

二　種類

「モルゲージ」は、性質の相違に從つて、普通法上の「モルゲージ」legal mortgage と衡平法上の「モルゲージ」equitable mortgage とに分ち得る。(8) 前者は目的物上に普通法上の權利 legal right を有する者のみこれを設定し得るところにして、且つその設定に一定の方式を必要とされてゐる。(9) これに對して後者は目的物上に普通法上の權利を有する者は固より、單に衡平法上の權利 equitable right を有するに過ぎざる者も亦これを設定することを得、且つその設定に一定の方式を必要としない。(10) この種

類の相違がこれ等の權利の有する法律的效果の相違に對應するものであることは言ふまでもない。(11)

「モルゲージ」は、目的物の種類に從つて動產上のものと不動產上のものとに分つことも可能であつて、兩者は原則としてこれに適用せらるべき法規を異にする。(12)船舶は英法に於ても動產 personal chattels の一種となされてゐるに拘らず、他の諸國立法例に於ても然る如く、船舶の持つ特性に基き幾多の點に於て通常の動產と別異の取扱を享け、船舶又は船舶持分上の「モルゲージ」についても、通常の動產上の「モルゲージ」に適用さるゝ Bills of Sale Acts の適用を排除せられ(Bills of Sale Acts, 1878. sec. 4.)、專ら商船條例 Merchant Shipping Acts の規定するところに從ふべきものとされてゐる。然るに商船條例は、船舶「モルゲージ」について網羅的規定を與ふることなく唯船舶「モルゲージ」に特有なる事項についてのみ規定するに過ぎないから、商船條例に規定せざる事項に關しては、一般「モルゲージ」法の原則を採つて解決の資とするの他なく、以下の記述も亦この方途に從つた。

註(1)　security の分類に關しては英法上異論の存するところにして、殊に「リアン」を法定のものに限るべきか否かは說の分るゝところであるが、こゝでは Fisher, ibid, p. 1 et seq. の見解に據つた。

註(2). Fisher, ibid., p. 1. :——

1) A right in the creditor to make the property which is subject to the secnrity answerable for the debt or engagement.

2) A right in the debter to redeem the property ley paying the debt or performing the engagement.

3) A liability on the part of creditor upon such payment or performance to restore the property to the owner.

註(3) Coote, ibid., I, p. 6. 田中和夫氏、英法概論二二〇頁以下もこの意味から「モルゲージ」を一般に賣渡擔保と譯してゐられる。

註(4) 「プレッジ」の性質に關しても英法に於て爭ひの多きところであるが、併し少くとも目的物の現實又は解釋的引渡を要件とするものなる點に於ては學說の一致するところである(Cf. Coote, ibid., II, p. 1488.)

註(5) 「ハイポセケーション」の本質は、目的物の債務辨濟のためにする充當 appropriation に在り、目的物上の所有權を與ふるものにあらず、且つ占有權を與ふるものでもなく、この權利を訴訟手續によりてのみ行使し得べきものとするのが通說である(Fisher, ibid., p. 119; Coote, ibid., II, p. 1490.)

註(6) Fisher, ibid., p. 249; Coote, ibid., II, p. 1375.

註(7) 「モルゲージ」に類似するものに別に條件附賣買 conditional sale があり、條件附賣買によりても買主が買戻權 right of repurchase を行使するときは經濟的結果に就て「モ

ルゲージ」の設定された場合と異るところはないのであるが、それは飽くまで目的物の賣買なるため賣買法の規定に服する理けである(Cf. Coote, ibid., I, p. 27.)。

註(8) 一八七五年の裁判所構成法によりて普通法裁判所と衡平法裁判所が統一せられたる後は、衡平法も亦高等裁判所の各部に於て適用を見るところとなつたため、この觀點のみからは從來權利を普通法上のものと衡平法上のものとに區別された實益は喪はれたのであるが、然し權利の持つ法的效果の相違によつて爾後も等しく、この區別がなされてゐるところである。

註(9) Cf. Fisher, ibid., p. 6. 必要なる方式は「モルゲージ」の目的物の種類によつて相違し、例へば一般の動産については Bills of Sale Act, 1878. に規定する方式によることが必要であり、船舶及び船舶持分上の「モルゲージ」につきては商船條例に規定がある。

註(10) Cf. Fisher, ibid., p. 15. 古くは自己の財産上に「モルゲージ」を設定したる者はこの物につきて普通法上何等の權利をも有せざるに至ると解せられ、これがため普通法裁判所に於ては第二以下の「モルゲージ」の效力が否認されてゐたが、衡平法裁判所は「モルゲージ」設定者の回復權を肯定し、從つて又第二以下の「モルゲージ」の效力をも認めて來た。現在では高等裁判所の各部に於てこの權利の存在が容認せられ、むしろ設定者の回復權を認めざる「モルゲージ」を無效とする判例が見られる。

註(11) 尙この點につきては次節參照。

註(12) Straham, ibid., p. 8. は、Mortgage of land と mortgage of chattel とに分つを適當なりとし、兩者に適用さるべき法原則の異なるべき旨を述べてゐる。

三　船舶「モルゲージ」の設定

一　不登簿船を目的とする「モルゲージ」

船舶「モルゲージ」設定の方式は、目的たる船舶の登簿船なるか否かによつて異る

不登簿船を目的とする「モルゲージ」の設定には商船條例所定の方式を履践することを必要としない(MSA. 1894, sec. 31. 參照)。然るに Bills of Sale Act(一八七八年)第四條により同法の適用を排除されてゐる「船舶又は船舶持分」"any ship or vessel or any share thereof"は、登簿船のみならず不登簿船をも包括するものと解せられてゐるため[1]、不登簿船に「モルゲージ」を設定するには、通常の動產「モルゲージ」の設定に必要なる Bills of Sale Act 所定の方式をも必要とせざることゝなる。

別に商船條例によつて登簿を要求せられざるに拘らず登簿船の有すべき諸種の利益を享受せんがために條例の定める方式に從つて登簿を得た船舶が存在するが、この種の船舶についても「モルゲージ」の設定には條例の定める方式を必要と

せず、一般の不登簿船と同一に取扱はるべきものとされてゐる。(2)

二 登簿船を目的とする「モルゲージ」

1 登簿船に普通法上の「モルゲ－ジ」を設定せんがためには商船條例(一八九四年)の規定する方式又は能く限りこれに近き方式によつてなさねばならぬ。(3)「モルゲ－ジ」證書は船籍港に於て船舶登記簿へ登錄せらるべく、登記官は控簿Memorundumに基いて自己の登錄したる旨と登錄の日附を證書に記入する。(4)登簿船上の「モルゲ－ジ」の讓渡も條例の規定する方式に從つて行はれることを要し、船舶登記簿への讓渡登錄をも必要とする。(5)

2 登簿船上に設定せられたる「モルゲ－ジ」にして條例所定の方式によらざるものは普通法上の「モルゲ－ジ」たる效力を有し得ざるも、衡平法はなほこれを全然無效なものとなさず、衡平法上の「モルゲ－ジ」として有效なる成立を認める。(6)(7)衡平法上の「モルゲ－ジ」の成立には「モルゲ－ジ」證書の作成を要せず、例へば登錄せられたる「モルゲ－ジ」の權利者による「モルゲ－ジ」證書の寄託によつて成立し、又製造中の船舶に在つては造船契約確認證bilder's certificateの寄託によつても亦成立し得る。(8)

尙船舶登記證書 certificate of registry の寄託によつてこの種の「モルゲージ」の成立を認め得るやについても判例はこれを消極に解してゐるが、(9) 理由とするところは、船舶登記證書は船舶の適法なる航海のためにのみ利用さるべく船舶上の如何なる權利者と雖もこれを抑留することを得ずとする商船條例の規定(1894, sec. 15)は債權確保の目的にて債權者のなすべき船舶登記證書の抑留をも禁止するものなるが、ためであると言ふに在る。

3　船籍港外に在る船舶上に「モルゲージ」設定のため商船條例は特に「モルゲージ」證券 certificate of mortgage による方式を認めてゐる。後に「モルゲージ」の順位に關して述べるやうに「モルゲージ」の順位は「モルゲージ」契約成立の時を標準とせず船籍港に於ける船舶登記簿への登錄の日附に從ふものであるから、船籍港より遠隔の地に於て設定された「モルゲージ」權者は、後に契約されたに拘らず自己の「モルゲージ」登錄に先んじて登錄された「モルゲージ」權者に優先順位を奪はれる危險があるから、かくの如き危險を除去して船籍港を隔つる地に於ても容易に船舶金融の方途を拓かんとするものがこの制度である。(10) 船籍港外に於て (11) 船舶を「モルゲージ」によつて處分せんことを欲する船舶所有者は、船籍港に於て登記官に「モルゲージ」證券の交付を申請し得る(MSA. 1894. sect. 30.)。證券の申請ありたるときは登記官は、(一)證券によりて權利を行使すべき者の名及び借入金の最高額につきて定めあるときはその金額、(二)權利を行使すべき地又はその地の定めなきときは何處にても行使し得べき旨、及び(三)權利を行使すべき時期を船舶登記簿に記載することを要し(ibid., sec. 40.)、「モルゲージ」證券には、(一)右の船舶登記簿記載の内容、及び(二)當該證券の發行さるべき船舶に關係ある他の登錄されたる「モルゲージ」及び「モルゲージ」證券に關する事項を記載しなければならぬ(ibid., sec. 40, 42.)。「モルゲージ」證券によつて「モルゲージ」を設定するには、登記官又は英國領事により證券の裏面に「モルゲージ」設定の旨を記載せらるゝことを要し(ibid., sec. 43 (2))、この記載ありたるときは、該「モルゲージ」は證券の船舶登記簿へ登錄の日附(卽ち證券發行の日附)に於て順位を保有し、證券上に複數の「モルゲージ」の記載ある場合には、その相互間の順位も證券記載の日附に於て決定し「モルゲージ」契約成立の日附を標準としない ibid., sec. 43 (2))。[12] 「モルゲージ」證券に記載された「モルゲージ」は、船舶登記簿に登錄された場合と同樣なる權利義務を認められるから(ibid., sec. 43 (6))、この種の「モルゲージ」は普通法上の「モルゲージ」たる性質を有するものと考へられる。[13]

註(1) Constant, ibid, p. 13; Maclachlan, ibid, p. 39.

註(2) 前註參照。

註(3)「モルゲージ」證書には、船舶の同一性表示のため船舶檢査書 snrveyer's certificate の内容を記載し(Cf. Maclachlan, ibid., p. 18 not.)、且つそれは證人による證明を必要とする。尙 The Commission of Custom は Board of Trade の許可を得て商船條例所定の方式に變更を加へ得る(ibid., sec. 65.)。

註(4) 後述の如く登錄「モルゲージ」の順位は船舶登記簿へ登錄の日附に從つて優先するから、この登錄日附の記載は重要な意義を有するものなることに注意しなければならない。

註(5)「モルゲージ」權者の婚姻・破産・死亡その他の原因に基く「モルゲージ」の移轉 transmission ありたるときの手續に關しては條例三八條の規定がある。

註(6) 嘗つて一八五四年の商船條例の解釋として、條例の定むる方式によらざる「モルゲージ」は無效のものとされてゐたが(Liverpool Borongh Bank v. Turner (1860), 30. L. J. Ch. 379.)、一八六二年の商船條例三條によりかゝる「モルゲージ」も衡平法上有效なるべき旨を認められ、現行一八九四年商船條例も五七條によりて明示的にこの趣旨を認めてゐる(Cf. Temperley, ibid, p. 33. not. (f) to sec. 57.; Coote, ibid, I, p. 293.)。

註(7) 從つて衡平法上の「モルゲージ」たるには「モルゲージ」證書によることを要せずとされることより、或る契約が「モルゲージ」の設定を目的とするものなるか通常の賣買を目的とするものなるかの決定は、單に契約證書に用ひられたる文言の如きも

のを標準とすべきでなく、當事者の眞意の存するところに從つて決すべしとされ、判例も亦屢〻このことを認めてゐる(Cf. Ward v. Beck (1863), 30 L. J. Ch. 113; The Inisfallen (1866), L. R. 1 A. & E. 72; The Cathcart (1867), L. R. 1 A. & E. 314. etc.)。

註(8) Constant, ibid., p. 13; Maclachlan, ibid., p. 34; Temperley, ibid., p. 19 not. to sec. 31; Lacon v. Liffin (1862), 32, L. J. Ch.; Exparte Hodgkin, L. R. 20 Eq. 746.

註(9) Wilby v. Crawford (1861), 30 L. J. (O. B), 319. この判例は一八五四年の條例五〇條に關するものであるが、現行條例一五條も同樣の趣旨を定めてゐるから現行法上もかく解し得るものとして差支ないであらう。

註(10) Maclachlan (ibid., p. 38.) は、右の他に「モルゲージ」證券の目的として船舶登記簿の內容を「モルゲージ」權者に知らしめる作用を認めてゐる。

註(11) 「モルゲージ」證券による「モルゲージ」の設定は、船籍港が(一) United Kingdom に存するときは――United Kingdom 內の地、(二)英國殖民地に存するときは――該殖民地內の地、(三)商船條例に於て特に勅令の定むるところによるとされてゐる港に存するときは――該港及びその隣接地に於てはこれをなし得ずとして(ibid, sec. 41)、地域的制限を受けてゐるが、このことは正さにこの制度の目的に相應するものである。

註(12) 證券記載の「モルゲージ」と他の「モルゲージ」との順位に關しては、證券による「モルゲージ」は證券記載の日附を標準とすれば充分なるべき筈なるに拘らず條例は證券發行の日附によるべきものとして、その遡及的優先を認めてゐる。蓋し船籍港外に於ける船舶金融を能ふ限り容易ならしめんとする趣旨と考へられる。

註(13)「モルゲージ」證券の紛失及び撤回の場合の手續については、MSA. 1894, sec. 45, 46. 參照。この種の「モルゲージ」の消滅については後述。

もない。

四　船舶「モルゲージ」の效力

一　船舶「モルゲージ」の目的物の範圍

船舶そのものが船舶「モルゲージ」の主要なる目的物たるは特に言辭を盡すまでもない。

船舶屬具が「モルゲージ」の目的物に包括されるか否かは一應疑問であるが、判例はこのことを認め、船舶「モルゲージ」につき當該船舶の用に供せられ且つ航海遂行に必要なる物品 articles は船舶なる語の中に包括せらるるものとし、而かもこのことは「モルゲージ」設定の時該船舶上に存したる物品のみならず、その後これに代りたる物品についても同樣に該當すべきものとする(1)。判例がこの點をかく積極に解する根據は、船舶「モルゲージ」に關して商船條例附表の定むる方式によれば「モルゲージ」證書は船舶そのもののみならず「短艇・砲・彈藥・武器及び屬具」"her boats, guns, ammunition, small arms and appurtenances" をも「モルゲージ」に附するものなる旨を明白に示してゐるがためであると言ふに在る。唯かくの如く屬具が船舶に包括されるものと解せられるためには、それが當該船舶の專用に屬するものたるを要し例へば特に當該船舶の專用に供せられるものならざるに拘らず偶〻これに装載せられてゐた漁具の如きは、該船舶について設定された「モルゲージ」の對象たらざるものと解しなければならぬ。(2)

船舶上の積荷は外觀上も船舶の屬具appurtenanceにあらざるが故に、假令それが「モルゲージ」設定者の所有に屬し且つ漁船に於ける漁獲物の如く、それが唯一の收益の方法たる場合に在つても、特約なき限り船舶「モルゲージ」に入らざるものである。(3)

運送賃も亦積荷と同樣に船舶「モルゲージ」の目的物の範圍より除外されるが、附隨約款によつて特にこれを「モルゲージ」の目的に加へることは毫も妨げない。(4) 尙船舶上の「モルゲージ」權者はかくの如く運送賃上に權利を有せざるものなれども後述の如く一定の條件の下に適法に船舶の占有を得たる後は船舶の完全なる所有權者として船舶上の運送品に對して運送賃請求權を取得するに至るべき場合が存するが、このことは別の法理に由來するところであつて船舶「モルゲージ」は當然に運送賃に效力を及ぼすものにあらずとすることゝ矛盾するものではない。

二 「モルゲージ」契約當事者の權利義務

契約當事者の有すべき權利・義務を各別に記述するに先ち、兩者の法律上の地位を一般的に考察することが理解を便ならしめるに役立つ。

(一) 契約當事者の一般的地位

初め普通法上認められ、後に衡平法によつて衡平の見地より幾多の修正を施され、更らに多數の成文法に於て補足變更を加へられて來た「モルゲージ」法の研究は、英法の他の部門に比して可成り困難とされてゐるところである。(5) 殊に契約當事者の法律上の地位に至つては長い期間に亙つて多數に存在する判例に現はれるところ必ずしも明瞭ならざるのみならず、判旨前後に相矛盾するが如く思はれる場合も存して甚だ理解に困難を覺えしめるものがある。(6) 從つてこゝでは比較的學說の一致するところに據つて記述を進めたい。

契約當事者の法律上の地位は、その孰づれが船舶を占有するかによつて著しい相違がある。

1「モルゲージ」設定者が船舶を占有せる場合

自己の所有物に「モルゲージ」を設定した者は、その物について所有權 property を喪失するのが「モルゲージ」法の原則である。(7) しかるに船舶「モルゲージ」についてはこの點漸次例外的取扱を生じ(8)、現行條例は明示規定を以つて(sec. 38.)船舶を債權の擔保として利用するに必要なる範圍外に於ては「モルゲージ」設定者は船舶所有者たる地位を喪ふものにあらずとしてゐる。故に船舶の占有を持續する「モルゲージ」設定者は依然船舶の完全なる利用權能を保持し、これを「モルゲージ」債務支拂のために、又はその他の收益手段として自由に利用することを得、必ずしも「モルゲージ」權者の利益のために利用せざるべからずとの義務を負擔しない。設定者自身の商品運送のためにこれを運用し、若しくは通常の運送賃率以下の運送賃にて運送の引受を爲すが如きことも妨げなく、一般に「モルゲージ」設定者の締結したる運送契約はそれが權利者の債權の擔保を害するものにあらざる限り如何なる場合に擔保の侵害ありと解せられるやは後述有效に存續し得るものとされてゐる。(9) 逆に「モルゲージ」權者はこの場合は船舶の所有權者となつてゐないから、商船條例等にて船舶所有者に課した義務を負ふことなく(10)、更らに船舶に供給せられた日用品の代價・船長の給料又は立替金の支拂等について何等の義務をも負擔しない。唯債權の擔保に影響を及ぼすが如き訴訟の提起あるとき(11)これに參加して供託をなし得べき權限が認められてゐる。(12)

2「モルゲージ」權者が船舶の占有を得たる場合

「モルゲージ」權者が船舶の占有を得たる後(如何なる場合にこのことが生ずるかは後述)は、「モルゲージ」權者が船舶の所有權者となり、(13)(14)設定者は從前の地位を喪ひ僅に船舶上に後述の回復權を有するに止まる。船舶利用權は「モルゲージ」權者に移り船舶の利用によつて得らるべき收益はその手中に歸すべきことゝなると共に、船舶運行に伴ふ費用の負擔も同時に設定者より權利者に移る。(15)注意すべきことはこの場合「モルゲージ」權者は船舶の所有權者となるのではあるけれども、その船舶利用は飽くまで債權の擔保實現の目的の範圍內に限られることであり、從つて船舶を無制限に投機的な又は危險な航海に利用するを得ず、注意深き所有者が自己の所有物に拂ふべき程度の注意を用ひて船舶の利用をなすべき債務を負ひ、不注意なる利用によつて設定者に損害を加ふるときは賠償の責に任じなければならぬことである。(16)

(二)「モルゲージ」設定者の權利・義務

「モルゲージ」設定者は「モルゲージ」債務の支拂をなして目的物の所有權を回復し得べき權利 right of redemption を有する。[17] 既述の如く普通法は「モルゲージ」設定者は目的物について何等の權利をも有せざるものとしてゐたため、設定者の回復權も衡平法裁判所に於て衡平法上のものとして認められ來つたものであるが[18]、今日に於てはこの權利は「モルゲージ」契約の要素を形造るものと解せられるに至り、次に述ぶる妨害の原則と聯關して「モルゲージ」法上重要なる部分をなしてゐる。船舶「モルゲージ」設定者の回復權については、商船條例は特別の規定を有しない。從つてこの點に關しては一般「モルゲージ」法の原則[19]に從つて解釋しなければならぬ。以下の說述も亦この立場よりするものであるが、前段にも觸れたやうに船舶「モルゲージ」に在つては船舶の占有を保持する限り設定者は船舶所有權者たる地位を喪はざるものであるから、この間に於ては回復權の問題を生ずる餘地なく、占有移轉後に於てのみ回復權の發生を見る。 回復權は「モルゲージ」契約の要素なれば、取引の眞意が「モルゲージ」に存するときは、假令明示的合意によつて目的物を回復し得べき旨を約定せざる場合にも設定者は常にこの權利を有する。[20] 回復權を行使せんと欲する者は自己の權限を證明すべき責を負ひ、このとき裁判所は一應の證據 prima facie evidence によつても裁判すべきものとされてゐる。(1) 回復權の行使は、期間(22)の約定ある場合は約定期日以後に於てのみ許され、期間の約定なきときは設定後何時にてもこれをなし得べきものと解してよいであらう。(23) 行使期間は設定後六箇月以後とされるのが普通であるが、不相當ならざる限りはこれより長期又は、短期に定めるも妨げなく、不相當に長期に定められた場合に裁判所は回復權を妨害するものとして期日前の行使を認めてゐる。(24)

妨害の原則 doctrine of clagging とは、「モルゲージ」設定者の回復權を拒否回避又は妨害するが如き約款を總べて無效とする原則である。(25) 判例に從へば、旅宿の主人が「モルゲージ」期間を超えて設定者たる釀造業者より自家用の飲料の供給を受くべき特約の下に「モルゲージ」契約を締結したる場合にこの特約が契約締結の時の狀態に於て目的物を回復し得ざらしむるものなるため妨害の原則に牴觸するものとされ、(26) 一定の價格にて回復權を買取るべき旨の「モルゲージ」證書の約款、(27) 回復權の行使を一定の時又は人につきて制限する特約、(28) 及び如何なる場合にも回復權を行はずとの約定(29)の如きも總べてこの原則より否認された。右の例に示す通り回復權行使後にまで效力を持續すべき負擔を設定者に課することは回復權の妨害として許されないのであるが、このことは設定者に相當なる附隨的利益 reasonable collateral advantages を約定することを禁ずるものではない。[30] 「モルゲージ」設定者の回復權に對應して「モルゲージ」權者に、同一債務者に屬する數個の「モルゲージ」が結合して回復せらるべきことを請求し得る權利 right of consolidation が認められてゐる。[31][32]

「モルゲージ」設定者は「モルゲージ」權者に對して一般的に債權の擔保を害すべからざる義務を有する。この義務に違反するときは「モルゲージ」權者につき後述の各種の强力なる自衞的權利行使の適狀を將來することゝなる。

(三)「モルゲージ」權者の權利・義務

「モルゲージ」權者が「モルゲージ」契約に基いて有し得べき權利は甚だ多岐に亙つてゐるが、主要なるものは(1)目的物を占有し得べき權利 right of the possession of the mortgaged property、(2)受領者を指定し得べき權利 right to appoint the receiver、(3)目的物を賣却し得べき權利 right to sell、及び(4)回復權その他の權利を消滅せしめ得べき權利 right of foreclosure の四つの權利であるから[33]以下主として船舶「モルゲージ」權者の有するこれ等の権利について説述を試みよう。

1 目的物の占有取得権

「モルゲージ」権者は債務者が(一)債務の辨濟を怠り、又は(二)著しく擔保を害するが如き行爲をなしたとき、目的物を占有し得べき權利を取得する。辨濟時期の定められたときは辨濟期に於て有效なる辨濟の提供なき限り債務者は常に辨濟を怠るものと言ひ得る。辨濟時期の定められざるときは相當の期間を定めて回復權を行使すべきことを設定者に催告することによつて債務者を辨濟の懈怠default-in paymentに附し得る。[34] 擔保を害する行爲の何たるかは抽象的・一般的にこれを定め難く、結局判例[35]に現はれた事實を參考して各別的事實問題として決する他はない。現實に擔保を害することとなさきに拘らず「モルゲージ」權者が目的物の占有をなしたときは、裁判所は目的物の解放を命じ且つこのために設定者の被りたる損害又は費用の支出ある場合はその賠償を命じ得る。[36]

占有取得は現實的たると解釋的たることを問はず同一效果を伴ふ。現實的占有は、權利者自づから船舶上にこれをなすか又は代理人をしてこれをなさしめ、解釋的占有は、利害關係人への通知即ち船舶が航海中なるときは可能なるに至れば直ちに現實的占有をなすべき旨を設定者及び傭船者に通知し、又持分上の「モルゲージ」權者は占有すべき意思を船舶管理人に通知することによつてこれを行ふ。現實的占有をなし得るは全船又は多數持分上の「モルゲージ」權者に限り、少數持分に對する權利者は常に解釋的占有をなし得るに過ぎない。(37)

「モルゲージ」權者は、船舶の占有を取得するとき船舶の所有權者として運送賃請求權を取得する。　但それは未收の運送賃に限られ且つ占有の時未だ辨濟期の到來せざるものに限られる。(38)「モルゲージ」權者は、占有後の船舶利用のための費用を負擔しなければならぬが、(39)占有前設定者の負擔した船舶利用上の債務につき責を負ふものでないから、收受せる運送賃についても —— maritime lien その他の lien holder に優先さるべきことは別として、—— 占有前の船舶上の債務を顧慮することなくその全額を自己の債權の滿足に充當し得る。　唯持分上の「モルゲージ」に在つては、船舶持分權者は他の持分權者と船舶を共有し且つ組合關係を結べるものであり而して組合の利益は總べての費用を控除したる純益のみ分配すべしとされる原則に基き、占有前の費用を控除したる殘額についてのみ運送賃の分配を求め得るに過ぎずとの例外が當嵌る。(40)

船舶の占有を得たる「モルゲージ」權者は、右の如く設定者の締結せる運送契約に基く運送賃の請求を爲し得ると共に、他方設定者の引受けた運送契約上の運送を引受くべき義務を負擔しなければならぬ。例外として運送契約の內容が擔保を毀損するものなるとき(41)、及び設定者自づから履行し得ざる如き契約なるときは(42)履行義務を負ふことはない(43)。

「モルゲージ」權者は占有取得に要したる費用の賠償を設定者に請求することが出來る(44)。例へば優先順位に在る船舶上の「リフン」權者に辨濟して船舶の占有を得たる場合にはその額につき求償することを得る。

2 受領者指定權

「モルゲージ」權者は契約によつて受領者の指定を爲し得べき場合には自づから受領者の指定をなすことを得、右の如き契約の存せざる場合にも受領者の指定をなすべき旨を裁判所に申請し得る。裁判所は受領者の指定を適法にして且つ適當なりとするときは受領者指定の命令を發する(45)。尙「モルゲージ」權者は、船舶の占有を取得し得べき場合なるに拘らず設定者の反對又は妨害によつて占有し得ざるときは、何時にても受領者の指定を求め得る(46)。

受領者 receiver は「モルゲージ」權者の代理人として船舶を占有管理する。受領者の權限は原則として船舶による收益の收納と船舶に關する通常の費用の支拂に限られ、船舶企業を監督し且つこれを自づから遂行するの權限を有せず、特にこの權限を有する受領者を必要とするときは、業務執行の權限ある受領者 a receiver and manager の指定を裁判所に申請し得る。(47)

受領者の指定されるときは船舶の占有管理は受領者によつて行はれることゝなるから「モルゲージ」權者は自づから船舶の占有及び管理に必要なる費用を負擔することとなくして、設定者により「モルゲージ」の擔保を毀損するが如き方法にて船舶の利用さるべき危險を防止し得べく、この點に於て受領者指定權は擔保確保に有效なる權利たる實益を有する。

3 賣却權

一般に動產「モルゲージ」の權利者は「モルゲージ」の法定要因 legal incident として證書に於て目的物の賣却權を認むる旨の特約なきときにも目的物を賣却して債權の滿足を得べき權利を有してゐるが、(48)商船條例(一八九四年)三四條は、特に登簿船上の「モルゲージ」につき「モルゲージ」權者は船舶を絕對的に處分し得る權限を有すとし前段、更らに同一船舶につき數個の「モルゲージ」の登録あるときは後順位權者は裁判所の許可ある場合の他先順位權者の同意なき限り船舶を賣却することを得ず（後段）と規定して、明らかに登簿船上の「モルゲージ」權者の賣却權を認めてゐる。(49)不登簿船上の「モルゲージ」に關しては商船條例に規定するところなきも、大體同様に解して差支ないものと思ふ。(50)

賣却權を行使し得べき要件は、先述の占有取得權について論じたところと一致する。賣却の方法は、私賣の特約なき限り競賣の方法によるべく、(51)特約なきに拘らず私賣によつて處分した權利者は處分の價格によつて設定者に賠償しなければならぬ。(52)賣却權の行使に當つて「モルゲージ」權者は、擔保實現のため誠實に行動し且つ相當なる代價を得るにつき適當の注意を用ひなければならぬ。この義務に違反する場合には裁判所は設定者その他の利害關係人の申請に基き、或ひは「モルゲージ」權者の賣却を禁止し、更らに詐欺を構成する程低價に賣却された場合には賣買契約そのものゝ取消をなし得る。(53)「モルゲージ」權者は裁判所による公賣の場合の他自づから目的物の買主となることを得ず、その受託者その他の代理人についても亦同様である。(51)「モルゲージ」權者は賣却に要したる費用はこれを設定者に

求償し得るも、(55)賣却の手數料を請求することは出來ない。(56)

賣却權の行使されたときは、設定者の回復權は終局的に消滅し、爾後賣得金を債權に充當した殘金surplusが存するならばこの殘金について權利を有し得るに過ぎぬ。(57) 賣得金の殘金について「モルゲージ」權者は設定者の解釋上の受託者と看做されるから、(58)殘金中より知れたる後順位權利者の請求の滿足を得しめ、更らに殘額の存する場合にこれを設定者に引渡さなければならない。

4 滌除權 right to foreclose

滌除foreclosureとは、「モルゲージ」設定者その他の「モルゲージ」の目的物上に權利を有する者の回復權その他の權利を消滅せしめ、目的物を絕對的に「モルゲージ」設定者の所有に歸せしめることを意味し、(59)「モルゲージ」權者は目的物を占有すると否とを問はずこの權利を有し得べきものなるがため、(60)衡平法上の權利者又は船舶持分上の權利者の如く船舶を現實に占有し得ざる「モルゲージ」權者にとつてこの權利は最も有力なる救濟方法を供與するものと言はねばならぬ。(61)

滌除權は賣却權と異り常に裁判上に行使するを要し、滌除訴訟は設定者及び權利の消滅によつて影響を被るべき總べての利害關係人を共同被告として提起する。後順位權者がこの權利を行使する場合には、先順位權者はこれによつて何等の影響をも被るものでないから、これを共同被告に加へる必要がない。(62)「モルゲージ」權者は債務辨濟の懈怠あるときは何時にても滌除の申立をなし得る。この申立ありたるとき裁判所は直ちに滌除の終局判決をなすことなく、先づ「モルゲージ」債務の元利その他の費用の計算をなすべきことを命じ、更らにこの計算終了の時より相當期間通常六箇月内に回復權を行使すべき猶豫期間を與へ、この期間内に回復權の行使なきとき初めて回復權は終局的に消滅し目的物は終局的に「モルゲージ」權者の所有に歸すべき旨の絶對判決 order absolute をなすべきものである。(63)權利者は訴訟に於て滌除の判決のみを求め、又は滌除か賣却かの選擇的判決を求めることを得、裁判所は滌除請求訴訟中に於ても適當と認めるならば賣却を命ずる判決を與へることが出來る。(64)(65)

賣却權の行使と滌除權の行使は相互に排除し合ふものでなく、權利者は隨意にこの强力なる救濟方法の一方又は双方を利用して債權の滿足を求め得るが、唯滌除の假判決 decree nisi を得たる後は裁判所の許可を得ざる限り賣却權を行使し得ずとの制限が認められてゐる。(66)

三　船舶「モルゲージ」の順位

（一）緒説

1　擔保權の順位に關する一般原則

擔保權の順位に關する英法の一般原則に從へば、（一）同種類の權利は契約の時を標準として優先し qui prior in tempore potior in jure est.（二）普通法上の權利は衡平法上の權利に優先する where the equities are equal the law prevails.　然しながらこの第二の原則に對しては所謂了知 notice の原則と聯結 tacking の法理(67)による例外が存在し、孰づれの原則に對しても、先順位權者が(1)不注意により(衡平法上の權利者についてのみ)若しくは(2)詐欺の目的を以って(普通法上の權利者についても)債務者をして後順位權者に對して自己の權利の存在を隱蔽することを可能ならしめ又はこれを援助したるときは、該後順位權者に對して優先順位を主張し得ずとの例外が存する。(63)

普通法上の權利者は、先行の衡平法上の權利の存在を知らざる without notice 場合にかぎりこれに優先することを得るも、その存在を知れる場合にはこれに優先するを得ずとするのが了知の原則である。　了知は現實的なる場合と解釋的なる場合とがあり得る。　現實的了知は口頭の通知によるものと文書の通知によるものとが考へられるが、孰づれにせよ通知は特にその取引を有效ならしめんとの目的を以つて與へられることを必要とせざるも、明確にして通常の取引者はこれによつて自己の行動を統制したであらうとかんがへられる程度のものでなければならぬ。[69]　更らに通知は當該取引に關係を有する者より發せられたことを必要とし單純なる風聞によつて了知することあるも法上有效なる現實的了知とはならない。[70]　解釋的了知は、裁判上了知あるものと看做され反證の許されざる場合を言ひ、(1)事實上一定の事實について了知あるとき、(2)既に了知せる事實より重大なる不注意なき限り了知し得らるべしと考へられるとき、又は(3)法定の公示又は裁判所による公示のなされたとき等に認められる。[71]　代理人の了知は本人の了知として取扱はれるが、代理人が當該取引に於て了知せる場合にのみ本人に效果を及ぼし偶、他の取引に關聯して了知したることありとしても本人の不知を主張するに妨げない。[72]　本人に通知すべき義務なき事項及び重要ならざる事項についての代理人の了知についても同様である。　代理人の詐欺は、通常代理人がこれを本人

に祕すべきものと考へられ能ふものなる場合にのみ本人について效果を生じない。(73)

2　商船條例による船舶「モルゲージ」に關する特則

現行商船條例三三條は登簿船上の「モルゲージ」について特別の法則を定め同一船舶上に登錄「モルゲージ」か數個設定された場合にはそれ等の「モルゲージ」は契約の日附によらず船舶登記簿上の登錄日附を標準として優先すべきものとした。(74)この規定は「モルゲージ」は契約の時を標準として優先すべしとする一般原則に對して例外を定めるものなると同時に、了知の原則の適用を排除するものと解し得るところに特殊の意義がある。(75)立法の趣旨が登錄「モルゲ！ジ」を保護して船舶金融の疏通を圖らんとするに在ることは Williams 判事の明快に說ける如くである。(76)從つてこの規定の適用あるは登錄「モルゲージ」に限られるから、登錄なき船舶「モルゲージ」相互の順位は一般原則に從つて契約成立の時を標準として決すべきである。

「モルゲージ」證券に記載された船舶「モルゲージ」は、特に證券發行の日附によつて優先し、證券上の「モルゲージ」相互間では證券記載の日附によるべきものと規定されてゐることは既に述べた。

(二)船舶「モルゲージ」權者と運送賃讓受人の順位

運送賃債權の讓渡又は「モルゲージ」は、海上取引に於て廣く行はれるところなるに拘らず商船條例はこれについて規定をなさず[77]、現行條例三三條は固より運送賃債權の「モルゲージ」に適用し得ないからその設定は通常の債權に關する法則に準據してなさるべきであらう。

既述の如く船舶「モルゲージ」權者は、船舶の占有を得るまでは特約なき限り運送賃請求權を取得し得ざるものなる故にこの間は運送賃讓受人と船舶「モルゲージ」權者との間に權利の衝突を生じないのが普通である。船舶の占有取得後の船舶「モルゲージ」權者と運送賃讓受人の順位は、一般原則に從つて決せらるべく、即ち(1)兩者の權利が同一性質のものなるときは契約の日附によつて優先し(2)一方が普通法上の權利を有し他方が衡平法上の權利を有するときは[78]普通法上の權利者が優先すべく且つ了知の原則の適用を被ることゝなる[79]。

(三)船舶「モルゲージ」と船舶上の「リァン」[80]との順位

1「ポゼッソリー・リァン」と船舶「モルゲージ」の順位

「ポゼッソリー・リァン」possessory lien は動產についてのみ發生する「リァン」にして、その名の示す如く目的物の占有を效力發生の要件とするから「リァン」權者に於て船舶の占有をなさゞる限り船舶「モルゲージ」權者に對して先順位を主張し得ない。「モルゲージ」權者の占有取得に先つて「リァン」權者が船舶を占有した場合の兩者の順位に關しては異論があるが、先づ占有を得た「リァン」權者が常に優先するものと解してよいであらう。(81)

2「スタチュートリー・リァン」と船舶「モルゲージ」の順位

「スタチュートリー・リァン」statutory lien は訴の提起により初めて效力を生ずべきものなるため、訴提起前に成立せる船舶「モルゲージ」には常に優先せられる。(82)

3「マリタイム・リァン」と船舶「モルゲージ」との順位

「マリタイム・リァン」maritime lien は、船舶に供せられた勞務又は船舶による損害に基く請求權に賦與された船舶上の先取特權 privileged claim にして、船舶に附着する權利として對物訴訟 proceeding in rem によつて實現しなければならぬ。(83) この權利は常に船舶「モルゲージ」に優先すべきものとされてゐる。(84)(85)

註(1) Coltman v. Chamberlain (1890), 59 Q. B. D. 563; Cf. Maclachlan, ibid, p. 37 not. 1; Temperley, ibid,

p. 13 not to sec. 24; Coote, ibid., I, p. 293; Abott, ibid., p. 46.

註(2) Exparte de Gould re Salmon, 2 M. O. R. 137. なる判例で認められてゐる由なるも、不幸にしてこの判例に接し得なかつた。

註(3) Langton v. Horton (1842), 11 L. J. Ch. 233.

註(4) Constant, ibid, p. 17; Fisher, ibid, p. 88.

註(5) Strahan, ibid, preface.

註(6) Strahan, ibid. はこの理由を沿革的に説明してゐる。「モルゲージ」の起源に關して、或ひはそれが vidum vadium に在りとし、或ひは mortum vadium に在りと主張されてゐるが、要するに普通法の初期に於てはその本質は條件附賣買にして「モルゲージ」權者は條件附に目的物を買取りたるものと解せられてゐた。從つて「モルゲージ」設定者は將來條件の成就又は不成就によつて目的物を再び買戻し得べき期待權を有するのみにして、それまでは目的物上に何等物權的なる支配權を有せず、「モルゲージ」權者に於て專らこれを使用收益し得るものとされてゐたのである。これが普通法の傳統的解釋となつてゐる。然るに衡平法は契約當事者の取引の眞意を汲み、「モルゲージ」は條件附賣買にあらず當事者の意圖は飽くまで債權の擔保に在るものとして普通法の原則と異る原則を認め、「モルゲージ」設定者の權利を認めて來た。近來の立法の傾向はむしろこの衡平法の原則を採り、衡平法上認められた原則を成文法に於て明確するに至つてゐるのである。

註(7) 前述二註(3)參照。

註(8)　他の諸立法例にても船舶上の抵當權は何等かの意味で一般的法原理に拘泥することなく、最も經濟的要求の必要とするところを忠實に實現し得るが如く法制を整へ來つたものであることは、既にはしがきの中の沿革的概觀に當つて觸れた通りであるが、英法の船舶「モルゲージ」法も亦この點に於て一般的「モルゲージ」法理に變改を加へてまで、法制の基礎たる經濟的要求の實現に努めて來た理けである。

註(9)　Abott, ibid., p. 45. 及びそこに引用せる判例參照。尤もConstant, ibid., p. 24. はこの場合にも設定者は船舶の所有權を喪失し單なる支配權を有するに過ぎずといふやうに解してゐる。

註(10)　Scrutton, MSA. p. 32. によれば、條例三四條は「モルゲージ」權者が船舶の占有取得の後には船舶所有權者として負擔すべき義務を免かれしむるため特に認められたものである由であるから當然かゝる反對解釋が成り立つ。

註(11)　前註(4)に引用した文獻。

註(12)　The Ringdove (1858), 6 Asp. M. C. 28; Constant, ibid., p. 28; Maclachlan, ibid., p. 36, 39.

註(13)　Constant, ibid., p. 36; Abott, ibid., p. 128.

註(14)　船舶の占有取得後は「モルゲージ」權者が船舶所有權者となるものとするとき、(1)條例三四條は適用なきことゝなるのか、(2)三四條は依然適用ありて「モルゲージ」權者が所有者となると解せられるのは恰も條例の規定する債權の擔保實現に必要なる範圍内に於てのみ然るもので、その範圍外に於てはなほ設定者が所有權者であると解すべきか疑問である。 Coote, ibid., I, p. 297; Fisher, ibid., p. 475. は前の如く

解し、Temperley, ibid., p. 21 not. は後の如く解してゐる　うに見える。

註(15)　このとき船長は當然に「モルゲージ」權者の代理人となり、「エルゲージ」權者は船長の行爲につき當然責に任ずべきものなるか否かにつき學説分れ、Constant, ibid., p. 39; Coote, ibid., I, p. 299. はこれを肯定し、Abott, ibid., p. 49. はこれを否定してゐる。

註(16)　Mariott v. Ancher Reversionary Co. (1861), 30 L. J. Ch. 122; Constant, ibid., p. 39; Abott, ibid., p. 48; Maclachlan, ibid., p. 36; Temperley, ibid., p. 21; Fisher, ibid., p. 474.

註(17)　この權利が對人權なりや對物權なりやについて從來異説の多かりしところであるが、現在では一般に直接目的物に對する權利なりと考へられてゐる (Cf. Coote, ibid., I, p. 651.)。

註(18)　前註(6)參照。

註(19)　回復權の原理に關しては尙 Fisher, ibid., p. 704 et seq.; Coote, ibid., I, p. 650 et seq. に詳細である。

註(20)　Cf. Fisher, ibid., p. 705.

註(21)　Fisher, ibid., p. 706.

註(22)　回復權の行使は、一定期日と定め得るのみならず、一定の事實發生の時と定めるも差支ない。　Coote, ibid., I, p. 732.

註(23)　Cf. Coote, ibid., I, p. 732; Strahan, ibid., p. 39.

註(24)　Fisher, ibid., p. 730.

註(25)　Strahan, ibid., p. 31 et seq.

註(26) Noakes and Ltd. v. Rice (1902), A. C. 24.

註(27) Sammel v. Jahrrah Timber etc. Corp. (1904), A. C. 323.

註(28) Newcomb v., Bonhan, I Vern. 8. に認むる由なるもこの判例は見當らなかつた。

註(29) Salt v. Marquis of Northampton (1892), A. C. 1.

註(30) Bradley v. Carriott (1903). A. C. 256; Constant, ibid, pp. 15—16; Maclachlan, p. 36 not. 6. Strahan, ibid., p. 38. は G. & C. Crelinger v. New Patagonian Meat Co. (1914), A. C. 25. が擔保期間を超ゆる特約をも有效と判示せるに對して、妨害の原則の適用範圍を不明ならしむるものと非難してゐる。

註(31) right of consolidation とは、同一債務者より數個の目的物につき同時に又は繼次に同一債權者に對して同一債務又は別の債務に對し數個の「モルゲージ」の設定されてゐる場合に、それ等の「モルゲージ」の一つに對してのみ回復權を行使せざるべきことを設定者に請求し得る「モルゲージ」權者の權利である。 この權利も亦衡平法上認められたものにして、その根據は設定者に衡平法上回復權を與ふる以上彼の側にも亦衡平法を行ふべきものと言ふにある(Fisher, ibid, p. 617.)。

註(32) 回復權に關聯する他の一つの原則は marshalling の法則である。同一債權擔保のため數個の目的物が「モルゲージ」に附せられたる場合、その一つの目的物に對する第二「モルゲージ」權者は、「モルゲージ」設定者に對して自己の「モルゲージ」の目的物上の第一「モルゲージ」が第二「モルゲージ」の設定なき他の目的物より先づ滿足せしめらるべきことを請求し得る。 この權利も亦衡平法の所産である。Fisher, ibid,

p. 693 et seq.; Coote, ibid., I, p. 802. Maclachlan, ibid., p. 601 et seq は「リァン」に關してこの原則を述べてゐるが、船舶「モルゲージ」についても固より同樣に解すべきであらう。

註(33) この他「モルゲージ」權者の有する權利には、(1)擔保を保護する權利——目的物を毀損するが如き行爲を止むべきことを請求し必要なる場合自づから目的物を占有・管理する權利、(2)目的物の附從物——果實又は暖簾goodwillを取得する權利、(3)title deedsを保持する權利、(4)基本たる貸借契約上の權利等が數へられる。

註(34) Constant, ibid., p. 43 not. (q); Abott, ibid., p. 47; Fisher, ibid., p. 373.

註(35) 擔保毀損に關する判例の事實を示せば次の如きものが見られる。

1 船舶を船籍港外に航海せしめて事實上「モルゲージ」の實行を困難ならしめるもそれのみにて擔保の毀損ありとなし得ない。 The Franchon, 5 P. D. 173.

2 船舶保險を附すべき約定あるに拘らず保險を附せずして傭船契約を締結するは擔保を害する。 Lawing & Co. v. Seator, H. C. of S. Ca 828.

3 戰時禁制品運送の引受は擔保を害す。 Law Guarrantee cte. v. Russian Bank etc. (1905), 1 K. B. 815.

4 五ケ年間の傭船契約は異常に長期なるため擔保を害す。 Johnston v. Royal Mail etc. 17 L. J. 445.

5 設定者の資力缺乏。 The Manor (1907), 96 L. J. 871.

註(36) Maclachlan, ibid., p. 35; Temperley, ibid., p. 21 not. to sec. 34; Coote, ibid., I, p. 298.

註(37) 前註に同じ。

註(38) Constant, ibid., p. 32; Maclachlan, ibid., p. 34.

註(39) 船舶占有者は爾後修繕費その他一切の費用を負擔しなければならぬ(Coote, ibid., I, p. 300.)。

註(40) Abott, ibid., p. 45; Maclachlan, ibid., p. 34 not. 13; Coote, ibid., I, p. 300.

註(41) Maclachlan, ibid., p. 35; Coote, ibid., I. p. 297. 擔保毀損については前註(35)參照。

註(42) Abott, ibid., p. 50; Maclachlan, ibid., p. 35 not. 4.

註(43) 「モルゲージ」設定前の契約については設定のときこれを知りたる場合にのみ履行の義務を負ふ(Coote, ibid., I, p. 301.)。

註(44) Abott, ibid., p. 47; Maclachlan, ibid., p. 36.

註(45) 荷受領者指定權については Coote, ibid., II, p. 947 et seq. 及び Fisher, ibid., p. 417 et seq. 參照。

註(46) Fairfield etc. & Co. v. London etc. Steainship Co. (1895), W. N. P. 64.

註(47) Constant, ibid., p. 43.

註(48) Coote, ibid., p. 906; Fisher, ibid., p. 479.

註(49) Scrutton, M. S. A. p. 33 not. (y) は船舶「モルゲージ」權者は本來賣却權を有せざるものなれどもこの規定によりて特にこれを許容されてゐるものと解してゐる。

註(50) Constant, ibid., p. 50.

註(51) Abott, ibid., p. 47.

註(52) この場合にも賣買契約そのものは無效でない(Brouard v. Dumuresque, 3. M. Q. O. P. C.

C. 457.)。

註(53) Colson v. Williams, 58 L. J. Ch. 539.

註(54) Henderson v. Astwood (1894), A. C. 150.

註(55) Abott, ibid., p. 47; Coote, ibid., I, p. 302.

註(56) Maclachlan, ibid., p. 38 not. 4.

註(57) Constant, ibid., p. 52.

註(58) Constant, ibid., p. 45; Maclachlan, ibid., p. 38; Temperley, ibid., p. 22 not. to sec. 35; Fisher, ibid., p. 494. 解釋上の受託者なるため Law of Limitation Act. の適用を受けねばならぬ。

註(59) 前註參照。

註(60) Fisher, ibid., p. 506.

註(61) Constant, ibid., p. 41.

註(62) Richard v. Cooper, 5 Beav. 304.

註(63) Fisher, ibid., p. 504.

註(64) Constant, ibid., p. 41; Fisher, ibid., p. 508.

註(65) 回復請求棄却の判決ありたるときは排除判決ありたるものと看做される (Fisher, ibid., p. 507.)。

註(66) Fisher, ibid., p. 596.

註(67) 聯結の法理は普通法上の權利が衡平法上の權利に優先する原則を基礎として、認められるところであつて、(1)後順位者たる第三「モルゲージ」權者は第一「モルゲ

ージ」を取得してこれに自己の第三「モルゲージ」を聯結することによつて第二「モルゲージ」に優先せしむることを得、又(2)第一「モルゲージ」が設定の時の貸金債權のみならずその後の貸金債權をも擔保するものとせられてゐるときは第一「モルゲージ」權者は後の貸金債權に對する後順位「モルゲージ」を第一「モルゲージ」に聯結することによつて――後の貸金に際して善意なりしことを要すとの制限はあるが――中間に存する先順位「モルゲージ」に優先せしめ得る(Fisher, ibid., p. 578; Coote, ibid., II, 1240.)。この先則は「モルゲージ」の目的物の動産なる場合にも不動産なる場合にも適用あり、從つて船舶「モルゲージ」にも當然適用を見る(Maclachlan, ibid., p. 37.)。

註(68) Constant, ibid., p. 47; Fisher, ibid. p. 539.

註(69) Suffron etc. Bilding Society v. Rayner, 49 L. J. Ch. 495.

註(70) Goldsborough. 147. pl. 67.

註(71) Fisher, ibid, p. 542.

註(72) Conveyancing Act. 1882, sec. 3.

註(73) Fisher, ibid., p. 549.

註(74) この規定は、「モルゲージ」の順位が日附によりて決せられる場合にのみ適用あり、順位の決定が日附以外の事實によりて決せらるべき場合には適用がない(The Benwell Tower (1895), 8 Asp. M. C. 12.)。

註(75) Constant, ibid, p. 53. は、この規定が詐欺の存在を知つて普通法上の權利を得たるものまで救濟するものなるか否かは疑はしい、もしこれを認めるならば法が詐欺

の目的に利用される結果となると論じてゐる。

註(76)『この法は、商業の利益のため及び英國船舶が英國船主の手によりて容易に處分され得るために制定されたものである。立法者は、船舶の賣却又は「モルゲージ」によりて資金の調達をなし得べきことが社會全般の利益となる場合の生じ得ることを認め、從つて、公益のために制定法所定の方式を具備する・登錄されたる權利が優先すべき旨を定め、以つて船舶を買受け又は船舶上に資金の供給をなさんとする者をして、自己の權利が時間的には先行すれども權利者自づからの理由によりて普通法上の形式に變更し若しくは制定法所定の方式によりて登錄することを適當ならずとするが如き衡平法上の權利によりて優先せらるゝことなしとの充分なる確信をもつて行動することを得しめたものである』(in Black v. Williams (1895))。

註(77) Abott, ibid., p. 52.

註(78) 運送賃債權の普通法上の讓受人たるためには Judicature Act の定むるところにより債權一般の讓渡方式を具備してゐなければならない。

註(79) Constant, ibid., pp. 55, 56; Liverpool Marine Credit Co. v. Wilson, 1 Asp. M. C. 323.

註(80)「リアン」殊に「マリタイム・リアン」については海法會誌七號に大原氏の研究がある。

註(81) Cf. Abott, ibid., p. 49; Constant, ibid., p. 85. Coote, ibid., II, pp. 1375—76. は擔保權の順位に關する原則に從ひこの場合にも「モルゲージ」が普通法上のものなるか否かによりて場合を分つて解すべきものとしてゐる。

註(82) Constant, ibid., p. 69; Ashburner, ibid., p. 576.

註(83) Coote, ibid., II, p. 1396.

註(84) Constant, ibid., p. 69; Abott, chid., p. 49; Coote, ibid., II, p. 1397.

註(85) 海上先取特權を如何なる債權について認めるか、及びこれ等の債權と海上抵當權の順位を如何に定めるかゞ統一法の成立についても重要な問題であつたが、統一法は第二條にこのことを規定してゐる。——大橋氏、上揭論文にこの間の事情についての說明がある。

五　船舶「モルゲージ」の消滅

一　消滅原因

船舶「モルゲージ」の消滅原因は、一般の「モルゲージ」消滅原因と異るところなく、卽ち(1)債務の辨濟又は(2)目的物の賣却又は滌除を通常の原因とし、その他(3)權利一般の消滅原因たる免除 release・混同 merger・抛棄 waiver 又は目的物の滅失 loss or destruction 等が船舶「モルゲージ」の消滅原因たるべきは言ふまでもない。然るに賣却及び滌除については既に述べたところであり、免除その他の消滅原因は特に「モルゲージ」の消滅原因として論究するに適しないから、以下「モルゲージ」消滅の最も正常なる原因たる債務の辨濟に關して先きに論及せざりし點に觸れるに止めよう。

債務を辨濟して有效に「モルゲージ」を消滅せしめるには、「モルゲージ」權者より「モルゲージ」設定者へ相當の期間をさだめて回復權を行使すべき旨の通知をしなければならぬ。(1)　法が權利者にこの通知義務を認めた理由は、「モルゲージ」設定者は普通法上目的物に對して總べての權利を喪失せるものなるに拘らず衡平法により回復權を許容されたものであるから、設定者の側においても資金の新しき擔保物securityを見出すに相當なる機會を權利者に供與することによつて衡平を行はねばならぬとするためである。(2)　通知すべき期間は六箇月を以つて相當とされてをり、この通知は權利者が履行の請求又はこの請求と看做し得べき擔保の實行手續をなしたとき及び證書の寄託による「モルゲージ」については必要なきものとされてゐる。(3)「モルゲージ」權者は右の通知に代へて六箇月分の利息の支拂を請求し得る。(4)　通知された期間滿了後債務者が債務の辨濟を怠るときは、更らに六箇月の期間を定めて通知をなすにあらざれば辨濟をなし得ない。(5)　債務の辨濟には有效なる履行の提供を要し、履行の提供の有效なるためには提供の時期・場所及び方法が適當のものでなければならぬ。提供の場所に關して約定なきときは債權者の許に持參して提供しなければならぬ。提供は現實的なるを要し單に辨濟の意思あることを、口頭又は文書によつて表示するのみにて足らず、現實に金錢を所持してゐなければならない。唯債權者が明らかに現實的提供を要せずとする意思を表

示し又はかゝる意思の表示と見らるべき行爲をなしたときは現實的提供を要しない。(6)

債務の辨濟は全額辨濟を原則とするが故に債權者の同意なき限り一部辨濟は認められない。而して一部辨濟は特約なき限り辨濟部分についてのみ辨濟たる效力を有し、殘部については特に免除又は抛棄となるべき有效なる對價の存する場合にのみ消滅の效果を生ずる。(7) 既存の債務に代へて新しき債務契約をなしたときは、債權額の一致せざる場合にも既存債務は全額について消滅し、(8)債權者が債務者との和解に於て債務の一部を受領したときも債務は全部について消滅する。(9)共同「モルゲージ」權者の一人への支拂は、この者が他の「モルゲージ」權者に對して辨濟受領の代理權を有する場合の他該「モルゲージ」權者の持分についてのみ辨濟の效果を有し、他の共同權利者に對して辨濟とならない。(10) 債務者の共同なるときは各自分割的義務を負ふ。(11)

二 消滅手續

登錄された船舶「モルゲージ」が消滅したときは、債務受領の旨の記載ある「モルゲージ」證書の提出に基き登記官は船舶登記簿に「モルゲージ」消滅の記載をしなければならぬ。[12] この消滅登錄により船舶は當然設定者に復歸し別に移轉行爲を必要としない。[13] 「モルゲージ」の抹消登錄ありたる後は、申請人の錯誤に出でた場合にも次位權利者を害すべき限りこれを回復し得ない。[14]

「モルゲージ」證券による「モルゲージ」の消滅した場合にも證券上の記載抹消の手續を採らねばならぬ。[15]

註(1)　Fisher, ibid., p. 760; Constant, ibid., p. 65.
註(2)　Fisher, ibid, p. 760.
註(3)　Fisher, ibid., p. 761.
註(4)　及び(5)　Fisher, ibid., p. 761 not. r.
註(6)　Fisher, ibid., p. 765.
註(7)　Foakes v. Trowsdal, 9. A. C. 605.
註(8)　Smith v. Trowsdol, 3 E & B. 83.
註(9)　Constant, ibid.
註(10)　Powell v. Brohurst (1901), 70 L. J. Ch. 587.
註(11)　Constant, ibid., p. 65.
註(12)　MSA. 1894. sec. 32.

註(13) Constant, ibid., p. 66; Maclachlan, ibid., p. 38; Fisher, ibid., p. 88.

註(14) Constant, ibid.; Abott, ibid., p. 101; Temperley, ibid., p. 19 not. to sec. 32. 然るに判例は順位に關係なき事項については、錯誤による抹消登錄を登錄なかりしものとして取扱つてをり、例へば誤つて抹消登錄をなされた「モルゲージ」權者より目的物を買受けたる者の有すべきBill of Saleをも無效にあらずとする判例がある(The Rose (1873), L. R. 4 A. & E., 6.)

註(15) M.S.A. 1894 sec. 43.

むすび

以上行つた英國法上の船舶「モルゲージ」に關する記述は、手近な材料による極めて概略的素描たるに過ぎず、且つ本稿を草するに當つて直接に企圖したところは、緒論にても一言した通り、海上抵當權統一條約の趣旨に從つて改正せらるべき我商法の船舶抵當法改正の曉に於て必要なるべき解釋學的資料の一端を獲んとしたものであるが、(1)これを比較制度論の觀點より考察することも興味尠なしとしない。既に近代商法學の一致して是認する商法の普遍的・統一的性格は、商法の內在的特性一般の研究に當つても更らに商法上の各個の制度の研究についても、比較法學的研究方法を有力なる武器たらしめる。(2) 唯法の比較研究に當つて最も注意しなければならぬことは、それが眞實の法の比較となり得ずして單なる法規の橫列に終はる危險を犯し易いことである。法は法規の基底をなす渾然たる一體であり、法規はかゝる法を認識せしむる素材たるに過ぎぬ。固より基礎たる法の認識に法規の窓を通すことが必要ではあるが、法は獨り法規のみを通じて知られ得るものでなく、それは他の多くの素材を通じて而かも周密なる探究と思索を用ふることによつて初めて可能となる。　更らに法がその國の社會的事情と緊密に結合してをり、法は常にかゝる社會的事情に拘束されてゐる事實も、法の比較研究に當つて考慮の外に置いてはならない。　殊に商業の世界を規律する商法に於ては、國の經濟的事情がその法制に濃厚に而かも敏活に反映するがため、この領域で行はれる比較研究には特にこの點への考察を怠らざるべきことが要請される。(3)(4)　獨・米株式法の比較研究を試みたDr. Zahnは、賢明にもその著書(5)の冒頭に次の如く比較法學的研究の目的と方法に反省を加へてゐる。――

『比較法的內容を持つ勞作は、決して自己目的で在り得ない。　それがより深き意義を有せんがためには、何等かより高次の觀點に立ちてある一定の目的實現に努力しなければならない。……法制の比較がかゝる目的の孰づれかに役立たんとすれば、研究の對象たる法の持つ相互に照應する法思想や法規定を竝べて敍述することで滿足してはならない。　むしろそれは、豫め素材を、必要とする比較目的に相應する視角より整理してこの目的に有益なる思想を導き出すやうに努力しなければならない。』

商法の領域に於ても特に痛切に比較法制研究を必要とする海商法の部門に於て、偶然にではあるが比較法的意味をも伴ふこの資料を扱ふにつけ、Dr. Zahn の右(6)の如き方法論的用意を想起して、更らに將來の研究についての貴重なる示唆を被つた所以である。

註(1) この目的に沿うためには、統一條約案そのものゝ詳細な研究を必要とし、且つ船舶「モルゲージ」の研究についても常にこの目的に視線を注ぎながら行はれることが必要であつたが、こゝでは主として資料的觀察に止め、右の如き考慮を主體とする研究は他の諸立法の研究をも含めてこれを他日に讓る他なかつた。

註(2) 田中博士、商法總則概論七二頁參照。

註(3) 田中博士(商法研究二卷五二七頁以下)は獨逸に於ける英米株式法の或る種の制度の採用の氣運を契機として、株式會社法の世界法化殊に英米法化の傾向を論じてゐられるが、殊に株式會社法の範圍で英米法の影響が一般化せんとする傾向を持つは疑ひ得ざるところであり、我商法改正法案も周知の如く米國法に起源を有する轉換社債の制度を採り入れてゐる。私はこの傾向を、戰後の獨逸經濟及び我國經濟の米國經濟への依存性を反映し、商法と經濟關係との間に存する關聯を最も如實に示す事例の一つであると考へる。

註(4) 各國の經濟的＝政治的利害の相違が、前述の海上先取權及び抵當權統一條約の成立についても(大橋氏、上掲論文參照)、船荷證劵統一條約の成立に當つても(小町

谷博士、統一船荷證券法論、緒論參照)統一法の成立を著しく困難ならしめ、これ等の條約をして最小限の統一法を以つて滿足せざるを得ざらしめたことも、商法と經濟の現實的結びつきを國際的關係に於て示したものと言へよう。

註(5) Wirtschaftsführertum und Vertragsethik im neuen Aktienrecht. 1934.

註(6) 小町谷博士海商法要義上巻二七頁以下は海商法に於ける比較法學的研究の必要の特に痛切なる所以を多數の理由を擧げて强調してゐられる。

ANNUAL BULLETIN OF

TAIHOKU IMPERIAL UNIVERSITY

Department of Literature

Vol. 1-3 1934-41

THE ORIENT CULTURAL SERVICE
ESTABLISHED 1951
422 FULIN ROAD, SHIHLIN
TAIPEI, FORMOSA, CHINA.

臺北帝國大學文政學部

政學科研究年報

第四輯

第二部 經濟篇

昭和十二年

臺北帝國大學文政學部

政學科研究年報

第四輯

臺北帝國大學
文政學部 政學科研究年報 第四輯

第二部 經濟篇目次

理論經濟學方法論

——經濟學認識論の一齣——

楠井隆三

目次

はしがき

私は嘗に「經濟學認識論」の構成部分として「經濟學對象論」と「理論經濟學體系論」の二小論文を書いたのであるが、(本年報第一輯および第三輯)、いまやうやく機熟して、こゝに「理論經濟學方法論」を公にすることを得るにいたつた。これによつて、一つの科學としての理論經濟學の基礎づけとしての「經濟學認識論」に關しての私の見解の要綱を一應展開しをへることゝしたい。

前記の二論文において、また他の機會において述べたやうに、私見によれば、あらゆる科學は、それ獨自の對象をもち、その固有の方法によつてこの對象に能きかけ、もつて固有の體系を形成してゐる。かくしてこれらの對象と方法と體系とについて、私どもがその合理性・正當性を檢討し、如何にあるべきかを判斷するとき、そこにそれぞれの科學についての對象論と方法論と體系論とが成立する。そしてこの三者が相互に離れたものとして、對立的に並存してゐるのではなくて、實は、一つの全體としての科學的認識の理論の三側面をなしてゐるのである。

さて後述するやうに、一般的にいつて、方法なる概念は、科學における最も基本的な、したがつてまた最も重要な他の諸概念とおなじく、すこぶる多義的であるが、ここでは、各科學が、その固有の對象に能きかけるときの操作の仕方・手續を意味することゝする。 經濟學についていへば、經濟學者が經濟的諸現象についての諸多の知識を導出するときの實踐的な手續である。 しかもこの手續は單純な・一義的なものでなくして、後述によつて明かなごとく、多種多様であり、それら多種・多様の手續のあひだに、論ずべき多くの問題――殊に價値の問題が含まれてゐるのであつて、方法論は、これらの問題を一定の秩序のもとに論ずることを任務とする。

經濟現象に關する知識は、これも後述するがごとく、歴史的なものと理論的なものとの二つに大別し得る。 前者は時間經過に沿つて連續的に發生してゆく一つの流れとしての經濟生活全體と、それの構成部分たる諸經濟現象とを、この流れのうちにおいて、時期と地域との異なるにつれて異なれる個性をもつてゐるところの要素として、把握したる成果である。 この個性の追求と把握とは、先人の遺したる種々なる形態における文化財――記號・文書・繪畫・建築物・道具・器物・口誦による傳承・遺習等を通じて、あるひは現存の後進民族の生活のうちに見る實情等よりの類推によつて、可能である。これらの認識の仕方は、一般的に、歴史科學における方法（あるひは歴史的方法）である。經濟學においては、その歴史的な部門、すなはち經濟史・經濟學史において用ひらるゝ方法がこれである。しかし私どもの當面の問題は、かゝる歴史的方法ではなくて、經濟學における理論的部門において用ひられる方法に關してゐる。すなはち經濟生活についての理論構成の方法に對して、認識論的反省をなさうとするのである。これ私が本拙論の表題を特に「理論經濟學方法論」となした所以である。

第一部　序論

第一章　方法及び方法論

第一節　方法概念の規定

方法 Methode, method または方法論 Methodenlehre, methodology なる語は頗る多義的であつて、このことが、特殊科學、殊に社會科學の方法論をして容易に普遍妥當的な決論に到達せしめず、人をして「我々は、さしあたり、精神科學的論理學をもたない」等の歎息を吐かしめることの重大なる原因の一つとなつてゐる。したがつて私どもは、以下の理論の展開について、まづ「方法」、したがつてまた「方法論」なる語によつて何を意味するかを明確に規定し、これによつて、生起するであらうところの多くの疑問と難點とを豫防しておかなければならない。

さて方法といふ語は多くの意義をもつてゐるが、最も廣い意義においては、「それに由り目的に到達し得べき道に從つて行くこと」即ち「計畫的な進行の謂」(1)である。すなはち一定の目的を定立し、これに達するために取る計畫的・組織的なる手續を意味する。この定義によれば、方法概念は必ずしも學問の世界のことにのみ限らず、人間の意圖的な合理的な行爲・營みには、一般的に妥當するであらう。いま問題を科學の領域にかぎつていふならば、(註二)方法とは科學の目的――眞理性の追求・獲得といふ認識目的を實現するために、科學が自らを進行させ、展開させてゆくときの仕方の謂である。この意味においては、方法は、科學的思惟が内面的統一性を保ちつゝ、換言すれば、必然的に自發自展しゆきて一つの組織體すなはち體系を形成する場合の仕方を意味する。たとへばヘーゲルが、論理學の方法とは、「その「論理學の」内容の内面的自己運動の形式についての意識」(2)であるといふときは、まさにこの意味においてゞある。そして周知のごとく、ヘーゲル哲學におけるかゝる方法は、觀念辨證法である。またたとへば、わが田邊元博士の哲學の方法としての絶對辨證法(3)(それはヘーゲルの觀念辨證法、およびその批判者としてのマルクスの唯物辨證法を、いづれも一面的、抽象的なものとなし、その限りにおいてそれらはいづれも辨證法でないとして、兩者を止揚綜合することによつて、眞の辨證法として成立するものであるとなす)のごときは、哲學的思辨全體の展開の中心形式といふ意味における方法の最も明確なるものであつて、博士の「哲學通論」は、きはめて確然たる自覺のもとに、絕對辨證法の方法によつて、成立してゐる。

「絕對辨證法としての辨證法は如何なる本質を有するか。此問に答へることは(本書の今までの部分に於いて)既に我々が爲し終つてゐる所でなければならぬ。我々の思索は既に第一章の初めから辨證法的に行はれて居たのであり、而して第二章に於て哲學の方法を自覺することを試みるに當つても、凡て他の方法は皆辨證法に自己を止揚するものとして示され、特に(第二章第八章)に於て以上に試みた辨證法の展開は、卽ち絕對辨證法に自己を止揚するものとしての觀念辨證法と唯物辨證法との考察批判であつた。批判は凡て、たゞ矛盾の指摘、「背理への還元」といふ如き形に於いて所謂內在批判として行はれたのでもなく、さりとて獨斷的に前提された超越的立場から缺點を指摘する超越批評として行はれたのでもなく、兩者の綜合ともいふべき辨證法的思考に依り、抽象的なる主張が自然に具體的なる立場へ自己を止揚する過程を明にするといふ仕方に於て行はれたのである。其故批判はおのづから到達すべき具體的なる立場の自己顯現といふ形を採つたのであつて、批判自身が辨證法的であり、絕對辨證法の本質は既にそれに於て充分明にせられて居る筈である。」(4)

かゝる意味における方法概念は、この引用句のうちで田邊博士がその哲學の全展開の根本形式についていへるところよりも察せられるがごとく、これを他の見地よりするときは、體系概念にまで發展する。他の見地とは、方法によつて獲得されてゆく認識を、その成果として見るといふ立場である。すなはち科學を、既に成就してゐる財として、認識の内容に即して見る態度である。認識してゆくといふ動的な見地に對して、展開されをはつた結果として、これを見るといふ靜的な見地である。この靜的な見地において、方法を形式として展開してゐるところの内容として認識成果としての多數の、また多樣の知識の配列の仕方の coup d'œil をなすとき、そこに私どもは科學そのものゝ組織を見るのであり、組織は、言を換へれば體系である。かくして方法概念は體系概念にまで自己を擴大する。

さらに私どもは、方法概念が對象概念をも自らのうちに包含してゐることに氣がつくであらう。それぞれの科學は、その自發自展して一つの統一體にまで自己を形成する最初の階梯を、自らの對象の決定のうちに見出さねばならない。何故なら、そもそも如何なるものを、如何なるものとして認識しようとするのかゞまづ決定してゐないで、私どもの認識が成立し得ないことは、自明的であるからである。

このことは、科學の必然的發展の仕方といふ意味における方法概念が、この過程の出發點たる對象規定の過程を、したがつてまた對象概念そのものを包攝してゐることを示してゐる。

方法概念の意味するところは、上に述べたところに止らない。すなはち私どもは、方法といふ語をして、私どもが對象に對して、私どもの認識與味によつて、したがつてまた認識目的に卽して、科學的操作を施し、それからある認識成果を獲得してゆくときの處理法・取扱ひ方(Arbeitsmethode od. Behandlungsweise)、要するに、研究樣式をも意味せしめる。この意味における方法は、科學的な營みの實行そのものであつて、それは一方では體系概念に、他方では對象概念に對立する。これに對して、前に私どもの樹立した方法概念は、この體系と對象とを、そしていふまでもなく、いまいつた方法をもすべて包攝・綜合するものである。ゆゑにこの意味における方法は、廣義の、あるひはより適切には、高次の方法といふべく、また對象および體系に對立するところの手續としての方法は、狹義の、あるひはより適切には、低次の方法といふべきであらう。

高次の方法概念は、科學の成立過程(いふまでもなく、論理的な意味における)の始終を、その意味内容としてゐる。 それぞれの科學は、その認識興味、したがつて認識目的によつて、客觀の世界から何等かの要素を抽出し來つて、獨自の對象を構成し、(對象の規定)これについてある一定の仕方で、(狹義の方法の選擇)ある一定の順序で、(體系の確定)眞理を求める。 こゝにこそ、それぞれの科學の科學としてもつてゐるところの性格が存するのである。 そして高次の方法概念の意味するところは、まさにこの科學の性格である。

(註、一) 私どもの問題を科學の領域にかぎつても、本文において以下述べたやうな異なれる意義が、方法概念につき纏つてゐるのであるが、それらの意義よりももつと卑近な意義がこれに固着してゐることも見逃せない。 すなはち私どもは、時として、方法なる語によつて、學問習熟の仕方や習熟の成果の發表傳承の仕方と解する。(「方法なる語によつて、それによつて眞理が發見される論理的過程 —— inventive method —— を意味し、またそれによつて眞理が他人に傳へられる過程 —— demonstrative or didactive method を意味す。 前者こそ第一に重要である。 ……後者は純粹に教育的な價値をもつに過ぎない(5)」とコッサもいつてゐる。)しかしこの後の方の意義が、いま私どもが論外としてゐることはいふをまたない。

方法なる語を、本文におけるがごとく、科學研究上の處理法の意義に解してもなほ、そこに、知識獲得、科學自體の成立といふ純粋に理論的な意義のほかに、資料や文獻の蒐集・整理・統計の取扱ひ方、觀察や實驗の設備・装置などのごとき、いはゞ科學研究上の技術、あるひは作業方法としての意義が含まれてゐることが明かであらう。これは、本文に展開したところの純理論的な、認識論的な意義を負へる方法概念に對して、一層低次な意義をもてるものといはねばならぬ。私どもの目下の問題は、たとひそれが科學の研究上の處理法であるといへ、かかる純技術的な方法には關してゐない。

さらに特に社會科學における方法概念には、その重要なる契機として、實踐的行動の仕方をも含ましめる場合もあるけれども、理論と實踐とを峻別する(もちろんかくいへばとて兩者の間にある關聯のあることを否定するわけではない)私の立場からは、方法を、嚴密な意義において科學することに關してのみ問題とする。

(1) 田邊元、哲學通論、九三頁。

(2) Hegel, Wissenschaft der Logik, (Phil. Bibl.) I. Teil, S. 35. 鈴木權三郎譯、大論理學(ヘーゲル全集)上卷、五三頁。

(3) 田邊元、前掲書、第一章第八節、殊に二〇七—九頁。

(4) 同上、二〇九—一〇頁。

(5) L. Cossa, Guide to the Study of Political Economy, engl. transl., 1880, p. 33.

第二節　方法論の課題

この科學の性格を意味する方法概念に關する自覺的反省を、私どもは、廣義の、もしくは高次の方法論といはう。それは「科學的認識の理論、論理的諸條件の解明、基礎づけ」といふ意味における科學論・知識學・認識論と、完全に合致する。そしてこれに對して、上に述べた意味において對象ならびに體系に對立するところの方法、すなはち狹義、または低次の方法についての理論がすなはち狹義の、または低次の方法論であつて、それは對象論および體系論と相竝んで成立し、この三者は、相互に補完し合つて、一つの有機的な理論體系としての認識論を構成するわけである。

一般的に對象論と狹義の方法論と體系論の三者が、廣義の方法論のうちに、如何やうに統一されてゐるかは、科學論の重要なる課題であつて、かゝる方法論汎論ともいふべきものは、私の敢へて企て得ないところである（註一）。私としては、一經濟學者としての立場から逸脫しないかぎりにおいて、特殊科學の一つとしての經濟學に關聯して、いはゞ一つの方法論特論として、前述の二つの論文を對象論および體系論として公にしたのであつたが、今回は「理論經濟學方法論」なる名のもとに、狹義の、または低次の方法論を試みようとするのである。もとより主として關聯するところは、經濟學の領域であるが、もし萬一これによつて、社會科學一般の、さらに進んでは科學一般の方法論のうへに、徴小の寄與にてもなし得るところがあるならば、私としては、望外の幸である。

しからば、一般的に、狹義の方法論（以下單に方法論といふとき、つねに、これを意味することゝしよう）は、如何なる意味と重要性とを、科學に對してもつてゐるであらうか。それは夫々の科學が研究上採れる諸々の方法の相互間の論理的聯關（單純性―複雜性、一般性―特殊性、抽象性―具體性、孤立性―相關性、獨立性―相互依存性、優位性―等位性などの關係）を知り、それらの本質とその性能の限界とを知り、效用・利害得失に對する價値判斷をなす。この仕事は、いふまでもなく、科學にとつては最も重大な、基本的なものである。何故なら、そこに用ひられてゐるところの多種多樣な方法について、そのいづれが適切であるか、如何にこれを驅使すれば合理的であるかについての判定を、もし誤つたとするならば、私どもが、その科學において、種々なる困難と不便宜とに遭遇し、所期の目的を實現し得ず、あるひはまた、きはめて不完全にしか實現し得ないであらうからである。もちろん適切な合理的な方法の選擇と使用とは、科學研究の實踐者の天分と才能と熟練とに依存するものであらうが、如何なる選擇と使用とが適切な合理的なものであるかは、各個の科學者の恣意に任されてゐないで、そこには何等かの一定の客觀的標準があり、これに照らしつゝ、この選擇と使用とが行はれねばならない。こゝにこそ私どもが、方法論について云爲する理由が存する。そしてこの際の標準は、いふまでもなく、當該科學の認識目的である。如何なる方法を、理論構成途上の如何なる階段において、他の諸種の方法と如何やうに聯關させつゝ、使用すべきかについての理論家の態度を決定するものは、當該科學の對象――對象論によつて既に基礎づけられてゐるところの――について、その認識目的に最も適ふやうにするには如何にすべきかといふこと以外の標準はあり得ない。一般的に認識目的こそは、科學における一切を、いはゞ科學の性格を決定するものであるといはねばならない。かくして私どもは、一般的に、「方法は體系と對象とに適應すべし、而して方法は常に批判的なるべし」といふ準則を與へ得るであらう。たとへば、理論經濟學の方法論は、かくのごとく、斯學の認識目的に指令せられつゝ、理論を構成してゆくにあたつての種々なる手續の意味・效用・利害得失について、理論家に豫告する機能をもつてゐるのである。私どもは經濟生活に顯現せる多數の多種・多樣の經濟現象の理論化といふ高山に登攀せんとしてゐるのであるが、その道しるべの地圖として體系・論をもつてゐるが、何處で登山靴とアイゼンとを穿き替へるべきか、如何なる場所でザイルを如何に使ふべきか等のことを教示してくれるものが、すなはち方法論である。したがつて私どもは、理論構成の以前において、私どもの道具である各種の方法の性質について充分な認識をもつてゐることが大切である。

こゝに以前にといふは、いふまでもなく、論理的豫想・前提といふ意味においてである。實踐においては、私どもは、如何なる方法が可能であり、これを如何に驅使すべきかは、自らの理論構成の經驗と、諸多の先人の使用した各種の方法の愼重なる吟味とによつて、時間的には徐々に習熟してゆくのであつて、一個の科學者としての理想的な態度は、――天才によつてすべての方法を直覺的に會得することが、一般的には可能でないかぎり――研究の實踐にあたつて、一方においては、傳承せられた方法の意味を充分に知つて、これを一層適切に使ふべくつねに反省すると同時に、他方においては、それが可能ならば、新しき方法の創始にむかつて努力すべく、いづれの場合においても、斯學の認識目的に則りつゝ、充分に自覺的反省を、研究の實踐と併行しつゝ、行ふといふことにあらうと思ふ。——が論理的にいへば、方法論は、理論構成といふ實踐の着手以前に、既に私どもの持つて居なければならないものである。何故ならば、如何なる方法を用ふべきかゞ決定してゐずしては、科學のごとき合理的なる營みは不可能であるからである。一體、實踐においては時間的に科學上の營みと竝行し、論理的にはそれに先行するといふことは、方法論についてのみのことではなくして、認識論的反省一般について然かいへるのである。私どもの認識論的反省は、當該科學上の仕事がある程度まで進行し、認識論的反省の對象資料が獲得せられてゐて始めて成立し、しかる後に、この兩者が、相互に影響し合ひ、補完し合ひつゝ進んでゆくといふのが、實情でもあるし、また學者としての理想的な態度でもあらう。

以上私は、一般的に、方法論の本質とその必要性とを敍べて來たのであるが、しからば、各特殊科學において、具體的に、如何なる方法を私どもがもつべきか。これは各科學の獨自の課題であることは、いふまでもないことであるが、科學の分類において同一種目に屬する諸科學の方法には自らそこに共通のある要素を見出すことが可能なるべく、理論經濟學の方法を論ずる仕事にとりかゝる前に、それの所屬する精神科學の方法と、これに對立する自然科學の夫とを對比することが、私どもにとつて有用であると思ふ。

いまこゝでは、次のことだけをいつておきたい。すなはち、一般的にいつて、各科學における方法の選擇、確定については、まづ當該科學の發展過程に出現せる諸先人の採つた各種の型の方法の論理的構造を、系統的に、相互比較的に、批判的に、研究し、もつて合理的と思はれるものを採用すべきである。この際諸先人の一切に關說することは、もとより不可能であり、且つ無意味であつて、たゞ斯學の發展史において、積極的な貢獻を致せる人々のみが、そこに採り上げらるゝに足る客觀的價値のある人々のみが、選擇せらるべきことは、いふをまたないところである。これによつて、當該科學の方法論史ともいふべきものが成立するのであるが、私ども自身の方法の確立が、それから大いなる利益を受けることであらう。しかし私の目下企てゝゐることは、かゝる方法論史の樹立ではなく、自說の發表であつて——それはかゝる重大なる問題については、おそらく、盲者蛇に怖ぢざる底の業であらうが

――諸先人の説を引用することは、單に自說の成立に役立ち、またはこれが表出のために便宜を與へてくれると思はれるかぎりにおいて、自らの需要に應じて、且つこの需要を最も合理的に充すやうな仕方において、隨時これをなすに過ぎない。

〔註、一〕　これについての簡明に要領を得たる解決の一つとして、私は戸坂潤氏の「科學方法論」(1)を擧げたい。(それは單に自然科學のみを對象としてゐるに過ぎないけれども)。氏は方法概念をその運動に沿うて分析し、まづ對象概念に對立せるものとしての方法概念を論じ、次にそれに固有な實踐性の故に、對象概念を實踐的に優越せるものとして方法概念を論じ、さらにその次に方法概念の實踐的動機を追跡することによつて、學問性概念の分析に遡り、學問性として方法概念が體系概念に對立するを見、最後に學問性概念を媒介とせる實踐性のゆゑに、方法概念が、體系概念を超越することを論ずる。この分析の結果を一言でいひ表はせば、學問の性格は方法であるといふことになる。學問を單なる觀念的概念としてゞなく實踐的概念として理解しなければならない以上、學問概念の性格は方法概念ではなくてはならない。この方法概念は、第一研究法、第二科學的概念構成、第三科學的世界の基礎、第四學問性の四つの根本的な形態をとり、かくてこの四つの形態に對應して、科學方法論は必然的に四つの形態をもつことゝなるとなるのである。

(1)　戸坂潤「科學方法論」、特に九二――四頁。

第二章　理論的社會科學の方法

第一節　方法としての抽象

前章においては、私は簡略にではあつたが、方法、方法概念と方法、方法論、概念の規定をなした。次に來るものは、理論經濟學において使用せられる方法には、如何なるものがあるか、またそれらの相互間の關係が如何なるものであるか、それらの夫々のもてる適用の領域の擴がり、または限界がどこにあるか、等の問題である。が私どもは、たゞちにこの問題に突入する前に、科學分類のうへにおいて、經濟學の上級に位してゐるところの精神科學(文化科學・社會科學)について、一般的な考察をなすことを適切とする。何故ならば、經濟學は精神科學の一分科として、これに對しては、特殊者と一般者に對する關係において立ち、その本質は、一般者の性格によつて制約されてゐる、一般者の性格についての了解を前提として、はじめてその性格を明かにし得るからである。しかもこれとまつたく同一の理由によつて、精神科學の方法論について云々するときには、私どもは、これと自然科學との統一者としての經驗科學の方法論にまで遡らざるを得ない。このことは、さらに進んで科學一般の方法論(すなはち純粹な意義における認識論)が、私どものすべての立言の前提となつてゐることを指示してゐる。

が私はいまそこまで遡つて詳論することを避けねばならない。一つには、當面の私の課題からあまりに遠ざかるためと、二つには、それを完全な程度においてなすことが私の目下の能力の射程外にあるためとによる。私は以下において、まづ簡單に、自然科學における方法と精神科學における夫とを對比することによつて、後者の方法の意味と機能とその限界とを知り、これを基礎として經濟學の方法の問題を考察することゝしたい。けだしかくのごとくに上級科學および等位科學における方法と對比することによつて、經濟學の方法そのものゝ本質を一層判明せしめることができるからである。すなはち、自然現象と社會現象とは、互ひにまつたく異なつた種類の現象であるが、たとひそれらが對象的に異なつてゐるとしても、それらを科學的に取扱ふ場合には、そこにある程度まで、共通な方法が適用せられ得るのであり、したがつて社會科學における種々の方法を、自然科學におけるそれらと對比して考へることは必ずしも興味のないことではなく、また何等かの意味での參考として役立つであらう。經濟學の方法と他の社會科學の方法との對比についても、まつたく同じことがいへる。但し私どもの目下の問題は、諸科學における理論的部分、したがつて理論的精神科學、別して理論經濟學にのみ關することは、前に述べたとほりである。

一般に科學の認識目的は何であるか。この問題は、科學それ自體の歷史的・社會的存在としての發展過程において、その內容を異にして來たことは、周知のごとくである。科學は、まづ規制的(richtend)な傾向をおびて、その目的とするところが、最高の目的・絕對的價値・神等のごとき一つの超絕的なる全價値體系と、それにおける各個の對象の意味とを知り、進んでは、如何やうにして人々の行爲が、この體系の內的統一に參ずるやうに、規制されるかを探求することにあつた。すなはちこの際の科學の領域は絕對者の夫であつた。次に科學は、整序的(ordnend)な傾向を帶び、その際の認識目的は、諸現象の窮極的原因たる「實體《ズブスタンツ》」・「本質《ヴェーゼン》」を知ることにあつた。すべての現象はこの「實體」・「本質」を原因とし、「實體」・「本質」のもつ力によつて生ずる結果であると見て、科學の目的は、諸現象を、原因結果の關係に秩序づけて因果法則を求め、結果より原因へと遡つて行つて、その最深奥に存在する「實體」・「本質」の認識に到達することにあつた。

一般的に、「實體」・「本質」とは何であるか、かゝるものは果して存在するか否かは、哲學および認識論上の大問題であつて、その解決のためには、この兩者の全歴史をこゝにもつて來なければならないであらう。そしてそれは極めて興味のあるテーマでなければならない。がここでそれをなすことは、私どもの問題を脇道にそらすことゝなり、また現在の私の能力では、これを exhaustively になすことはできない。

かくのごとき科學の代表的なものは、過去における自然科學であるが、かゝる「實體」の追求は、それが科學として立たんと欲するかぎり、結局、不可能であることが明かとなり、あらゆる形而上學的な臭味から解き放された、今日の自然科學において意味するところの「本質は、必然的なる斯く在り (notwendiges So-sein) である。それはものが形成してゐるところの聯關によつて、またそのなかにものが立つてゐるところの聯關(傍點は筆者)によつて、基礎づけられる。我々は前者を構造聯關(Struktur-zusammenhang) と名づけ、後者を關係聯關(Beziehungszusammenhang) と名づけ得る。前者は、was? wie? といふ問に對して答を與へ、後者は、woher? wohin? warum? wozu? といふ問に答を與へる。 構造聯關は、一つの對象の個々の諸成分《ベシユタンドタイレ》(諸標識《メルクマーレ》)の、一つの統一的な精神的中心點(核心)への還元を意味し、關係聯關は、對象の、一つのより大なる『全體《ガンツ》』への編入を意味する(1)。』すなはち私どもが科學において追求してゐるところのものは、ものの深奥にある、そのものの神祕的な本體ではなくして、ものとものとの間の諸關係が何であるかである。 それは、形而上學から解放された近代的科學のすべてが目指してゐるところである。

そして科學の理論的部門の認識目的は、一般的に、法則の定立、さらに進んで理論の構成にあつて、事象の個性の記述をその目的としてゐるところの歴史的部門と區別せられる(注二)。 しからば理論とは何か、法則とは何か。 私どもの仕事は、この設問から出發することによつて始められる。 先驗科學はひとまづ措いて、經驗科學においては、理論的部門は、一般的に、それぞれの科學の對象界を形成してゐるところの諸現象を、個々の具體的な經驗として、單純に記述することに甘んじないで、同一種類に屬する諸多の現象に共通な要素または事項を求め、これらの共通な諸要素または諸事項のうちの、あるものと他のあるものとの間に、ある一定の條件さへ充されるならば、つねに必然的に生起するといふ聯關のあることを見出さうとしてゐる。　經驗界は、これを一瞥するとき、それを構成してゐる諸部分が、不規則的な、まつたく出鱈目な運動をつゞけて止るところを知らないやうに思はれる。　しかしながら經驗界が完全に偶然に委ねられた混沌ではなくて、それは混亂のうちにあるにもかゝはらず、諸現象の間に、何等かの意義における一定の齊一性（Gleichförmigkeit, uniformity）の成立してゐることを、個々の諸現象のもつある特定の表徴《メルクマール》の繰返して現れることを手掛りとして、認めないわけにはゆかない。　いな論理的にはかゝる齊一性を前提しないでは、現象について云々すること自體が不可能である。（いはゆる普遍原理――「一定の對象に關しては、それが一定の條件に支配さるゝかぎり、經驗は、如何なる時、且つ如何なる場合においても、つねに、同一に繰り返される。」(2)）この齊一性に着目することにおいて、私どもは、流轉きはまりなき經驗界に處して、必然性を求め得るわけであるが、この必然性を現象と現象との間の惹起關係に求めるとき、すなはちAなる現象が、一定の條件に支配さるゝとき、つねに必ずBなる現象を生むといふ關係ありと考へるとき、そこに因果性（Kausalität）、あるひはより適切には必然的繼起性なる觀念を得る。　いな思惟そのものは、かゝる原理を先驗的にもたなければ、現象の世界について、自らを進行させてゆくことができない。(いはゆる因果性のカテゴリー)。

因果性または必然的繼起性は、かくのごとく、二つの現象の間に、必然的なる、すなはち偶然的ならざる繼起關係があることを意味するのであるが、この繼起においで、時間的に先行するものを、因または原因といひ、後行するものを、果または結果といふ。そしてかゝる原因と結果との間に、同一質・同一量の原因から同一質・同一量の結果が必ず惹起されることが、科學的研究の結果として確定されるとき、すなはち原因Aが常に必然的に、結果Bを伴ふことが實證されるとき、そこに私どもは因果法則(Kausalgesetz, causal law)の存立を見る。

かくのごとくにして求められた法則は、當該科學において、私どもの對象の構成要素たる個々のいはゞ部分的現象、またはある特定の範圍内における諸部分的現象が構成してゐる部分的全體に關してゐるに過ぎない。それで、かくのごとき法則の全部を統一的に綜合し、そこにこれらの法則のすべてを貫通してゐるところのある特定のより高次の法則(いはゞ諸法則に對する原理)が定立されることが、要求せられる。かくして私どもが導出したところの(そしてそれは科學の實踐的成立過程においては、むしろ逆に諸法則の樹立を指導してもゐるのであるが)原理によつて、諸法則を統合し、當該科學の對象の全體(または、ある場合には部分的全體)を統一的に説明するとき、私どもは、そこに、當該科學の理論(Theorie)を構成したこととなる。すべての理論的科學の目途するところは、かゝる意義における理論の構成にある。そしてあらゆる個々の法則の發見は、この理論構成への階梯をなすわけである。

かくてたとへば、理論經濟學の認識目的は、經濟學の全對象について、その構成要素たる各個の經濟現象、または諸經濟現象の構成せる部分的全體から、諸々の法則を求め、これらを統一して、全對象に關する理論を樹立することにあり、そしてこのための方法を論ずるのが、取りも直さず、本論文の仕事である。が私どもは、さしあたり、もつと一般的抽象的にこの問題を取上げねばならない。

現象について、因果法則を追求するとき、私どもの取上げてゐるものは、決して、生《ナマ》のまゝの具體的な現象そのものではない。多數の個別的な現象のもてる諸屬性を抽出し、綜合して得た概念として、かゝる屬性を見なし、それを分析的に、または綜合的に取扱ふ。したがつてこの場合、これらの屬性を表示するところの概念は、もはや個々の現象を離れたものであつて、この意味からいつて、理論的科學は、現象そのもの丶集合體ではなくて、現象からある意味において遊離したる諸概念の集合體である。ゾムバルトもいつてゐる。「理論的に思考するといふことは、それによつて生ける現實體が『把握』されることのできるところの、またそれにおいて普遍的なものが特殊的なものにおいて捕捉することのできるところの、または……知識において、それの原理的諸構成要素にまで還元されるところの、諸範疇（諸概念）の形成の行爲を意味する。」(3) そしてこれらの諸概念を通じて整序され、連結づけられた諸現象について法則を求めることが、すなはち理論的科學の任務なのである。メンガーの次の言葉も、ほゞ同樣のことを表示してゐる。

「具體的な諸現象はきはめて多樣的であるにもかゝはらず、表面だけ考へてすら、個別的現象が、それぞれ特異な、爾餘のすべてのものとは異なつた現象形態を表示するものではないことを認め得る。經驗の吾人に教ふるところは、むしろ、一定の諸現象が、その精確性には程度の差こそあれ、反復して現出し、事物の變遷において反復するといふことである。吾人はこの現象形態を典型(Typen)と名づける。同樣のことは、具體的な諸現象の間の關聯についても妥當する。これもまた、夫々の個別的な場合において、完全な特異性を示さない。吾人はむしろ、それらの間に、程度上の差こそあれ兎に角、規則的に繰りかへして生じてゐる、ある一定の諸關係(たとへば、それらの繼起における發展における共存における規則性)を容易に觀察し得る。この諸關聯を典型、型、的、と名づける。たとへば、購買・貨幣・需要と供給・價格・資本・利率等の諸現象は、國民經營の典型的現象形態であるに對して、供給の増大の結果としての商品の價格の規則的なる低下、流通手段の増大の結果としての商品價格の上昇、著しき資本蓄積の結果としての利率の低落等々は、國民經濟學的諸現象間の典型的關係として現れる。(4)」

「諸理論的科學の目的は、現實的な世界の理解・直接的經驗を超ゆる認識および支配にある。これらの現象が、あらゆる具體的な場合に、單に一つの一般的な合律性の類例として、我々の意識の前に現れることによつて、我々は現象を理解し、また我々が具體的な場合にある觀察された事實から、共在ならびに現象繼起の法則を基礎として、直接的には知覺されない他の事實を推定することによつて、我々は現象について直接經驗を超ゆる一つの認識を獲得する。さらに我々は、我々の理論的認識の基礎のうへに、ある現象に關する我々の左右し得る諸條件を設定し、かくてこの現象それ自體を導出し得ることによつて、我々は現象的な世界を支配する。(5)」

然らば現象間におけるこの法則(因果法則)は、如何やうにして求め得られるか。

因果性、したがつてまた因果法則の觀念は、必然的繼起性を含意してゐることは、前に述べたとほりであるが、この繼起性、すなはち

「生成なる範疇には第一に一義的に規定された時間的繼起の關係が屬する。……生成は一つが他に續いて現實にあり、この繼起系列は顚倒を許されないといふ明白な時間的意義を有する。……したがつてこの時間的契機なしに生成は考へられない。(6)」

「生成」概念の第二の不可缺的な根本契機は「繼起する諸狀態間の聯關」(7)である。すなはち「時間に於ける一義的に規定された順列は生成の概念を構成するには尙不充分たるを免れない。家中で話される言葉と直ぐ次いで響きくる機關車の警笛とは、たとひ之等が客觀的にその順列を規定されてゐようとも、未だ互に『生成』を形づくらない。兩者の間に事實的關聯がない、從つて兩者は時間的繼起にも拘らず、未だ吾々が生成と呼ぶ多樣の統一を缺いてゐる。しかしこの統一性が何處に存するかが問はれるならば、何等かの點で實體の範疇への關係に依存することを主張する樣々な答が擧げられる。一例を言へば、生成は單に一つの事物に就いてのみ起るとされる。全然同一な物Aに於て狀態a_1とa_2とが一義的に規定された時間繼起のうちに現れる。かくてこの物はその一つの狀態から他の狀態に移り行く。吾々はこの種の生成を內在的生成と呼ぶ。これは吾々の經驗では本來精神的生成として與へられてゐる。……この內的狀態の交替變化はまた物體に於ても例へば惰性によつて

與へられた方向と速度とをもつて運動を續ける物體に於ても生じ得る。けれども物體的生成は、特に異つた物の間に生ずるといふ他の型の生成である。即ち物Aのα狀態と物Bのβ狀態とが一義的な顚倒され得ない時間系列に於て結合されてゐる。かゝるもの（は）、一物から他の物へ飛躍するといふ理由で、飛躍的生成と呼ばれる……飛躍的生成に於ては種種なる物の種々なる狀態を生成の統一に集結するものは何であるか。吾々はかゝる統一を常に斯く考へる――先後繼起は（上例の聲と警笛の如く）單に事實的であるばかりでなく、互に生成を形づくる諸狀態はまたその時間繼起に於ては必然的に相關聯してゐる。かくて生成たるためには諸狀態の一義的にして顚倒され得ないものとして規定された時間繼起の必然性が必要である。これを以て吾々は斯く前提してゐる――一つの狀態はそれとこの時間關係に於て同位の他の狀態なくしては現實に存在しない、或はカントが「經驗の類推」に於て言つてゐる如く、一は他のものに對して時間に於けるその存在を規定してゐる。これが實在的依屬性であつて、自體に於て超時間的なる觀念的論理的依屬性と區別された時間的依屬性に他ならぬ。」(8)

しかも私どもは、因果性および因果法則におけるこの時間的繼起性のゆゑをもつて、結果↓原因↓その原因↓……といふやうに、いはゞ縱に無限に遡つてゆけるばかりではない。さらに、いはゞ橫の方向にも無限に連結づけてゆくことができ

るのである。すなはち、

「吾人の考ふる因果は實は鎖のやうなものではなくてもつと複雜に錯綜した網のやうなもの或は不規則な空間格子のやうに擴がつた迷路の中に道を求める時に生ずる觀念である。凡ての事象は直接間接に凡ての他の事象に聯關して居ると考へた方が妥當である。それで何等かの道を通れば任意の二つのもの丶間に因果の經路をたどる事が出來る。風が吹くと眼病が多くなり、三味線の需要が增し、猫が減じて鼠が繁殖し、桶屋が喜ぶといふ如き因果を求めれば無限に見出すことが出來る。(9)」

これを短くいへば、現象間における因果關聯の複雜性であり、「原因の複數」である。この「近代の方法論に種々の困難を齎した」ところの「經驗の錯綜せる諸現象のうちに不可避的に與へられてゐる原因の複數」に當面して、私どもが求めてゐるところのいい必然的な原因に、如何にして遭遇することができるであらうか。そのためには、前の比喩を用ひていへば、

「網絲の若干を切り離して其鎖を分離させる外はない事が明である。然らば如何なる網絲を切つてよいかといふ事が問題にならなければならない。其のやうな切り離し方に何等か必然な標準があるか、卽ち其等の網絲や結び玉に色分りでもあつて切り得るものと切

り得ざるものが示されて居るかといふ事になる」[10]。

こゝに私どもは、私どもの思惟作用によつて、諸現象のあひだの複雑な交錯關係について、ある一定の見地に立つて、これを解き剖し、適切に取捨選擇して整頓しなければならないことゝなる。すなはち一定の原理に則つて、複合的現象から、ある特定の個々の要素を選び出して、そのあるものは、これを主原因とし、またあるものは、これを副原因として、それぞれに相當した重要性を與へ、またあるものは無關係なものとして、全然無視する。しかも「何が主原因、何が副原因と呼ばれるかは決して一義的に規定されてゐない」[11]が、ともあれ關係のある諸要素を、その關係性の程度に應じて、整序する。したがつてこゝに、私どもの思惟による分析と、分析せられたものに對する選擇と、選擇せられたものゝ綜合といふ仕事が行はれてゐることを意味し、またこの分析と綜合とを如何やうに行ひ、主原因と副原因とを如何やうにして區別するかの指導原理が豫想せられてゐることが明かである。

かくのごとく因果關聯のきはめて錯綜せる對象界について求むべきものを追求してゆく過程は、これを一言にして、抽象として表示し得るであらう[註二]。法則の發見、または理論の構成は、たゞ抽象によつてのみ、可能である。いな單に理論的科學についてのみならず、歴史的科學についてもまたおなじことがいへる。　何故なら、それは對象界から記述するに値するところのものを選擇し來つて、然らざるものを顧みないからである。　この意味において、科學のなすところは、いづれも抽象作業にほかならない。　そして抽象といふ以上、何を手がかりとし、何を目標としてこれを行ふべきかが、まづ決定してゐなければならない。　この手がかり、または目標は、當該科學の認識目的でなければならない。　私どもは、まづ所與の現實態對象のうちから、この目的に照らして本質的なるものを取り上げ、非本質的なるものを打ち捨てる。　かくしてこれらの本質的なものを綜合することによつて、こゝに科學の對象が構成せられる。　この對象が如何やうにして構成せられるかの問題は、まさに、對象論の取り上げるところであつて、私どもの目下の直接的な問題ではない。私どもの當面の問題は、既に構成されてゐる對象を前提として、これについて、如何やう、法則を發見し、理論を構成してゆくかにある。　それは、抽象といふ我々の思惟の進行においていはゞ第二階段として、對象構成てふ第一階段に後續するものであつて、構成せられてゐる對象たる諸々の個別的な、具體的な事實の確定と、事實の間の諸關係の斷定のためになすところの分析と綜合といふ意味における抽象である。

そしてこれら第一階段の抽象も、第二階段の抽象も、ともに、當該科學の認識目的によつて指導せられてゐる。このことは科學の理論的部門においても、歷史的部門においても、同じである。前者においては、對象について、認識目的に適へるものを、しかもこれに合目的々なる順序において、取り上げてゆく。かくしてこゝに、諸法則または諸理論が一定の秩序において配列せられて、一つの體系的な一體が成立することゝなる。この體系を論ずるのが、いふまでもなく、科學の體系論である。後者すなはち歷史的部門についていへば、抽象は、史實としての諸現象にたいして、リッケルトのいはゆる理論的に價値に係はらしむること (theoretische Wertbeziehung) といふ原理によつて、歷史的生成過程においてその占むる意味を標準として一定の選擇を行ひ、かゝる意味が妥當するもののみを、その研究對象とし、かゝる意味の妥當せざるものは、これを記述しないといふ仕方において、現れてゐる。が私どもは、いま、理論的部內における抽象のみを取り上げて、方法論を進めてゆかうとしてゐる。

〔註一〕 私がこゝに法則定立的あるひは法則的 (nomothetisch) 部門と個性記述的あるひは

記述的(ideographisch od. beschreibend)部門と對立させたが、これは、かのドロイセンに源を發して西南學派によつて發展せられたところの「法則定立的科學」と「個性記述的科學」との對立が、そのまゝ「自然科學と歷史」、または「自然科學と文化科學」といふ對立を意味するとなす學說の信奉を意味しない。私もまた、多くの人々とおなじやうに、自然現象に關しても個性的なものを研究記述し得、また現實にこれをなしてゐることと、文化現象についてと全くおなじである。逆にまた、文化現象について法則定立をなし得、またなしてゐることは、自然現象におけると同樣であると思ふものである。この點についての私見は、拙稿「經濟法則の論理的性質」に展開しておいた。

〔註二〕かくのごとく、抽象は一定の原理に基づいて、對象の諸要素について、本質的なるものを拾ひあげ、非本質的なものを捨て去る行爲であるがゆゑに、それは逆に捨象である。日本語では抽象捨象と二個の語を用ひてゐるが、西洋語では abstraction, abstract, abstrahieren, abstraire 等同一語で本來同一事であるこの兩者を表示してゐる。

(1) Werner Sombart, Die drei Nationalökonomien, 1930. S. 113, 小島氏等譯本、一三九頁。

(2) 石原純「自然科學概論」(岩波講座、哲學)、三一頁。

(3) Sombart, a. a. O. S. 278, 譯本、三三〇頁。

(4) Carl Menger, Untersuchungen über die Methode der Socialwissenschaften, und der Politischen Oekonomie

insbesondere, 1883. SS. 4—5., 岩野氏等譯本、二七頁。
(5) a. a. O. S. 38., 譯本、五〇—一頁。
(6) Wilhelm Windelband, Einleitung in die Philosophie, II. Aufl. 1920, SS. 135—6., 速水氏等譯本（岩波文庫）、一五五—六頁。
(7) a. a. O. S. 135., 譯本、一五五頁。
(8) a. a. O S. SS. 137—9., 譯本、一五八—九頁。
(9) 寺田寅彥「物理學序説」（全集第九卷）、一一一頁。
(10) 同上、一一二頁。
(11) Windelband, a. a. O. S. 148., 譯本、一六七頁。

第二節　自然科學の方法と精神科學の方法との對比

しかし理論的科學の方法は、一言にしていへば、抽象である、または、理論構成はただ抽象過程に過ぎずと言ひ放しきりにするだけでは、私どもの仕事は、いまだなほ、實質的には一歩をも進めたことにならない。

私どもの理論構成は、既に構成せられてゐる當該科學の對象について行はれるのであるが、嚮に拙稿「經濟學對象論」において詳述したやうに、經驗科學は、その對象の區別に、基づいて「自然科學」と「精神科學」（それは、その對象の表徵《メルクマール》のうちについて、特に重點をおくものを異にすることによつて、また文化科學とも、社會科學ともいはれる)との二者に分れてゐ、前者は自然(Natur)の世界を、後者は精神(Geist)の世界を、それぞれ取扱ふのである。　わが經濟學が後者に屬することは、いふまでもないところである。

そして方法についていへば、それが自然科學においても、精神科學においても、等しく抽象過程であるといへるのであるが、いふまでもなく、決して完全に同様の相《すがた》をもつ過程ではない。　いまもし自然科學における方法と精神科學における夫との間に、私どもの科學的追求の實踐上何等の差異もなしとするならば、私どもは敢へて特に精神科學の方法論をなす必要がないであらう。　しかし兩者の間に顯著なる差異――單に量的な意味においてゞなくて、むしろ質的なる意味において――のある事實は、何人といへども否定し得ない。　私どもは、この差異は一體如何なることに依つてであるかを討ねなければならない。　しかもこの差異にもかゝはらず、兩者の間に共通の要素の存することもまた明白であつて、私は、かくして、私どもの本來の仕事である理論經濟學の方法を論ずる前に、まづ一般的に、精神科學の方法を自然科學の夫と對比することによつて、その本質を明確にし、もつて私どもの仕事の礎ともなし、道しるべともなしたいのである。

一般的に自然科學の方法として、經驗の記述と分類―概念の數量化―觀察と實驗―歸納と一般化―理論化―檢證等の階段があり、且つそれらが、こゝに掲げた順序において行はれてゆくものとせられてゐる。(1) 自然科學者はまづ事象が如何やうに起るかを經驗的に知らねばならない。これが記述である。しかしこの場合において、彼等の目的とするのは、個々の具體的事象そのものゝ記述ではなくして、「多くの同種類の事象に對する一般的な共通な言ひ表しである。個々の物體を地上に投げてそれが各々いかに動くかを記す代りに、どんな物體のどんな投げ方に對しても成り立つやうな事實を求めるのである。それ故に我々は先づどこ迄が一括してあらはされ得る同種類の事象であるか、又他種類のものはいかにあらはされるか等の問題」(2)を取り上げねばならない。これが分類の仕事である。そして經驗が感覺によつて直接得られたときには、それは全然性質的なものとして立つてゐるが、同種類のものと對置され、比較せられることにより、漸次それが數量的な表現を獲得するやうになる。こゝに概念の數量化がおこなはれる。

これらの諸階段を經て、事象は自然科學者によつて、法則を求められる素材となつたわけである。そしてこの場合の作業がすなはち觀察と實驗である。この二者が如何なるものであるかは、後述することゝし、これらの作業を重ねることによつて、各〻の觀察なり實驗なりの對象となれる多くの事象間に、ある共通な關係を見出すことができ「適當な推論形式を之等に適用し……普遍的な命題に到達することができる。かやうな命題は卽ち法則であり、之に達する方法は謂はゆる歸納である。」(3)さらに歸納が、個々の經驗に含まれる共通の事實を論結するものとして「純粹に歸納によつて一定の法則が與へられるのは單に性質的の事項に關する場合に限られ」(4)、數量的關係については、殊に連續的に變化する數量概念に關する法則を歸結しようとするには、單なる歸納だけでは不充分である。何故なら、第一に、如何に愼重に、精緻な手段によつて實驗や觀察を行つても、そこに誤差の生ずるを免かれ得ない。かくて自然法則の絕對性を保證し得ないことゝなるからである。さらに第二に、連續的に變化する數量的槪念に對して測定を行ふ場合については、單なる觀察や實驗では、實は、全體の連續的な値をあらはす曲線のうへにおけるある特殊な點を、飛び飛びに、供給してゐるに過ぎないからである。かくしてこの「實驗的測定の誤差を取り除き、同時に個々の測定によつては蔽ひ盡されない空隙を充實させて、恰も理想的に完全な且つすべての可能なる値に對する連續的な實驗が行はれたときに示すであらうやうな法則に到達するためには、歸納以上の或る手續きを必要とするのであり、之を名づけて經驗の一般化と稱する。[5]」かくのごとく一般化を行ひ得る根據は「經驗に對する理論の可能性に存する。[6]」そして一般化を行ふことによつて、自然法則の絕對性が保證せられる。

次に自然科學者は、上のやうにして得られたある特定の種類の、または部門の諸現象についての諸法則を統一して、これらの特定の種類または部門の諸現象のうへに立ち、これらを他のものと統合してゐるところの、さらに上級の、あるひはより大なる一つの全體についての命題に導かねばならない。これを理論化といふ。すなはちそれは諸法則を整理して、より簡單な形式に引き直し、これをより普遍的な關係において表現しようとするのである。かくして自然科學者は「この理論化によつて、單に感覺から離脫し得るばかりでなく、感覺の限界を遙かに超越して到底感覺によつては直接に覗ひ得ない自然の有樣をも手に取る如くに考察することができる[7]」のである。そして理論化にあたつては「何等かその前提となるべきものを假定し、之を論據としてその歸結を演繹するのである。この演繹の道程は論理的の方法、特に數學的論理を用ひて我々の目的とする結果に到着せしめるのであるが、自然科學に於てはこの歸結が常に經驗的事實に相當するものでなければならないから、之がためにどんな前提を假定したらよいかといふことは苦心の要するところであり、「自然科學理論に於ける最も主要な問題は卽ちこの前提を探し求めることに歸着させられる。[8]」

最後に自然科學者は、法則の檢證をなす。上述のごとく「どんな理論が立てられるにしても、それは事實の單なる說明ではなくて、却つてその普遍的な記述を目的とするものであり、從つてすべての理論は事實に依る檢證を經た上で始めて正しいものとして認められなければならない。檢證を缺くものにあつては、たとへ思考的には充分に可能であり、若くは眞實らしく見えるものであつたにしても、自然科學的の意味を保證するわけにはゆかない。理論がその儘事實をあらはし得るかどうかは、結局實驗によつてそれの歸結を檢證するより外はないのである。[9]」

さて上來述べ來つたやうな自然科學的方法と精神科學的方法とを對比して見

るとき、私どもは、後者においても、私どもの仕事が、まづ事象の記述と分類とにはじまることを否定し得ない。しかし精神の世界における事象を數量化して考へる事は、つねに必ずしも可能でなく、また實驗は不可能であり、觀察すらも、自然科學におけるがごとくには、充分に行はれ得ない。かくて、法則の定立のために、そこには何等かの他の手續がとられねばならぬことが暗示されてゐる。しかも歸納と一般化によつて法則を獲得し、しかる後において、これを理論化し、檢證するといふ作業がなされ、且つこれらの作業において、演繹的推理が暗に裏付けをなしてゐるといふことは、自然科學における、大體においても、おなじであるといはねばならない。

かく考へてくると、結局において、自然科學的方法と精神科學的方法とを區別する所以のものは、兩者の對象たる自然の世界と精神(文化・社會)の世界との間の差異にあることが、漸次に明かとなつてくるのである。自然と精神との間の對象的差異とは何であるか。これについて從來異なれる學派に屬する學者によつて、種々なる見解が示されてゐ、その科學的進んでは哲學的および世界觀的立場は、窮極的にはこゝにその規定者をもつといつてよいであらう。が私はいまこの問題については、私どもの當面の課題に直接關聯する限りにおいてのみ、論ずるにとゞめる。

この際まづ現象の複雜性といふことがあげられる。複雜性は、いひかへれば、現象の「諸原因の多數性」と「諸結果の錯綜性」とであるが、この點について、自然現象は複雜性小にして、社會現象はそれが大であるといふ論者がある。たとへばジョン・スチュアート・ミルは、自然現象の代表者としての天體の現象と社會現象とを比較して、次のごとくいつてゐる。

「社會のすべての現象は、人間の群集に對して、外界の環境によつて發生させられたところの人間性の現象である。ゆゑに、もし人間の思想感情および行爲の諸現象が、固定的な法則に從ふものとせば、社會の諸現象は固定せる法則に從はざるを得ざるべく、先行せる現象の結果たらざるを得ない。私どものそれらについての知識が、天文學におけるそれのやうに確實且つ完全であるとしても、天體の顯現に關する諸法則のごとくに、吾人をして、將來の數千年間における社會の歴史を豫言せしむることは望み得ない。が確實性の差異は、諸法則自體にあるのではなくして、これらの法則が適用せらるべき資料にあるのである。天文學においては、結果に影響する諸原因は少ししかなく、また少ししか變化せず、且つそれも既知の法則に從つて少しく變化するのみ。私どもは、それらが現に如何なるものであるかを確認し得、したがつてまた、それによつて、遠き將來の如何なる時期においても、これらがあるであらうところの狀態を豫定し得る。ゆゑに天文學における諸與件は、法則自體とまつたく同じやうに確實である。これに反して、社會の條件と進展とに影響を與へるところの環境は、無數であり、且つ永久的に變動してゐる。且つこれらの環境が、すべて、諸原因にしたがつて、それゆゑにまた、諸法則によつて、變動するとしても、諸原因の非常に夥多なることは、推定について私どもの限定された力を無能ならしめる。かくのごとき種類の諸事實に精密なる數を適用することの不可能なることは、人間の知性の力がこの仕事に對して他の方法において充全であるとしても、これら諸事實を計量することの可能性に對しては超ゆべからざる制限をおくものなることは、いふをまたない。(10)」

しかしながら現象の複雜性といふ點については、自然的現象も文化的・精神的・社會的現象も、質的には、おなじである。たとへば、彈丸の飛行といふ現象と、米價の騰貴といふ現象とを、それらの具體性において、觀察するならば、それらの具體的狀態を惹起せしめることに參加してゐる諸原因は、すこぶる多數・多種多樣であることは、一見明かである。火藥の爆發といふ原因によつて彈丸が飛びゆくとき、これに對しては、重力と空氣の抵抗とが作用する。重力によつて、もしこれがないとすれば、當然一直線を描くべきはずの彈道は、拋物線を描く。しかもこのうへに、空氣の存在それ自身および空氣の動き(風)が影響する。また空氣の濕度、溫度、氣壓もそれぞれ作用する。さらに地球の自轉も考慮にいれねばならない。かくして重力と空氣がない場合に、幾何學的一直線を描きつゝ、等速度において進みゆくべき彈丸は、具體的な場合におけるこれらの諸原因の立つてゐる狀態の競合によつて決定せられるところのコースを進むことゝなる。また米價の騰貴なる現象が、決してある種の單純な少數の原因から惹起されるのではなく、こゝで普通に價格上昇の原因としてあげられてゐるものを、敢へて一々列擧するまでもなく、多數の多種多樣の原因が、それぞれの具體的な場合に、それらがまさに立つてゐるところの狀態において、作用し合つた結果として、そこに現れたのである。したがつて自然の領域にあつては、現象が比較的單純であつて、精神、文化、社會の領域における現象についてよりも、理論構成が容易であるとは、一義的には、斷定し得ない。複雜性または單純性は、要するに、程度上の差異のみであつて、質的な夫ではない。

これに反して、私どもは、實驗の可能性と不可能性といふ事實をもつて、この兩種の現象が、これを作業對象として理論を構成する場合に示してゐるところの、きはめて顯著な、且つ重大な差異となし得るであらう。

自然科學的方法としての觀察(Beobachtung, observation)と實驗(Versuch, experiment)とは、その使用範圍に、廣狹の差はあれ、自然科學においては缺くべからざる方法であるが、このうち觀察は、自然的現象の客觀的經過を所與のまゝに、計畫的に、繰り返して經驗し、現象の諸屬性の間の因果關係、乃至諸現象の間の因果關係を、法則性において認識するところの手續である。觀察が、觀察者自らの力で、事例を作製せずして、自然のまゝの事例を發見し、または事例が自然發生的に顯現するまで待つことを意味するに對して、實驗は器具乃至機械を用ひて適當なる裝置を設け、これを通じて、現象の自然發生的・自然進展的なる經過に人爲的干渉を加へて、これを適當なる要素・條件に分析し、これらを樣々に按配・結合・增減し、この變更された條件のもとにおいて、問題となれる現象の諸屬性の間に、乃至は他の現象との間に起る變化を觀察し、そこに如何なる法則性が存するかを發見し、確認するための手續である。（註二）現象は、自然發生的顯現においては、概して複雜なる結合狀態を呈し、認識せんとしてゐる事項の存在および其の存在態容が全然不可知なるか、または充分に明瞭ではない。で法則の發見をなすためには、觀察のみでは、認識せんとする事項の存在と存在態容を明白にすることができない。實驗の裝置はこのために用ひられるので、これによつて現象をその諸要素に分析して、認識せんとする事項に直接關與せざる、いはゞ不必要な要素を驅逐・遊離・除去(eliminate)し、あるひはまた何等かの新しき要素(物質・熱・電氣・壓)または時間的經過の延長・縮小等を加ふることによつて、觀察に好都合な狀況をそこに實現する。(註三)この際如何やうな裝置を用ふるかは、科學者の熟練と才能と、または往々にして偶然的事件とによつて定まるが、窮極的には、いふまでもなく、如何にすれば、認識目的に最も適應するかといふことについての判斷によつて決せられる。一般にある一個の現象を分析して、所要の要素だけを抽出し、又はある一つの現象群から所要の現象だけを他のものから引き離し來る手續を、分析(Analisieren)、孤立化・遊離化(isolation, Isolierung)、單純化(Vereinfachung)、抽象化(Abstrahieren)等の語で示してゐる。要するに、實驗は、觀察に便利な狀態を人爲的に作出する手續で、この意味において、それは、問題とする事項が純粹な形態で起るやうにすることである。すなはち純粹化または理想化(Idealisieren)である。實驗によつて、私どもは此等の語で指示されてゐる狀態を完全に實現し、もつて當該現象を惹起すべき一切の諸原因・諸條件を知り得るに對して、觀察によつては、この點頗る不確實ならざるを得ない。もちろんかくのごとき人爲的干渉には程度上の差が當然あり得るがゆゑに、觀察と實驗との間に嚴密なる區劃をなし得ないと思ふが、（たとへば實驗、物理學の元祖たるガリレオの行つたやうな幼稚な實驗――ピサの斜塔から物體を落下させたり、ミラノの寺院内の釣ランプの振動の週期を測つたりした程度の――は、今日の物理學的實驗の複雜さに比すれば、觀察と稱しても差支へないものであらう）、ともあれ、それらは、認識主體たる私共が問題の現象そのものに、感性的な乃至物質的なある手段を通じて、直接的に働きかけることにおいては同一である。（觀察においてすらも私どもは、感覺器官をもつて、また進んでは顯微鏡や望遠鏡や寒暖計等を媒介として、直接的に現象に能きかける。）

しかるに精神科學においては、その研究の手續として、自然科學におけるがごとくに、精神的・文化的・社會的現象を實驗の對象となすことは許されてゐない。すなはち、私どもは、かゝる現象に、感性的または物理的なある手段を通じて、直接的に能きかけ、これにある事情變更を有意的に起らしめ、しかるのちに、これからある法則を探し求めるといふことを、なしてゐない。(註三・四) またよし實驗に近似せる方法で研究される事例を見るにしても、それはきはめて局部的な研究の對象に過ぎず、決して全部的な研究の夫ではなく、またかゝる方法では、多くの場合私どもの眞に知らねばならぬ事項を逸することゝなるのである。(註五) かく實驗が不可能なるがゆゑに、觀察にもつぱら頼らねばならないやうに思はれるのであるが、觀察もまたきはめて不充分にしか行はれ得ない。何故なら、精神的・文化的・社會的現象は、夫々、時間的には、必然性によつて過去・現在を貫き、また可能性によつて未來に亙つて永續的に經過してゆく人間生活の構成部分であり、空間的には、社會を舞臺として現出せるものであつて、個々の諸現象を、この全體に對する諸部分として、全體との、および夫々の現象との間の複雜なる聯關において見なければならず、しかも問題とする個々の現象を、自然科學におけるがごとき簡單な手續によつて、物理的に他の現象と遊離せしむることが不可能であるからである。ゆゑに精神的・文化的・社會的現象については、私どもは、自然科學におけるがごとき意味において、その全貌を見渡して觀察することを得ない。(註六・七)

かくて精神科學における、この實驗の不可能性と觀察の不完全性とは、この科學と自然科學とを、方法に關聯して區別する重大なる點であり、そしてこの區別は、まさに兩者の對象の差異に基づくことも、上述より明かとなつたと思ふ。

精神科學は、その對象の本質からして、實驗なる作業を、單に比喩的意義においてのほかは)用ひることができず、觀察なる手續も、またきはめて限られた範圍においてしか、取り得ないとすると、それは、如何なる方法をもつて、法則を發見し、理論を構成する仕事をなし遂げてゆくであらうか。

この問題について、マルクスの次の言葉が、寸言よく事の眞相をついてはゐないだらうか。いはく「經濟學上の諸現象の分析においては、顯微鏡も化學的試藥も用をなさない。抽象の力をもつて、これら二つのものに代用しなければならない」[11]と。ケアンズもまた次のごとくいつてゐる。いはく「經濟學者は、實驗を使用することができない。しかし彼はこの有力なる道具の代用物——劣つてはゐるが——をもち、自由に使用し得る。……それは經濟學的研究の目的のために構成された假定的事例(hypothetical cases)の使用である。何となれば彼はその目的に適切な諸條件を現實に作り出すことを禁じられてゐるけれども、經濟學者が、(その經濟的特性を彼が檢討せんと欲するところの何等かの作因——それが人間の感情であらうが、物質的なものであらうが、乃至はまた政治的制度であらうが——が作用してゐる場合に)かゝる諸條件をその心眼の前に齎し、またあたかもこれらの諸條件のみが現前にあるがごとくに考へて推理することを、何物も妨げないからである。……かゝる過程は、心的になされたる實驗の性質をもつ。……それは經濟學的考察における實驗の代用物である。[12]」マルクスはまたいつてゐる。「物理學者は、自然現象が最も充實した形において現はれるところにおいて、且つ他の影響に攪亂されることの最も少いところにおいて、これを觀察する。あるひはまた可能なる際には、これが純粋な過程の確保を證するがごとき諸條件のもとに、實驗をおこなふ。私が本書〔資本論〕で研究せんとするものは、資本家的生産方法とこれに對應する生産諸關係および交換諸關係である。これが古典的な所在地は、いままでは英國である。[13]」すなはち英國において資本主義經濟が、もつとも純粋な姿で現れてゐるがゆゑに、そこにおける經濟が、經濟學者の經濟理論構成の際の、いはゞ最も適當なる實驗材料になるといふのである。こゝに引用したマルクスおよびケアンズの言葉は、直接的には、經濟學に關してゐるけれども、他の精神科學の方法に關してもまた、そのまゝ妥當するであらう。　精神科學においては、私どもは現象を私どもの知性において概念化し、この概念化された諸現象の諸要素を私どもの認識目的に對して合理的であると思はれる方向において、分析し、遊離し、單純化し、あるひは綜合し、もつて現象の諸要素の間の、または諸現象の間の諸關係についての法則を發見する。これらの作業の諸段階は、すべて私どもの思惟のうちにおいて、思惟の推理力によつて、おこなはれるのであつて、現象そのものは、これによつて、物質的に何等の變容をも被らない。

(註、一)「實驗とは吾人が規制するところの諸原因と諸作因とを機能せしめ、故意にそれらの間の結合を變化し、如何なる結果の生起するかを注視するをいふ。(14)」

(註、二)「實驗は單に吾人が最も都合のよき狀況のもとにおいて、觀察し得るやう、自ら愼重に、現象を作出するといふ過程に他ならず(15)。」

(註、三)「社會的現象の諸法則の確認のために實驗的方法を適用せんとする際、吾人の遭遇する第一の困難は、吾人が人爲的なる實驗をなすための手段を缺いてゐるといふことである。たとひ吾人が實驗を自由自在に驅使し得、且つそれらを無制限になし得るとしてもなほ、吾人は極めて大なる不利のもとにおいて、さうし得るのみ。それは、あらゆる事例の事實のすべてを確認し、またそれらの要領を書き付けることが不可能であるからであり、さらにまた(それらの事實が不斷に變動してゐる狀態にあるがゆゑに)實驗の結果を確認し得るに充分なる時間の經過せざるうちに、若干の重要なる環境が終始同一狀態にあるといふわけにはゆかないからでもある。……吾人は單に、自然が生むところのものか、または他の原因によつて生まれたところのものを觀察し得るのみ。吾人は除去《エリミネーション》を緊切に必要とされるかも知れないときに、環境を變更することによつて、吾人の要求に對して、吾人の論理的手段を順應せしめることが出來ない[16]。」

（註四）「富は經濟學の本來の唯一の目的物であつて、元來それのみが直接的に取扱はれるのであるが[17]「富なる現象は、吾人の觀察の對象としては推理的研究が取扱ふべきものゝうちでも最も複雜なものである。それは、同時に作用し、相互に强め合ひ、弱め合ひながら、色々な仕方で、相互に變動させ合つてゐるところの一切の諸影響の大なる變化の結果である。たとへば一商品の賣價といふがごときはきはめて單純な現象を決定せんとしてゐる多數の作用――『商品に對する需要』なる語に含意せられてゐるところの諸條件の巨多の數と多樣性と、『供給』がそれに依存するところの一層多數の、且つ多樣的なる諸事情、それらのいづれの條件または事情における變化も、もし同時に存する諸條件のあるものにおける相殺的變化を伴はざるかぎり、必ずや現實の現象におけるある變化を來すに相違ない――をとつて見よ。さてかくのごとく高き程度の複雜性が現象の特性であり、且つ現象がすべて同時に作用せる多數の諸原因によつて影響され易きときには、かくのごとき諸現象と、それらの諸原因および諸法則との間の連鎖を、歸納的に、すなはち各個の事實より遡つて論ずることによつて、確立するためには、一個の條件をどうしても缺くことができない。すなはちそこには、語の嚴密に科學的なる意義における實驗の力がなければならない。が社會的および經濟的問題の研究者が、この源泉から何かを得ることは、絕對的に妨碍されてゐる。もしこれを疑ふ者があるならば諸自然科學においてかくのごとき歸納に對する充分なる基礎として考へてゐるであらうところの實驗が、一體現實に何を意味してゐるかを、すなはちそれが、それにおいて實驗が遂行され、且つこの實行中は常に不變であるところの、ある數の條件を媒介物として、發見または作製することの可能性を意味することを考へて見るがいゝ。(19)……この種の手續が實行できる所では――そして自然科學的研究の分野においては概してそれが可能である――『諸原因の多數性』と『諸結果の錯綜性』とは、本來的意義における歸納による自然の說明に對して克服すべからざる何等の障碍をも齎さない。事實自然科學における多くの最も重要なる發見のなされたのはこの方法によつてゞあつた。しかしこれと同等の・または匹敵し得るやうな方法を、經濟學者が決して使用し得ないことが當然であることはほとんど言ふをまたないところであらう。經濟學者の研究の主題は、人間と彼等の利害問題とであり、これらについては、他の場合において許容されてゐるやうな自在な仕方でもつて處理してゆく力をもつてゐない。吾人は經濟的現象を、外界がそれを吾人に現してるがまゝに、それの一切の複雜性と休みなき變化性とにおいて、受取らなければならない。」[19]

(註五)「經濟現象と人間の福祉の他の諸要素との間の密接なる關係は、吾人が經濟現象を勝手氣儘に作成することを禁じるを常としてゐる。またたとひ實驗をなし得たとしても、その科學的價値の大部分が奪はれるやうな狀況のもとにおいてなさるゝを常とする。」[20]

(註六)　バスティブルのいへるがごとき社會現象についての實驗は、眞の完全なる意義における實驗とはいひ難い。彼はいふ。「もし實驗のためにする意圖をもつてなされたものとするならば、立法的な調節や個人的な行動も、社會制度に對する實驗といひ得よう。たとへば他の點については、大いに異なれる數個の國々において、自作農制度に設けて好結果を來したるに對し、他の相互間に大いに異なれる數個の國々がこの制度を設けなかつたために、齊しく前者の國々に劣るとするならば、吾人はこの制度が實驗的に正當視され得るといへよう。同じ推理は、商業政策についても適用し得よう。……更に又一國のある一地方に特別な立法の適用、たとへば特殊な土地所有權の設定によつて、吾人はその地域において見る特殊な出來事を、この特別な立法の結果なりと見做し得る。かゝる實際的實驗は、(一)非强制的立法、または(二)一時的立法を用ふることによつてもなし得る。私人もまた實際的に經濟的實驗をなし得る。たとへば、利潤分配制度、……や最近のサンダーランドにおける八時間勞働制度のごとき之である。これらの諸事例の大なる集積は、厳密なる科學的證明に極めて近接せる證明を與へるものといへよう」と。(21) が社會的なる實驗なる語は、到底比喩的たるを免れず。何故なら、それは自然科學者がラボラトリにおいて行ふがごとくに、精密なる手段と設備とをもつて、不必要なる現象より完全に隔離して行へるものではないから。(なほこの點については、Keynes, Scope and Method, etc. pp. 128—187 參照。)

(註七)「故に觀察こそ經濟學者によつて研究せられる諸事實の知識を獲得するためのほとんど唯一の手段である。が觀察も、科學的知識の源泉としては、二つの明かな不利――諸原因の多數性と諸結果の錯綜性――のもとに立つ工作である。同一現象も、異なれる瞬間においては、諸原因の異なれる結合によつて惹起せらるべく、さらにまた多くの原因の諸結果が、一つの現象の内に混合してゐるかも知れない。これら兩つの不利がともに同一の經濟的觀察を試みつゝ經驗せられることもあらう。これらの不利は觀察の分野を、出來るだけ擴大することによつて、部分的には克服され得るであらう。」(22)

(1) 石原純、「自然科學概論」、第三章「自然科學の方法」參照。

(2) 同上、四一頁。

(3) 同上、五九頁。

(4) 同上、六〇頁、

(5)　同上、六一頁。

(6)　同上頁。

(7)　同上、六六頁。

(8)　同上、六七頁。

(9)　同上、七四頁。

(10)　J. St. Mill, A System of Logic ratiocinative and inductive, 9th ed. 1875, Vol. II. pp. 466—7.

(11)　Karl Marx, Das Kapital, Bd I. Volksausgabe, S.XXXVI.

(12)　G. E. Cairnes, The Character and logical Method of Political Economy, 2nd ed. 1875. pp. 77—81.

(13)　Marx, a. a. O. S. XXXVII.

(14)　Hershel, Study of Natural Philosophy, p. 76.

(15)　G. N. Keynes, The Scope and Method of Political Economy, 4th ed. 1917, p. 179.

(16)　Mill, ib. p. 471.

(17)　Cairnes, ib. p. 9.

(18)　ib. pp. 64—5.

(19)　ib. p. 65.

(20)　F. C. Montague's Art. "Observation and Experiment", Palgrave's Dictionary, Vol. III. p. 30.

(21)　Palgrave's Dictionary, Vol. I. p. 792.

(22)　Montague, ib. Vol. III. p. 30.

第三節　精神科學の方法としての理解

以上私は、精神科學の方法と自然科學の夫とを對比し來つて、この兩者は、それの諸階段においてまつたく一致してゐるところもあるが、理論構成といふ仕事における最も重要なる、いはゞ中堅的地位におかれてゐるところの法則發見といふ階段において、後者が實驗ならびに觀察といふ都合よき手續をもつに對して、前者はたゞ思惟における諸概念の諸要素についての推理といふ無形の手續しかもつてゐない。そして方法におけるこの差異は、もつぱら兩者の對象たる精神と自然との本質的差異に基づいてゐることを明かにし得たと思ふ。しかしながら、私の見るところでは、方法における上記の差異は、もちろん重大なる差異ではあるけれども、いまだなほ、根本的な、いな本質的な差異とはなし得ない。何故なら、自然と精神とは、私どもが今まで述べたかぎりにおいては、抽象の、詳言せば、分析・遊離・純粋化等の對象となり得ることにおいては、おなじであり、たゞその際の手續にある差異があるといふに過ぎない、且つこの際この手續上の差異は、ある程度までは、解消される（少くとも比喩的には）とも見得るからである。これに對して自然認識と精神認識との間には、一層深き、または方法論的に本質的なる差異が潜んでゐる。それは前者にあつては、私どもの認識は、單に對象が如何やうにあるかを知り得るだけであつて、對象のうちに存在してゐる意味(Sinn)――何故にそれが然かあるかの窮極的根據――を把握し得ないに對して、後者すなはち精神認識にあつては、この意味把握をなし得るといふ點である。

そして私どもは、精神的現象を認識するに際して用ふる方法を理解(das Verstehen)と命名する。この理解的認識は、自然現象における整序的認識と對立するものであり、そしてこの對立は、まさに、社會現象と自然現象との間の、すなはち、社會科學の對象と自然科學の夫との間の對象的な本質的差異に呼應するものである。

しからば理解とは如何なる認識樣式であるか。私はいまこれを主としてゾムバルトのいへるところ(「三つの經濟學」第十三章および第十五章)を參照しつゝ、述べてゆきたい。(なほ Max Weber, Wirtschaft und Gesellschaft ―G. d. s.―1920. の I. Teil をも參照しなければならないが、こゝでの引用は、ゾムバルトからだけにとゞめた。)

彼はまづ一聯の相對應せる自然現象と社會現象とを拉し來り、これらを認識せんとするとき、それぞれの側における認識の**樣式**が異なつてゐることを明かにしてゐる。

たとへば私どもは、蟻が群をなして走り廻つてゐるのを見るとき、その何故然るかを充全に知ることができないに對して、大都市の街路を馳走する人々については、「あらゆる人が徒歩で、または車に乘つて、一定の目標にむかつて進んでゐるのを知る。また私が彼にその目標を問へば、彼は私にそれを告げる」。また「飛行する雁のファランクスの形成」と「重甲兵團のファランクスの形成」とを比べて見るに、前者について私どもは、あるひは雁が氣壓を減少せしめるために三角形をなして飛ぶのだと説明できるかも知れないが、それも單に推測「Vermutung にほかならないといはねばならぬ。これに對して、後者については、私どもは「よく推敲された戰鬪綱要が重甲兵のファランクス形成を規定してゐ、且つこの綱要を我々は知つてゐるのである」。いま一つの例をあげると、私どもは、何故「二個の元素の化合による一つの新しき化學的物體の成立」が起るかを徹底的に知ることは不可能であらう。しかし「二つの在來の企業の合同による一つの新企業の成立」については、私どもは、「多數の理由が二つ商會の代表者をして、彼等の企業を結合すべく決心せしめ、そこで彼等は會合し、長き商議において結合契約を結び、これによつて合併が成立する」ことを知る。かくのごとく、およそ自然現象にあつては、「何故に、これらの凡てのことが自然において起るかといふ最も重大な問題に對して、如何なる賢者も我々は答へてくれない。そして我々が實際に一つの答を與へようと試みても（それは既に確認せられてゐるやうに『精密的』自然科學すら既に既に斷念したものであるが）それはたゞ『推測』たるにとゞまり、觀察された諸現象を我々の悟性において『整序《オールドネン》』するといふことと以外には、何等の意味をももつてゐないのである。……しかもこの聯關は〔時として〕まつたく異なるものであることすら可能である。すなはち自然におけるこの、またはかの現象を如何に『說明』すべきかについての新假設が、年々現れるからである。(1)」かくして「すべての自然現象について、私は、決定的には解決することが私には不可能であるところの一つの『謎』の前に立つ。私にとつては、すべての自然現象は一つの『不可思議』であつて、それの深奧處には私の悟性は進入してゆくことが出來ない。(2)」

しかるに「文化認識のすべての問題においては、私は原理的に異なつた事態のうちに在る。こゝでは、すべての場合において、何故それが生起するか、何故まさにいま生起してゐるか、何故にかくのごとくに生起するか、如何にして生起するかを知る。(3)」この種の認識を名づけて理解といふのであつて、「もし我々が理解にあたつて通過するところの認識の途を考慮するならば、……我々は理解を意味把握(Sinnerfassen)と呼ぶことができる。我々は一つの現象を、我々がそれの『意味』を明かにすることによつて、理解し得るやうにするのであるが、このことは、さらに、我々がこの現象を、我々に知られてゐるところの一つの聯關のうちに、引きいれることを意味する。〔たとへば〕我々はある競技の規則を、知り、またそれにおいて勝たんと欲するならば、如何なる行動をなすべきかを知る。もしこの競技の目的から豫示されてゐるところの行動を認知するならば、これを、我々は、かゝる競技行動として理解する。……」[4]「私が意味把握と名づけるところのこの方法は、また、それにおいてはその理由自身が既知であるところの理由からの推定であるともいひ得る。

「これに對して、もし我々が理解の結果を見るならば、我々はこれを本質認識としていひ現すことができる。何となれば、もし我々がこの本質認識の指示するところの諸標識を想起するならば、我々が理解によつて獲得したところの知識において、我々はそれを、その全部的に再び發見するからである。換言せば、我々は、我々が『理解』するところの一つの現象を、それの全體において(それが意味聯關に關するかぎりにおいて)把握するのである。我々は何故それが、そのやうであつて、他のやうであつてはならないかを洞見する、またそれが意味《ジン》(それによつて、我々がこの現象を『理解』したところの)に關するかぎり、何故にそれが常にさうであらねばならないかを會得するのである。」[5]

かくのごとくにして、理解すなはち精神認識は、自然認識のなし得ざることをなし遂げる。けだし理解によつて、私どもは、自然認識においては結局揣摩臆測以上に出で得ないところの、現象の成立の根本的根據と本質とにまで(もちろんこの場合の根本的根據または本質といふは、科學的限界内においてであつて、形而上學の領域にまで踏み出して、超絶的に本源的たることを意味しない)遡つて觸れることとができる。この意味において自然認識の部分的認識なるに對し、理解は全部的認識であるといひ得よう。

　そしてこの「理解の(自然認識に對する)優越性は、認識主體と認識客體とが、すなはち認識者とその對象とが、同じである(『identisch』である)といふことにおいて現れてゐるところの、この認識方法の『内在《イムマネンツ》』のうちに在る。かくて認識者は、いはゞ彼の對象の直中に潜んでゐることによつて、彼は『内部から』認識するのである。ショウペンハウエルが適切な譬喩においていつてゐるやうに、我々は『いはゞ樂屋のうちに』立つてゐるのである。(6)」

こゝに兩つの認識方法の差があり、したがつてまた、自然と精神との對象的差異がある。

　前にもいつたやうに、現象の本質または意味を把握すること、すなはち本質認識は、自然の世界に關しては、結局、形而上學的とならざるを得ない。そこでは認識する自我に對して、自然は超絶的《トランツエンデント》であるからである。かくして近代の自然科學は、かかる意味における本質認識の意圖を放棄して、單に研究の成果の普遍妥當性を求むることをその認識目的とするにいたつたことは、前に述べた。さて精神認識の樣式としての理解は、上述のごとく、意味を、したがつて全體性を「本體」を把握することを、その目標としてゐるのであるが、もし然りとせば、理解は、形而上學とならないであらうか。答は然らずである。何故か。

「超絕《トランツエンデント》がある認識のうちに、殊に一つの全體《ガンツエス》の認識のうちに存在するときに、我々は、あらゆる經驗的認識に形而上學的意味を與へるのである」(7)が、理解は、前に述べたやうに、內在的認識として超絕には關らないといふ意味において、總體性《ゲザムトハイト》の知識と全體性《ガンツハイト》の知識とを我我に與へながらも、形而上學とはならないのである。何となれば、理解が、ともに我々に經驗において與へられてゐるところの――このことの證明が可能だ――主觀の精神（＝認識する人間）と客觀的精神（＝文化）との領域のうちに動いてゐるかぎり、そしてこの領域のうちに存する諸々の意味聯關を指示することに滿足してゐるかぎり、それは、事實上、決して形而上學ではない。理解は、それが主觀的および客觀の精神の領域から「絕對的」精神の領域へ移行するや否や、換言すれば、文化の經驗的所與におけるそれ（文化）の意味をでなくして、文化の超絕的なる意味を、人類または世界の「意味」を、把握せんと試みるや否や、理解は『超絕』することゝなる。かくてそれは、自己の『限界』を踏み越えることゝなる。(8)」

理解を上述のごとく解するとき、これを法則發見したがつてまた理論構成といふ科學的目的に對して、如何やうに役立たしめ得るであらうか。私どもの現象に對する理解は、その樣式にしたがつて、種々なる種類に分類し得る。（たとへばゾムバルトは、これを、純粹意味理解・事物理解・心理理解に大別し、それぞれをまた、小區分してゐる。[9]）いまこれについての細論をなさないが、法則發見または理論構成に關するかぎりにおいていへば、

「我々は、單に、あるものが如何にあるか？　を知らうと欲するのではなくして、さらに何故にそれが然かあるか？　をこそ知らうとしてゐるのである。たとへば、何故に、物價が上昇するか？　何故に田舍の人口が減少するか？　何故にコンツエルンが形成されるか？　換言すれば、我々が文化科學を根本的に驅使せんと欲するならば、我々は因果的＝發生的考察樣式を缺くことはできない。何となれば、作用聯關の觀察は、因果的＝發生的研究、すなはち因果的研究にほかならないからである。[10]」

すなはち私どもは、精神現象間の因果的關係を求め、これによつて法則の發見をなすこと、自然科學におけるとまつたく同樣である。

しかも自然認識にあつては、自然物における窮極的な因果的聯關を假定すると

きは、そこに「證明」せられ得ざるある主張が含まれてゐるに對して、文化認識すなはち理解についていへば、「文化現象においては、因果律《カウザリテート》は、自明的な實在(evidente Realität)である。(11)」何故なら私どもは、何故に或る特定の文化現象が、そこに生起してゐるかを、體驗によつて、または共感によつて知るからである。たとへばナポレオンが何故に退位したかといふことを、私どもは、彼のこれについての決意の動機、さらに遡つて、この動機を起さしめた種々な直接的な事物根據、さらにこの根據の種々なる原因……といふやうに、科學的認識の限界内において、この因果系列を追求してゆくことが、明かに可能であるからである。かくして一般的に、私どもの問題は、

「文化現象の領域における起果(Verursachung)(12)の「原因」すなはち推進的作用的な諸力」が何であるかといふことゝなる。それは「人間の行爲の動機」(13)そのもの以外にはない。しかもこの際、文化科學が科學としてとゞまらんと欲するかぎり、我々のこの「起果の原因または原動力」の追求は「因果列(Kausalreihe)をこの動機の背後にまで遡り及ぶことが許されない。(14)」何となれば「我々はそれによつて、理解的認識を、一般的に否定し去ることになるからである。理解的認識は、すべての文化現象における『窮極的』な原因は人間の動機なり、といふ根本的命題と、生死を共にする。ゆゑに我々はまた、この命題はあらゆる文化科學の一つのアプリオリ

なりといひ得る。[15]」

さて動機が問題となることは、やがて「意志の自由」が問題となることを意味する。何となれば、「意志の自由」を假設することによつて、はじめて動機そのものが、一般的に、考へ得られるのであるから。

自由意志の假定なくしては、「我々は形而上學に陥る。もし人間の意志のうちに、神の攝理が作用してゐると考へれば、善き形而上學に陥り、もし素朴な宿命論に魅せられるならば、惡しき形而上學に陥る。我々は文化科學を追求するにしても、科學をこそ求めてゐるのであつて、したがつて、……我々が文化現象を還元せんとしてゐるところの諸原因は、もつぱら、人間の動機である、といふ見解を正當としなければならない。〔人間の動機〕以外のすべてのもの殊にすべての自然的事實は、單に〔動機に對する〕機縁《アンラッス》または條件《ベディングンク》としてのみ、考へられ得るのである。[16]」

かくして精神的認識すなはち理解は、現象を、その充分な根據としての一定の動機に整屬(zuordnen)しつゝ、それの生成・存續・變化・發展・消滅の過程における意味を把握してゆくことを意味する。

がこゝに一つの重大なる問題が殘されてゐる。それは、前述のごとく、私どもが動機を云爲するかぎりにおいて自由意志が必然的に豫想されてゐるのであるが、この自由意志と、これと相容れざるやうに思はれてゐるところの法則とが、この際、如何やうな關係にあるかといふ問題である。ところでもし精神の領域において、自由と法則とが相容れずとするならば、それは精神の領域には法則なるものが決して妥當しないといふことであらねばならぬ。何故なら、上來述べたやうに、精神認識すなはち理解は、動機したがつてまた自由意志なる契機あつて始めて成立し得る概念で、もしこれなくば、理解を自然認識――それは法則への追求を本務としてゐる――から、特に區別して論議することを要しないからである。しかも私どもが、精神科學者として、文化領域についての法則發見を行つてゐ、また行ひ得てゐることは、決して假想的なことでなくして、自明的な現實の事實であつて、それゆゑにこそ、私どもの理論的精神科學が成立してゐるのであり、またそれの方法論も可能なのである。かくて自由と法則とが、精神の領域において、相包容してゐることは、少くとも方法論をなしてゐる私どもには、必然的な前提でなければならない。しからば、自由意志の前提にもかゝはらず、文化領域において、如何やうにして、如何なる意味において、規則性または法則が可能であるのであらうか。

(1) Sombart, Die drei Nationoalökonomien, S. 194, 小島氏等譯本、二三〇——一頁。
(2) a. a. O. S. 193., 二三〇頁。
(3) a. a. O., 二三一頁。
(4) a. a. O. S. 195., 二三二頁
(5) a. a. O. S. 196., 二三二——三頁。
(6) a. a. O. S. 179., 二三四頁。
(7) Ed. Landmann, zit. von Sombart, a. a. O. S. 205., 二四三頁。
(8) a. a. O. S. 205., 二四三——四頁。
(9) a. a. O. SS. 205—229., 二四四——七三頁。
(10) a. a. O. S. 220., 二六二——三頁。
(11) a. a. O. SS. 221—2., 二六四頁。
(12) (13) (14) a. a. O. S. 223., 二六六頁。
(15) a. a. O. S. 224., 二六七頁。
(16) a. a. O. SS. 224—5., 二六八頁。

第四節　理解と法則

上述のごとく、私どもは、文化領域においてもまた、必然的な存在《ザイン》および事象《ゲシェーエン》の意義における合律性と法則との存在を豫想して、これを追求してゐるのであるが、そ

れは、いふまでもなく自然現象における合律性および法則とは、その内容を異にしてゐるものでなければならない。しかし文化領域における合律性、または法則も、現象の反復的・必然的な生起性に關してゐることにおいて、自然領域におけるそれと何等異なるところはない。たとへば經濟の領域における合律性または法則は、私どもが經濟生活のうちに現れてゐるところの諸現象の間の聯關についての齊一性に着目して得たものである。すなはち經濟における個々の諸現象のもつある特定の表徴《メルクマーレ》が繰り返して、何遍となく現れるときに、すなはち大量現象（Massenerscheinungen）として把握したものである。しかもこの合律性または法則は、動機との關聯において、人間の行爲によつて成立してゐる必然的繼起關係であり、この意義においてそれはまさに意味必然性もしくは意味合則性または意味法則（Sinngesetzmåssigkeit od. = gesetz）である。

社會的・文化的現象は、自然科學的用語を借りていはゞ、巨視的現象であり、それにおける齊一性進んでいへば法則は、巨視的意味をもつてゐる。巨視的とは、微視的に對する概念であるが、以下これを簡單に説明しよう。

社會はいふまでもなく、多數の個人の集團であるが、それは單なる個人の集合ではなくて、これらの個人が生活し、活動するために要する物資が、これが裏付けをなしてゐる。あたかも自然において、物質の構成要素として分子・原子・電子などの微粒子があり、これら微粒子間にはエネルギーおよび運動量を交換し得るために要する力の場が存すとせられるのとおなじである。自然現象において、一個の分子は、數個の核と電子とのある特定の法則のもとにおける結合によつて、また一個の原子は、正電氣を有する核とその周圍を廻轉する電子との一定の規則的配列によつて、成立してゐるところの有機的な一體をなしてゐるが、これらの分子が多數に集つて普通にいふところの物質を形成するとき、この物質の要素體としての分子は、それぞれ多少とも獨立の運動をなしてゐるのであつて、したがつて分子同志の間には、統計的な現象が成立することゝなる。この場合において、分子または原子のごとく、それ自體として一つの全體を形成してゐるものを微視的なものといひ、普通いふところの物質のごとく、多くの分子を要素として、それらの結合によつて成立つてゐるところのものを巨視的なものといふ。

いま社會において、如何なる組織のもとにおいても、多數の個人が集團し、物資をその力の場としつゝ、その制限に大小の差はあれ、各個人が自由意志によつて行動してゐることは、明白なる事實である。こゝにおいて、個人が個人として顯現する現象と、諸個人が社會において、その自由意志にしたがつて、それぞれ自己の運動を行つてゐることの結果として、全體としての社會において、顯現してゐる現象とが、歴然と區別されねばならないことゝなる。前者は微視的現象であり、後者は巨視的現象であつて、この兩者は、概念的にまつたく異なつたものであつて、したがつて、それらにおいて發見される法則もまた、まつたく異質的であつて、これを混淆してはならない。

そしてこの際特に强調しておかねばならないことは、巨視的現象、したがつて巨視的法則は、各個人が自由意志によつて行動することが本質的に認容され、その前提となつてゐることである。社會法則は、個人の行爲の競合の結果として、綜合的に成立してゐるものであり、決してそれが各個人の行動を規制するものとして、豫め與へられてゐるわけではないといふことである。

しかも社會現象における微視的法則と巨視的法則とは、自然現象におけるがごとくに、無關係であるわけではない。何故なら、社會を構成してゐるところの要素體たる人間は、個人としての純粹に微視的立場において、自己意識をもつと同時に、社會の一員として、社會的法則を知り、これに順應しつゝ行動するといふ社會的意識をもつてゐるといふ意義において、巨視的立場にも立つてゐるからである。私どもが社會理論において個人を考へるときは、決して微視的存在として實在する具體的な個人を意味してゐるのではなくて、社會的現象を考察して法則を確立するために、すなはち、巨視的考察をなすために、必要な要素體としての個人を抽象して來てゐるのである。それは前述の兩つの立場を一身に綜合してゐる意味における個人である。この意味においてこそ、個人は「社會の結び目」なのである。

かくて私どもの課題は、微視的なものとしての人間の行爲が、巨視的なものとしての社會的現象において、如何やうにしてその姿を顯現し、如何やうにしてそこに齊一性、すゝんでは法則性が見出され得るかを説明することにある。さて巨視的なものとして社會的現象と、それの要素體として抽象された微視的なものとしての個人的現象とを綜合的に考へるとき、かゝる意味における社會的現象は、二つの構成要素、すなはち「一方においては、人間の行爲と彼等の動機《モーチーヴェ》ならびに目的設定、換言すれば、諸推進力、他方においては、そのもとにおいて人間が行爲するところの諸條件[1]から形成されてゐるがゆゑに、精神領域における法則の發見については、社會における人間の行爲の「推進力」と、人間の行爲の「諸條件」とにおける齊一性が、如何やうであり、これが人間の行爲を如何やうにして齊一的な、合律的なものたらしめてゐるかを追求してゆけばいゝわけである。

いまゾムバルトにしたがつてこの問題の解決をなしてゆくならば、社會現象の齊一性は、

第一に、動機(Motivation)の齊一性によつて成立する[2]。そしてこれは、まづ「動機の基礎が同一であることによつてゞある[3]。」

「一定の諸行爲は一定の性格と必然的に結びついてゐる、……もし性格形成の齊一性(の存在)が指示されるときには、そこに齊一的な動機と行爲とに對する基礎があるであらう。そして一つのかくのごとき齊一的な動機基礎は、精神によつても、血液によつても同樣に作られる[4]。」

次に動機の齊一性は、「動機形成すなはち動機の顯現する形式《フォルム》」の齊一性による[5]。これについては、自律的動機形成と他律的動機形成との二區分があり、後者は前者よりも、齊一的な動機系列を惹起するためには、より大なる力をもつてゐる。たと

へば、カルテルやトラスト等の組織のうちにおいて、多くの人間の意志が、まつたく一定した一つの方向に押しやられて、齊一的な事象の構成に資してゐることによつて、これを證し得る。(6) が自律的意志形成においても、齊一的な動機形成が不可能であるわけではない。完全な自由意志によつて、且つ合理的に行爲するとき、この際意志は恣意的であり、したがつて行爲の齊一性は問題外であるやうに思はれるけれども、「特定の環境における合理性の可能性が限定されてゐるがために、合理的な諸々の意志もまた、まさに同樣な行爲に導くのである。」(7)(註一)

さらに動機の齊一性の基礎として、「動機の被影響性」すなはち「人間の意志が外的事情によつて一定の方向に强制される」ことが算へあげられる。(8) これは要するに、「同樣の外的事情は同樣の決心に導く」といふことを意味する。たとへば資本主義經濟組織のうちに行動してゐることによつて、個人の決心の仕方が資本主義的である。技術的發展階段も經濟主體の動機を左右する。(9)

第二に、「そのもとにおいて人間が行爲するところの諸條件の齊一性」は、人間の諸行爲をして同樣な特徴を得させる。このときの「諸條件」は「事象の客觀的諸條件」(10)の謂であつて、これには種々なるものが存するが、次の三者に大別し得よう。すなはち、事物の性質のうちに内在するところの論理的諸條件、社會的なる諸條件および手段の特質のうちにあるところの諸條件、これである。前者は、たとへば資本主義經濟そのものに內在する法則によつて、有利なる企業經營とは何かゞ規定されてゐ、企業を有利に營むためには、この規定されたところに適應して合法則的に進まねばならぬといふがごときこれである。中者は、たとへば國家の大さ、人口密度、經濟秩序等であつて、これらによつて私どもの經濟的行爲が一定の軌道の上に乘せられ、こゝに齊一性が顯現するを見るであらう。後者は、人間がその決意を實現するために用ひ得る手段の性質のうちに基礎をもつてゐる諸條件であつて、同樣の手段を用ふるとき、同樣の形態の經濟現象が(他の事情にして等しきかぎり)現れるであらうといふことを意味してゐる(11)。

以上はゾムバルトの述べてゐるところに據つたに過ぎないのであつて、精神の領域一般については、動機ならびに行爲の齊一性の惹起に對して、なほ多くの仕方と實例とをあげ得るであらうが、私はいまこゝにあまりに足をとゞめてゐるの餘裕をもたない。

以上述べ來つたところによつて、私どもは、次のことを確め得た。すなはち、精神・

社會文化の領域においても、法則概念は決して容れられないものではなく、それにおける諸現象の間に諸法則を見出すことが可能であり、人間はこれらの諸法則の存在を認知したうへで、行爲の目標を決定し、またそれについての手段を、法則に順應しながら、選擇し、これを合目的々に用ひてゆく。この意味において、人間は法則に支配されながらも、これに適應することによつて、これを克服するわけであつて、眞の意味における「意志の自由」は、かくすることのうちにのみ存する。

社會的現象を、精神的文化的または價値的現象として、自然的現象と對立せしめるところの、それの對象的性格に適應して、これを說明してゆくところの方法としての理解は、上記のごとく、決して法則概念と矛盾するものではなく、これを理解のための一つの手段となしてゐるといふ意味において、むしろこれを包攝し、これに優位してゐるといはねばならない。

現在の認識論によれば、絕對者の領域については規制的方法が、自然の領域については整序的方法が、そして文化の領域については、理解的方法が、それぞれ適切な認識方法として認められ、かくのごとく一定の認識領域すなはち對象に對する一定の認識方法の妥當性または適合性は、原理的には、換言すれば固有的使用方法としては、ほゞ確定的なものとせられてゐる。したがつてかゝる意味においての方法を云々することは、實質的には、對象規定の問題に入ることになり、それはまさに對象論の仕事に屬するであらう。私が本篇において關説せんとするは、かくて、理解の表面《デイメンジョン》のうへにおける法則の樹立および理論の構成のための作業方法である。

(註、一) メンガーの次の言葉は、本文にいへるとまさに同一の意味をもつてゐるといへよう。

「あらゆる經濟主體の直接的慾望は、あらゆる場合、その本來の性質と從來の發展(その個性による)とによつて、またその支配し得る財は、その時々の經濟的事態によつて、嚴密に一定してゐる。我々の直接的慾望と我々の直接的に支配し得る財とは、各現在毎について考ふれば、我々の恣意とは關係なく與へられた事實であり、したがつてあらゆる具體的な人間經濟の出發點と目標とは、結局において、その時々の經濟的事態によつて嚴密に決定せられてゐる。」(12)

「人間の活動は、最初の一瞥においてはなほきはめて複雜で、不規則的で放恣的なもののやうに見える。がそれの充足を確保することが究極の目標であるところのものは、常に、我々の性質と我々の從來の發展とによつて、嚴密に決定された直接的な慾望であり、我々の前に先づ横たはる經濟活動の出發點をなすところのものは、常にそのときどきの事態によつて嚴密に決定された我々の直接的に處分し得る財である。我々が我々の生活と福祉との維持のためになし得ること、この點に關して我々の力と放恣とに依存することは、嚴密に決定されたかの出發點から、おなじやうに嚴密に決定された目的に向へる道を、できるだけ合目的々に、換言せば、我々の場合にあつては、できるだけ經濟的に突き進むことである。(13)」

このことが理論構成と何の關係があるかといふと、次のことがいへるからである。すなはち「如何なる種類のものが問題となつてゐるにせよ、ある人間的努力の出發點と目標とが與へられてゐるとせば、行動せる人によつて、達せんとせられてゐる目標に到達するために、現實に歩まれ得、または事實上歩まれてゐるところの道は、決して當初から嚴密に決定せられてゐるのではない。放恣、誤謬その他の諸影響が、むしろ作用し得る結果、また事實上作用する結果、行動する人々が、その行動のある嚴密に一定せる出發點から、他のある同樣に嚴密に決定せる目標點に、異なれるもろもろの道を通じてゆくこともあらう。がこれに反して、上述の諸前提のもとにおいては、確かにたつた一つの道だけが最も合目的々であり得るのである。」

「このことが人間の經濟にもまた妥當することは、自明のことである。もしそれの出發點と目標とが、あらゆる具體的な場合において、經濟的事態によつて一定してゐるといふことが正しいならば、あらゆるかゝる場合においてもまた、上述の目標に對する唯一の最も合目的々な道、唯一の經濟的な道が與へられ得る。換言すれば、經濟を營む人々が、與へられた事情のもとにおいて、その慾望の充足をでき得るかぎり完全な方法で確保しようと欲するならば、經濟の嚴密に決定された出發點から、おなじやうに嚴密に決定された目標に導くものは、たゞ一つの經濟的事態によつて精確に提示された道のみであつて、したがつてこの道は、同じことであるが、人間の經濟活動は(前記の諸條件が、あらゆる具體的な場合にあてはまるがゆゑに)事實的にではないが、經濟的に決定されてゐる。……如何なる經濟にあつても、經濟の運營の無數の非經濟的な形式があるが、經濟的に重要でない相違點を無視して考ふれば、つねにそれの唯一の、しかも嚴密に決定された經濟的方向のみが考へられる。(14)」

(1) Sombart, Die drei Nationalökonomien, S. 265, 譯本三一五頁
(2) (3) a. a. O. S. 265, 同上頁。
(4) a. a. O. S. 265, 三一六頁。
(5) a. a. O. S. 267, 三一七——八頁。
(6) a. a. O. S. 267, 三一七頁。
(7) a. a. O. S. 267, 三一八頁。
(8) a. a. O. S. 268, 同上頁。

（9） a. a. O. SS. 268—9., 三一九——二〇頁。

（10） a. a. O. S. 270., 三二一——二頁。

（11） a. a. O. SS. 270—2., 三二二——三頁。

（12） Carl Menger, Untersuchungen ü. d. Methode d. Socialwissenschaften, S. 263., 岩野氏等譯本二五五頁。

（13） a. a. O. S. 264., 二五五——六頁。

（14） a. a. O. SS. 264—6., 二五六——七頁。

第二部　本　論

第三章　理論經濟學の方法

第一節　分析と綜合

第一項　分析——抽象

私はいままで、まづ一般的に理論科學における方法について、次に自然科學との對比において、精神科學の方法としての理解について敍べて來たのであるが、こゝに私どもの問題は、いよいよ經濟學の方法に、詳しくいへば、理論經濟學において、理解、の基礎のうへに、如何やうにして法則樹立・理論構成の仕事をなしてゆくべきかを論ずる階段にはひることゝなつた。

この際に第一に問題となることは、いふまでもなく、科學一般におけるとまつたく同じく、私どもの認識の對象と目的とが何であるかといふことである。理論經濟學の認識對象は、經濟學一般のそれと同じく「經濟」である。しからば經濟とは何であるか。これが規定は、自明的に、經濟學對象論の仕事であつて、私はこれについての私見を、拙稿「經濟學對象論」のうちに展開しておいたが、こゝに結論だけを記するならば、それは、「社會生活における物質的總再生產過程」（簡單を期して、「社會的總再生產過程」といはう）である。(1) この語の意味內容の何であるかは、前記の拙稿に讓ることゝし、本論文においては、これを既知のことゝし、且つ承認を得たことゝとして、論考を進めてゆきたい。理論經濟學における私どもの認識目的は、いふまでもなく、この「社會的總再生產過程」についての法則を確定し、これを理論化し、もつてこゝに一つの有機的統一體としての科學を形成することにある。

私どもが前に第一章において知つたやうに、現象界は、一般的に、すこぶる混沌たる相を呈してゐ、これについて法則を發見することは、きはめて難事に屬する。殊に經濟もその一構成要素體であるところの、精神・文化社會の世界は、自然の世界に對比して、この點について一層大なる困難を包含してゐるのであつて、その仕事は、決して容易なものではない。私どもは、しかし、理論經濟學者として、この仕事を現實になしてゐるのであつて、この現實の營みを對象として、その理論的意味を討ね、その價値を批判し、その正當性を保證することが、すなはちこゝに私どもが闡說してゐるところの理論經濟學方法論の仕事なのである。

理論經濟學方法論においては、私どもに對して、まづ第一に、科學一般、さらには理論科學一般の方法論がもつてゐる性格によつて、ある抽象的な規制乃至準則が與へられてゐる。私どもはこの規制をまづ意識にのぼさねばならない。

いまさらいふまでもなく、經濟學は巨多の諸概念よりなるところの一つの厖大なる集大成である。しからば私どもはこの諸概念を何處から獲得して來るか。いふまでもなく、それは現實態よりである。「理論的に思考することは、それによつて生ける現實態が把握され得るところの、またそれにおいて普遍的なものが特殊的なものにおいて捕捉され得るところの、または知識においてそれの原理的諸構成要素にまで還元され得るところの諸範疇(諸概念)の形成の行爲を意味する。(2)」

しからば私どもは如何やうにして、かくのごとき意味をもつてゐるところの諸範疇に達し得るか。前に第二章第一節において述べたやうに、それは私どもの思惟の作用の一つとしての抽象によつてゞある。拙論「理論經濟學體系論(3)」において略述しておいたやうに、經濟理論構成に際して、私どもの直接の對象となるものは、資本主義經濟であるが、この概念は、第一に、私どもが直接體驗するところの現象界一般から抽象せられ來つた歴史的、社會的存在としての生活よりさらに抽象せられたる一側面としての現在の經濟生活の單なる一構成部分たるに過ぎないものであつて、この意味において、それは全體としての現在の社會生活の一部分たる經濟生活より、一層立ち入つて、抽象的に構成せられたる概念である。これは取りも直さず、斯學の對象構成そのものを指示するのであつて、それについて論ずることは、前述のごとく、まさに對象論の任務であるが、かくのごとく、私どもは對象構成に際してまづ何等かの意義において、私どもの直接的な體驗內容に加工し、單純化する手續を執つてゐるので、この手續もまた抽象といふ語によつて表示され得ないとはいへないであらう。第二に、資本主義經濟そのものについて理論を立てるにあたつて(もちろん資本主義經濟に關してのみかくいふのではない)、私どもの用ひる各種の手續――それらの如何なるものであるかを論ずることこそ、私の目下の仕事である――もまた、すべて、それ自身複雜きはまる內部的構造をもつ資本主義經濟の分析・單純化にほかならないのであつても、もしこれを一つの語で表示しようとするならば、いづれも抽象なる語をもつてなし得るといへよう。そしてこの場合、いはゆる抽象が、如何なる理論上の意味をもつてゐるかゞ、きはめて重大なる問題である。これについて、私はまづマルクスのいふところを聴くことゝしたい。

「與へられた一國を經濟學的に觀察するに際し、我々はその人口、人口の階級的分布、人口の都市・農村海洋および各種の生産部門への分布、輸出と輸入、年々の生産と年々の消費、商品價格などから始める。現實的なる前提の實在的なものと具體的のものとをもつて始めることが、したがつて經濟においては、全社會的生産行爲の根基および主體であるところの人口をもつて始めることが、正當であるやうに思はれる。しかもこのことは、一層深く考察するとき、その誤であることを示す。人口は、たとへばそれによつて人口が成り立つてゐるところの諸階級を度外視すれば、一つの抽象である。この階級もまた、それが基づくところの諸要素、たとへば賃勞働資本等を知らねば、一つの空虚な語となる。これがさらにまた交換、分業、諸價格等を豫想する。たとへば資本は賃勞働・價格・貨幣價格等がなければ、存在しない。かくでもし私が人口をもつて始めたならば、それは全體の混沌的な表象であるであらう。かくて私は一層詳細な規定によつて、分析的に、いよいよ單純な諸概念へ近づいてゆく。私は、表象された諸具體物から、ますます稀薄な抽象物へと、最單純な諸規定に到達するまで進むであらう。かくしてそこから引き返して歸路の旅がつゞけらるべく、私はつひに再び人口の前に立つであらう。しかしこの度は、一つの全體の混沌的な表象としての人口ではなくて、多數の諸規定および諸關係の一つの豐富な總體〔傍點は筆者〕としての人口の前にである。第一の途は、經濟學がその生成において歷史的にとつたところのものである。十七世紀の經濟學者等は、たとへば、常に人口・國民・國家・數多の國家といふがごとき生ける全體をもつて始めた。が彼等はいつも分析によつて、分業・貨幣・價値などの二三の規定的な抽象的一般的な關係を發見することでもつて終つてゐる。これらの個々の要因《モメント》が、多かれ少かれ、確定され、抽象されるや否や、勞働・分業・慾望・交換價値などのごとき單純な要因から出發して、國家・諸國民の交換および世界市場へよぢ登つてゆくところの經濟學體系が始つたのである。後者が明かに、科學的に正當な方法である。具體的なものは、それが多數の諸規定の包括なるがゆゑに、したがつて雜多なものゝ統一なるがゆゑに、具體的なのである。ゆゑに具體的なものは、現實的な出發點であり、またしたがつて直觀と表象との出發點であるとはいへ、思惟においては包括の過程として、結果として現れるのであつて、出發點として現れるのではない。第一の路においては、全的な表象が揮發して抽象的な規定となり、第二の途においては、**抽象的な諸規定が思惟の道において具體的なものゝ再生產に導くのである。ヘーゲルは**

かくして、實在的なるものを、自己のうちに自己を包括し、自己のうちに自己を深化しさらに自己が自己を動かすところの思惟の結果として、把握せんとする一つの錯覺に陥つたのである。これに對して、抽象的なものから具體的なものへと攀ぢのぼる方法は、單に思惟が具體的なものを我が物とする仕方、それを具體的なものとして精神的に再生産する仕方にすぎないのである。がそれは具體的なもの自體の生成過程では決してない。最も單純な經濟的範疇、たとへば交換價値は、人口を、特定の諸關係において生産しつゝある人口を、さらにまたある種類の家族、共同團體・國家などを假定する。交換價値は、既に與へられてゐる、具體的な、生ける一つの全體の、抽象的な、一面的な關係以外のものとしては、決して存在し得ない。「思惟總體は……決して直觀と表象との外、または上にあつて思惟し、また自己を分娩してゆくところの概念の所産ではなくして、直觀および表象の諸概念への精製である。頭腦のうちにおいて思惟全體として現れてゐるやうな全體は、自己にとつて唯一の可能なる仕方で、世界を我が物にするところの思考する頭腦の所産であつて、この仕方は、この世界を藝術的宗教的・實践的・精神的に、我が物にする方法とは異なる。眞實の主體は、依然として、頭腦の外に、その獨立性において存在してゐる。……したがつて、〔經濟學の〕理論的方法においてもまた、その主體すなはち社會は、前提として常に想像に浮んでゐなければならない。(4)」

マルクスのこの言葉を、簡單な形でもつて、再表現するならば、理論構成の素材としての直接的具體者たる現實態を抽象し、さらにこの抽象されたものを抽象し、なほこの抽象的なものを、一層抽象するといふやうに、最も單純なる範疇に達するまで、抽象を繰り返してゆく。このいはゞ分析下向の途上において、私どもは不必要なる要素《エレメンテ》を惜しみなく捨てゝゆく（捨象）。そして最後に到達し得た最も單純な諸範疇の間に存する内的聯關における法則性を把握する。しかるのちに再び、この内的聯關から出直すのである。(註一・二)

さて「分析の本質は、具體的直接的なものが最も單純なものに還元されるといふ點にある。ヘーゲルは分析を特徴づけていふ。『この作業は、それ故、與へられた具體的對象を分解し、その差別を分離し、それに抽象的普遍性の形態を與へることである。或る具體的なものを『根據』として置き、非本質的なものと思へる特殊性を捨象することによつて或る具體的普遍、即ち『屬』(Gattung) 又は『力』(Kraft)『法則』(Gesetz) を抜き出すことである』……分析の任務を要約すれば、個別なものゝ中に普遍的なものを、直接の所與の背後に現象の法則を、發見するといふ點にある。併乍ら分析の成果は空虚な抽象でもなければ、質的規定性を失へる普遍でもなく、『具體的普遍』(ein konkretetes Allgemeines)『或る規定された普遍性』(ein bestimmte Allgemeinheit) である。(5)」

かくして私どもはこの最も單純なるものゝ關係のうちに伏在せる法則性（それは、したがつて、最も單純な法則性でなければならない）を獲得するのであるが、私どもの分析の目的は、いふまでもなく、かゝる單純なる法則性の追求にあつたのではなくして、實は、具體的なるものゝ解釋のためにそれを求めたに過ぎなかつたのである。したがつて私どもは、この單純な法則性から再び出發して、これらの範疇の內在的論理の要請的展開にしたがひつゝ、さきに分析下向した道を、逆に、必要な要《エレ》素《メンテ》を次第に拾ひあげつゝ、いはゞ綜合上向の過程をたどつてゆく。かくてこの途上において次第に得られてゆくところの綜合體、そして最後に研究の出發點たりし全體に立ち歸つたときの全體は、もはや決して、直接的な具體者ではなくして、諸規定の集結物としての具體者である。かくのごとき思惟の仕方においては、分析と綜合とが相互補完的に、いな、より適切にいへば辨證法的に統一され、自動的に發展して行つてゐるのであつて、これこそ眞の科學的方法である。

私もまた以上に敍べたかぎりにおいては、マルクスの原理的・根本的な方法論的態度を合理的であると思ふのであるが、いふまでもなく、この——→直接的具體者——→分析下向——→綜合上向——→諸規定の集結者としての具體者——→なる過程が、何を標準として行はれるかといふことが、この際の最大重要事である。そしてこの標準が、斯學の認識目的そのものであることは、ほとんど説明を要しないことであらう。私どもの抽象は、如何なる場合においても、認識目的に奉仕するものでなければならないからである。

私どもが直接的具體者もしくは現實態から分析下向してゆくとき、この仕事をどこまでやつてやめるべきか。換言すれば、この際のいはゆる「最も單純なる範疇」といふのは如何なるものであらうか。これを決定するものは、斯學の認識目的である。社會的總再生產過程としての經濟を、かゝるものとして、すなはち社會的なもの・文化的なもの・精神的なものとして、理解するに必要なる程度において、且つ充分なる程度にまで、分析を進めてゆくべきである、それ以下であつても、それ以上であつても、ともにいけない。

この分析下向の過程は、他の方面より見れば、經濟の實體《ズブスタンツ》・本質《ヴエーゼン》を追求する過程でもある。法則樹立――→理論構成の過程が、經濟的現象の原因を求め求めて窮極的原因にまで遡ることを要請してゐる。かくして到達し得られたものは、そこから一切の經濟的現象が生成するところの源泉であり、この意味において、一切の經濟的現象は、それの單なる表現もしくは映像たるに過ぎない。ゆゑにそれは經濟の實體(本體)でなければならない。

ところで如何なるものを經濟學における「實體」と見るべきであるか。この問題の解決は、從來の經濟學の重要課題であつたが、それについての失敗(?)の結果として、ある人々によつて、經濟學においても、他の諸科學におけるとおなじく、形而上學的、または神祕的な核心をもつところの、もしくは形而上學的に、または神祕的に解釋され易いすべての概念を、殊に實體・本體などの概念を捨てねばならぬと主張されるに至つた。たとへば自然科學においては、それが近代科學(これのみが眞の意味における科學であることはいふまでもない)として成長するための脫皮は、魔法的自然觀、神學的自然觀、形而上學的自然觀――自然觀は概してこの順序に發展して來たのである――によつて立てられた諸概念を淸算することにあつたが、なかんづく、この際の基礎的な仕事は、本體または本質といふものからの自己解放であつた。(ゾムバルトはこの過程を「本質除却」Entwesung と呼んでゐる。(6))かくして、現代の自然科學、殊にその代表者としての現代の物理學の根本思想は、相對性理論や波動力學などにおいて明かに見られ得るがごとく、觀察や實驗によつて直接的に認知することの不可能であるやうな觀念的・神祕的存在物を思辨しないで、直接的に認知し得るもののみから出發して、結局最後にまた直接經驗に接觸する法則に復歸することにありとせられてゐる。そしてこの道行の途中において數學を用ふるが、それは、思辨的實體觀念としてではなくして、これによつて神祕的な形而上學的な實體觀念が排除されることゝなるのである。(註三)

わが經濟學においても、かくのごとき本質除却がおこなはれ、本質認識を斷念すべきことが一般的に認知されるやうになつて來てゐる。私が嚮に公にした「價値論と方法論との交渉」においても闡說しておいたやうに、從來の多くの學說においては、價値概念が經濟學の實體概念であつた。といふ意味は、あらゆる經濟的現象は、この價値を源泉とし、價値概念を規定者とし、それの現象形態たるの意味をもつてゐるといふにある。したがつて經濟學者の追求するところのものは、價値であり、かくして價値は經濟學における「窮極物」であり、「實體」であるといふことゝなる。

しかしながら「あらゆる『理論家』がその先行者から、一つの神祕に充ちた櫃のうちに隱された財寶のごとくに受繼いだところのこの價値概念に本來如何なるものが含まれてゐるかを麗かなある日ひとがこの櫃を開き、それが空虚であり、この神祕的な價値が大きなXにほかならないものであるといふことを知るまでは、正しく洞察し得なかつたことは周知のごとくである。このXは、自然研究者が、諸現象の交替において、何等かの常住するものを假定することの必要を感じたときに、作つたもので、よき月日を見たところの『實體《ズブスタンツ》』なる華麗な語でもつて、勇敢な人々が來て、そのなかには何もありはしないのだ、皇帝は何も着てゐないのだ、と說明するまで、蓋つておいたものであつた。これらの勇敢な人々は、自然科學者のうちには……ずつと以前から現れてゐたが、整序的經濟學者のうちにおいては、關係論者《レラテイオニステン》〔後述〕として現れた。(7)」

しかも、私が上記の拙稿において暴露しておいたやうに、價値概念は、多くの學派が現實に到達し得たところに即して、虛心にこれを見るとき、かならずしも神祕的な、僞體の知れないあるものではなくして、その正體は、まさに「社會的總再生產過程」を空間として見たる場合の場に該當するところの關係である。(8) すなはち經濟的現象、したがつてまた經濟の分析を窮極にまで行ひゆきて最後に私どもの到達し得たものは、かくのごとき意味を負へる價値概念であり、經濟的現象とは、かゝる關係の地盤または容器としての諸財の間においで見らるゝ何等かの複雜なる關聯にほかならない。經濟的現象は、かくして、すべてかゝる窮極的・基本的なものに還元せられ得、それを、その運動の「窮極的原因」と見なすことを得る。すなはち價値は、經濟的現象の諸聯關の最も奧深きところに潜むものである。この意味において、それは、經濟的現象、したがつてまた經濟の實體である。

私どもは現代の諸科學が本質認識または實體追求を斷念してゐることを知つてゐる。しかもすべての科學が何等かの「根本的な假定」(Hypothese)から出發しなければならないことも周知のごとくである。この根本的な假定は、それぞれの科學が、そこから出發しなければならないものであるといふ意味を負つてゐることを强調するために(他により適切なる語がないかぎり)、斯學の領域における「實體」なりといふことは、必ずしも背理ではないであらう。

經濟學においては、それが精神科學・文化科學・社會科學としてとゞまらんと欲するかぎり、現象の窮極的原因追求の過程は、決して純心理學的な、または技術學的な要素にまで遡及していつてはならない。いはんやかゝる要素の構成分子にまで遡ることをや。經濟學上の因果遡源的考察または分析的考察の到達點は、それ自身既に精神的・文化的・社會的なある關係でなければならない。分析の限界がこゝにある。そして、この限界點をなすものは、上記のごとき意味を負へる價値概念でなければならない。私は「實體」なる語をいま述べたやうに解釋し、經濟學においては價値こそ、まさにかゝる意味をもつ「實體」であると考へたい。

なほそのうへに、精神科學の方法としての理解は、前にもいつたやうに「それにおいては理由自體が既知であるところのその理由からの推理」を意味し、したがつて窮極の原因が既知であり「我々が理解するところの一現象を、その全體(その現象が意味聯關に關するかぎりにおいて)において把握し[9]得てゐるのであつて、この意味において、理解は本質認識(Wesenserkenntnis)の方法であるといはねばならぬ。すなはち價値は經濟現象の實體であると安んじていひ得ると思ふ。自然科學においては、それが科學たるかぎりにおいて、結局「理由の理由」または窮極的原因としての實體を把握することができなかつた。もしそれを強ひてなさんとすれば、形而上學になつてしまはねばならなかつたに對して、精神科學においては、理解なる方法によつてかゝる本質認識を、したがつて實體概念を廢棄するの要がないことゝなる。

(註、一)「經濟理論の方法は經驗的《エンピリッシ》である。それは觀察に基づいてゐる、その目的とするところは、現實態を描寫《ベシュライベン》することにほかならない。もちろんそれは、すべての個々の點にいたるまで現象そのまゝに受けとるところの純粹經驗のごとくに、全現實態を再現することを斷念してゐることは、認めねばならない。……理論家は、副次的なもの、偶然的なもの、特殊的なものを除去しつゝ、典型的な諸現象および典型的な經過を描くことから出發する。彼はこの際、他の純粹な經驗科學、たとへば精密的自然科學において從來躊躇せずに用ひられてゐるところの孤立化(Isolierung)と理想化(Idealisierung)との方法を用ひる。自然研究者が實驗について、なすがごとく、理論經濟學者は、その觀察において、孤立化しなければならない。そして彼は、その觀察をその經驗の記憶の圖象における思惟において行はねばならないがゆゑに、このことを行ふことは極めて困難である場合ほど、ますます孤立化を行はねばならない。したがつて高められた科學的注意のもとに行はれねばならない。記憶の複雜なる圖象は、これを全部的に説明することができない。我々は、いやしくもそれの作用を認識せんがためには、それを孤立化しつゝ、それの諸要素に分解しなければならない。さらに我々は、いやしくも純粹な作用を知らんと欲するかぎり、これらの諸要素を、思惟において、すべての攪亂から自由にしておかねばならない。そしてもし我々が攪亂を聯想するならば、これらの攪亂自身を、さらに、すべての偶然的なものを除外して、それの典型的な經過において考察しなければならない。完全な眞理(Wahrheit)を包含するといふに至つてゐないところの孤立化的假設《アンナーメン》と相竝んで、理論經濟學者は、眞理以上のものを含んでゐるところの多數の理想化的假設をなす。これにおいて彼は經驗的事例を、思惟において、考へ得る最高度の完全性にまで引きあげる。何故なら、最も完全な狀態は、同時にまた、最も單純な、したがつて最も理解し易い狀態であるからである。……數學や數學的物理學は、もし理想化的假設なしとせば、仕事をなし得ないであらう。點、線、平面、恆體はすべて、人がそれらが現實的なものではなく、また現實的なものであり得ないことを知るにもかゝはらず、きはめて大なる效果を伴ひつゝ使用せられるところの理想化されたる形式である。それらは純粹に思考された形式の、本體のない(wesenlos)形成物であり、しかもそれの援助なしには、現實態のうちに有する非合律的な形態は、我々の考察にとつて、取つゝきがたいのである。理論經濟學者が理想化するとき、彼の考へてゐることは、數學者がなせるとおなじく、よりよく理解せんがために、簡單化(vereinfachen)しようと欲するのみ。この意圖において、彼は理想化してゐるのである。が、彼の理想化的假設は、點や線ほどには假定(Hypothese)ではない。假定は未知のものについての假設《アンナーメン》であるが、これに反してこの理想化的假設は、既知のものゝ意識的なる變形である。自然研究者は、彼の觀察が無力となる領域に到達するために假定を用ふるが、經濟理論には、思惟の觀察に許されてゐる領域を超えてゆくことは、決してできない。何故ならそれは、通常の經驗の證明にしたがつて、經濟的意味が經濟を建てるところの限界のうちにおいて、つねにとゞまつてゐなければならないからである。……

「理論家は最も極端な抽象の孤立化的および理想化的假定をもつて始める。彼はこの抽象においては、現實態の完全な圖象を認識し得ないにしても、現實態の純粋な諸要素を把握する。それにしても彼は、その任務を終りまで遂行せんと欲するならば、この極端な抽象にとゞまつてはならない。何故なら、もしさうすれば、彼は現實態を完全に理解的なものにしたことにはならないからである。むしろ彼は、一歩一歩　遞減的なる抽象の一つの體系を通じて、彼の假設を、ますます具體的な、そして多様的なものに形成しなければならない。[1]」

〔註二〕「經濟生活は、殊に近代的事情のもとにおいては、きはめて複雑なる現象であつて、瞥見だけでは、むしろ人をして混惑せしめずんばやまぬ印象を與へる。……かくして我々は、經濟生活についての我々の研究を單純化 (simplification) をもつて始めなければならない。これは我々が重要性の比較的小なるものを愼重に無視し、現實《リアリティー》の最も基本的な相を現すやうな、それの表象に我々の注意を集中し、且つ社會的經濟の理解し得べき、そして論理的に矛盾なき概念を獲得し得るやうにすることを意味する。

「かくのごとき單純化を稱して、我々は理論となす。……人間の心には、全體としての一つの複雑なる過程を、一度に把握することは、不可能である。我々は先づ過程の基本的概念を形成し、さらに進んで諸細部と錯綜とを、それらのこの概念に對する關聯において、換言すれば、進行しつゝあるところの事柄についての我々の最初の表象からの偏倚乃至は附加として、考察しなければならない。……

「もちろん單純化は、つねに一つの選擇を含意する。我々は最も本質的なるものと、經濟的現實についての我々の基本的表象に含まれてゐるべきものとを選擇せねばならない。この選擇は、ある程度の健全なる判斷を要請し、それは現實の經濟生活についての廣汎なる知識に基づかねばならない。(11)」

(1) 拙稿「經濟學對象論」 85—112頁。
(2) Sombart, Die drei Nationalökonomien, S. 278.
(3) 拙稿「理論經濟學體系論」 27頁以下。
(4) Karl Marx, Zur Kritik der politischen Ökonomie, herausgegeben v. K. Kautsky, achte Ausgabe, 1921. SS. XXXV—VII, マルクス・エンゲルス全集、第七巻、猪俣津南雄譯、四〇〇——一頁。
(5) ドゥコール、アベルガウス「經濟學方法論の基礎」岡本誠一郎、稲葉明男譯、一一六頁。
(6) Sombart, a. a. O. SS. 100—4, 一二四——三〇頁。
(7) a. a. O. S. 129, 一五九頁。
(8) 拙稿「價値論と方法論との交渉」、七二——五頁。
(9) a. a. O. S. 196, 二三二——三頁。
(10) Friedrich Freiherr von Wieser, Theorie der gesellschaftlichen Wirtschaft (G. d. S) 1924, SS. 9—10.
(11) Gustav Cassel, On quantitative Thinking in Economics, 1935, pp. 90—91.

第二項　綜合

――方法と體系との聯關――

私どもは、理論經濟學が、その仕事を直接的・具體的經驗としての資本主義經濟を直接の對象とし、これを分析し抽象してゆくことから始めることを知つた。そしてこの分析・抽象の過程は、經濟の「窮極的要素」としての經濟價値にいたつて停止することをも知つた。いまや私どもは、この窮極的要素から具體的なる現實の經濟生活たる資本主義のそれへと引き返す仕事にとりかゝらねばならない。これは前述のとほり、分析して得たものゝ綜合の過程を意味する。しからばこの仕事を如何やうにおこなつてゆくべきか。こゝに體系論をも含めた意味における方法論の主題中の主題をなす問題がある。

この場合、私どもの仕事の根本的準則または指導原理は、分析のときとおなじく、斯學の認識目的にむかつて合目的々に進まねばならないといふことであるが、これはほとんど説明を要しないことである。

この根本的準則からまづ第一に生まれて來る準則は、單純なものより、漸進的に、より複雑なものにむかつて進むべしといふことである。(1) 私どもは既に最も單純なる諸要素ならびにそれらの間に存する要素的諸關係を手にしてゐ、いまやこれから引き返さんとしてゐるので、この引き返す途は、對象の性格によつて裏づけられてゐる思惟の辨證法的展開にほかならないのであり、そこには飛躍があつてはならないし、無駄な反復や迂回や寄道があつてはならない。

さらに私が名づけて「全體性の原理」といふ準則が來る。私どもは、各個の現象を取扱ふ場合に、それらが所屬してゐるところの、ある特殊の經濟を前提とせねばならない。(2) 各個の現象は、孤立的なるものとして、そこに在るのではなくして、歴史的存在として、時處を異にするに應じて特殊的な組織をもち、異なつた形相において顯現してゐるところの「經濟」の構成要素としてのみ成立してゐるのであり、各個の經濟現象を、かゝる組織のもとにあり、その制約を受けてゐるものとしてのみ理解しないかぎり、その意味を充全に把握することができない。すなはち私どもは、全體としての經濟に對する部分として、全體―部分の關係において、各個の經濟的現象を考察してゆかねばならない。

私どもの考察が、つねに、全體―部分の聯關においてなさるべきであるといふことは、上述のごとく、疑を容れる餘地のないところであるにもかゝはらず、從來の學說においては、必ずしも、このことの明白な意識のもとに、理論構成の仕事がおこなはれてゐるとは斷定しがたい。私はこの際、方法における全體性(Ganzheit)の意味・重要性(私はこれを「方法としての全體性の原理」と呼びたい)を强く指示しておかねばならない。

方法における全體性概念の强調の最頂點に達せる例は、オトマール・シュパンの方法論であらう。彼の方法を委しく述べることは、別の機會に讓るが、周知のごとく、彼の世界觀・社會觀は普遍主義(Universalismus)である。そしてこれが彼の方法のうへにも反映して、その思想の全體系を一貫せる論理は「全體性」といふ範疇である。彼によれば、社會科學・精神科學においては「對象そのものゝ解釋的理解、すなはち本質直觀」(3)をもつて、その方法となしてゐる。「社會科學はその對象を內面的に理解する。あたかも畫家がその色彩・輪廓・外形の意味的な聯關を、詩人がその詩の節・句・音律動の必然的な意味的な聯關を、內面的に理解するごとくに(4)。」一事物の本質は、かくのごとき內面的理解による意味把握によつてのみ知り得られるのであり、そこでは、事物の本質は「意味的な全體として現れ、それの諸部分は分肢として把握される(5)。」

これは、自然科學において、因果的概念をもつて、現象を諸部分に解き剖してしまふのとは、まつたく異なつた仕方である。こゝに私どもは、シュパンの方法が、前に私どもが知つた理解的方法と一致するのを見るであらう。しかも彼は、窮極的には、その有機的な目的論的世界觀を自然の世界にも及ぼして、この方法を自然科學の領域にまで妥當せしめる。彼の根本的な原理は、「存在するものは、すべて全體の分肢として存在する」[6]がゆゑに、論理上、全體は部分に先行し、「すべての存在するものは全體の樣式にしたがつて存在する」[7]といふにある。論理的に先行するといふのは、Aなる部分が、Aであつてαやβや……でない所以は、その背後にこれをAたらしめ、A以外のものたらしめない全體があるからである。背後にあるといふのは、もちろん物質的意義においてゞはなくて、意味的意義においてゞある。

　前にもいつたやうに、私はこゝでは、シュパンの方法論を詳論しようとは思はない。殊に彼の世界觀たる全體主義・普遍主義とその方法論との關聯は、種々の意味においてきはめて興味深き問題であるが、これも他の機會に讓りたい。いまの私どもに直接的に關係してゐる論點にだけ觸れるならば、部分は全體の存在樣式の制約のもとにあり、これを全體の分肢として見ざるかぎり、それの性格を知悉し得ないといふ、この方法に關する原理は、私見によれば、精神・社會の領域のみならず、自然の領域における現象を取扱ふに際しても、妥當するものである。科學上の研究において、私どもは、多くの場合、實は無反省的にこの原理に則つてゐるのであるが、私どもはこれを、充分自覺的になさなければならない。

私どもの周圍を、見廻するとき、善き理論家は、すべて、かくのごとき自覺のもとに、その理論を建てゝいつてゐる。シュパンの攻擊せる因果的方法を採れる人々にしても。私どもは、その顯著な例として、まづマルクスをあげ得よう。彼の「資本論」における理論は、次の言葉によつて始められてゐる。いはく「資本主義的生產樣式が支配してゐるところの諸々の社會の富は、『諸商品の巨大なる一つの集合』として、吾人の眼に映じ來る。そして個々の商品は、富の要素的形態である。したがつて吾人の研究は商品の分析をもつて開始される。(8)」それは、諸生產物が一般的に商品の形態をもつてゐる一つの社會」、「商品生產者の社會(9)」、「商品形態が勞働生產物の一般形態であり、したがつてまた商品所有者としての人間相互間の關係が支配的であるところの社會(10)」を前提とし、この全體を背景とせるがゆゑに、諸財は「價値」形態をもつて現れ來り、この「價値」形態に關しての理論的展開が、彼のかの厖大な勞作の内容をなしてゐるわけである。

またたとへば、ワルラスの「純粋經濟學綱要」における理論は、一般的に自由競爭の行はれる市場を極めて明確に前提とし、これを全體とせる場合の諸商品價格の成立と變動とを論じてゐる。いはく、

我々は、「競爭の點から見て完全な組織をもつてゐる市場を假定[11]し、交換價値の研究を市場においてなさねばならない。そして「自由に放任せらるゝかぎり、交換價値は自由競爭の支配を受けてゐる市場において自然に發生する。交換をなすものは、買手としては互により高く需要せんとし、賣手としては互により安く供給せんとする。これらの競合から、あるひは上向の、あるひは下向の、あるひは靜止的の、商品の交換價値が生まれる。この競爭が充分に働くか否かによつて、交換價値は、あるひは正確に、あるひは不正確に現れる。[12]」我々の仕事は「かかる競爭狀態」のもとにある市場」において生ずる交換價値を研究せんとするにある。

一般的に經濟學者は、例外的なる（exceptionnel）事態のもとに形成されるところの夫をのみ考察するといふ不正をあまりにも犯し過ぎる。彼等はダイヤモンドやラファエルの繪畫や流行のテナーや女流歌手による音樂會のみを研究する。ジェ・エス・ミルの引用によれば、ドゥ・クェンシー氏は、蒸氣船に乘つてシュペリオル湖を旅行せる二人の人を想像する。一人は樂器を所有し、他の一人は『文明から八百哩も遠ざかつてゐる無人の地への移住の途中

にあつて、』たちまちにして、ロンドンを出發するにあたりこの樂器を購ふのを忘れたことを思ひ出したのであつた。この人にとつては樂器は心の不安を和ぐる神祕的な力をもつてゐる。下船せんとするとき、この人は他の一人が所有せる樂器を六〇ギニーの價格で購つたといふ。いふまでもなく、理論は、かゝる特殊な場合をも考へなければならない。市場に行はれる一般的法則は、ダイアモンドの市場にも、ラファエルの繪畫の市場にも適用せられねばならない。それはまたドゥクエンシーが考へたやうな一人の賣手と一人の買手と一個の物と一瞬間とから成る市場にも適用せられねばならない。しかし論理的に正當には一般的場合から特殊的場合に進むを可とすべく、特殊的場合から一般的場合に進むべきではない。天文學者が天體を觀測するに、雲なき夜を利用せずして、雲多き時を選ぶべきではあるまい。」[13]〔傍點は筆者〕

思惟は單純より複雜へと進むべしといふ要請と、部分の考察に際しては同時に（論理的には、これに先き立つて）全體を豫想せざるべからずといふ要請とは、私どもをして、理論構成にあたつて、まづ最初に、最も單純なる・最も抽象的な「經濟」を、次にやや複雜なる「經濟」を、さらにより複雜なる「經濟」を……といふやうに、漸層的に、思惟圖《ゲダンケン》象《ビルド》としてのもろもろの「經濟」を作成せしめ、これらの「經濟」の各〻の内部における法則を發見し、理論を構成せしめる[14]。如何なる「經濟」が漸次に構成せられてゆくべきかについての私見は、これを拙稿「體系論」のうちに展開しておいた。それは、結論だけをこゝに書きつけるならば、「經濟一般」・「交換經濟」・「自由主義的資本主義」・「獨占資本主義」・「團體經濟」の五者である。これらの「經濟」は、私どもが恣意的に選び來つたものではなくして、經濟學的理論の展開のうへにおいて、歴史的・社會的存在としての經濟生活の本質によつて、作成すべく命ぜられたものであり、しかもこの順序において、考察してゆくべき本質的定型であることも、既に述べたとほりである[15]。

このことによつて私どもは、理論經濟學においても、方法が體系と密接なる關係において在ることを示唆される。すなはち上に述べた本質的定型としての「經濟」を意識にのぼすことは、理論經濟學の體系を想起することを意味する。私どもはこの體系の想起によつて、私どもの方法が用ひられるところの對象にまつはれる諸規定性を明かにし得る。そしてある規定性のもとにおける「經濟」を對象として、これについての理論構成に從ふときの仕方が、すなはち方法である。

ともあれ私どもが、理論構成の途上において、導入して來るところの諸多の概念は、上に述べたやうな意味をもつてゐる體系と方法とに對應して、逐次に構成され

てゆかねばならない。この點について、カッセルの次の言葉は、大體において、贊同せざるを得ないものである。いはく、

「經濟學をより滿足し得るやうな基礎のうへに建設するがために、經濟學者は、ある特定の定義の原理から始め、且つ一致せねばならない。これは經濟學が〔今まで〕注意することとあまりに少かりしところの、しかし體系的な取扱ひに値するところの問題である。私はこゝでは、特に注意するを要すると思はれるところの二三の準則《ルール》を作ることに止まらねばならない。

「最も基本的な原理は、諸定義の導入が、經濟的現實の端緒的な科學的分析に基づいてゐなければならないといふことである。この分析が、ある經濟學的概念が、本質的に重要であり、充分な精密性をもつて區別し得られるときには、この概念に名稱を與へるとき、換言せば、一つの新しい概念を導入するときが來てゐるのである。(第一則)。もちろん定義ができ得るかぎり通常の語に接近し對應してゐなければならない。……

「經濟的現實はきはめて複雜な現象であるがゆゑに、その分析は常に愼重に細部《デイーテイルズ》を捨て、第一の主要素《エセンシャルズ》に集中するところの單純化によつて初まらねばならない。經濟的現實のかゝる主要素は、斯學の要素的概念を形成するはずである。諸經濟學者が、少くとも社會的經濟の最基本的分析において、一般的合意に達したときに、普く容認せられ得るところの基本的

術語の基底が用意せられたことになるであらう。

「さらに我々の分析が進み、經濟生活の一層複雜な、そして動態的な態樣を考慮に入れるとき、我々は、漸次に新しい諸概念を導入すること、そしておそらくは我々の基本的諸概念を修飾《モディファイ》することもまた、且つ――ある程度までは――それらに新しい意義を與へることすら、必要であるのを知るであらう。しかしこれをなすにあたつて、より前進《アドゥアンス》せる諸概念が、我々がそれから出發したところの基本的諸概念と衝突しないやうに、常に注意せねばならない。より複雜なる、または高度に動態的なる經濟が、漸次に、より單純な、そしてがり靜止的な狀態に復歸することが、常に可能である。乃至は少くとも考へられ得る。この場合には、我々は我々のより前進せる諸定義が、次第に――毫も連續性《コンティニュイティー》を破ることなく――基本的な定義に轉形することを主張せねばならない。(第二則)。もしこの準則が常に守られるならば、經濟學における基本的諸定義は、經濟學の連續的發展と、その領域の前進的擴大にかゝはらず、損はれないで維持され得るであらう。もし我々が、我々の基本的術語の標準化と一般的容認とを(それは國際的なものでなければならないが)得ようとするならば、このことは、明かに不可缺的な條件である。

「我々の分析が、如何なる時にも、我々の結論の正當性を不必要に制限するやうな想定をなしてはならないといふことは、きはめて重要なことである。(第三則)。我々の最基本的な結論は、如何なる考へ得べき經濟に對しても、絕對的な正當性をもつてゐる筈である。いよいよ前進して、一步一步と現實の經濟的狀態に近づくにつれて、我々は、我々の結論の正當性の廣さを、不可避的に、制限するやうな想定を導入せねばならないであらう。がこの制限は、必要とせられるところよりも行きすぎてはならない。我々の研究のどの段階においても、そのうちにおいて我々の決論が、無條件的正當性をもつといはれ得るがごとき現實的な限界を確定すべきである。……

「我々の定義を選ぶにあたつて、我々は常に斷然經濟學的看點に立たねばならない。(第四則)。この準則は、必ずしも守られて來てゐない。殊に、生產および分配を、それらの繼續的階段において、觀察してゆくところの技術的な見方が採られ來り、その結果として、經濟學的概念の形成が目的に適はないものとなり、經濟學敎科書の全プランが攪亂され來つた。……

「さらに進んで、社會的經濟の理論のうちに導入せられた諸定義は、現實的に、社會的な經濟に適用され、單に、私的な(private)經濟に關する諸概念の擴充であつてはならない。(第五則)。概して、經濟學は、それが檢討すべき領域が、一つの全體として結合せられたる社會的經濟であるといふことを自覺し得なかつたことによつて、大いに害を被つて來てゐる。私的經濟において眞理であることが、これを社會的經濟に適用する場合に、まつたく誤であることが、しばしばである。……社會的經濟の理論の基本的諸概念は、この經濟の基本的分析に基礎をおかねばならない。この目的のためには、當初から一つの全體的な經濟(したがつて、それは「不可避的に一つの封鎖的な(closed)または自足的な(self-contained)經濟である)を研究することが必要である。[16]」

私どもが理論において立てゝゐるところの諸概念は、すべてこれを、これに對應せる「經濟」の背景の前におき、この經濟組織によつて色づけられたものとしての意味內容をもたすべきである。ゆゑにたとへば「農業者」といふ一つの語も、私どもがそれを、封鎖的孤立經濟についていへると、資本主義經濟についていへるとによつて、その概念的意味內容が雲泥の差をもつであらう。かくて概念の統一的集成を意味するところの理論が、それぞれに對應した「經濟」を背景としてゐ、この意味においてのみ妥當することはいふまでもない。

この點について、マルクスは、リカァドゥがその價値論において、その前提としてゐるところの經濟が混亂してゐることによつて生じてゐる價値概念の錯誤に氣がついてゐないことを指摘して、次のやうにいつてゐる。

「經濟學者はロビンソン物語を好むが、……リカァドゥもまた彼のロビンソン物語を大いにもつてゐる。彼は原始的漁夫と獵師とをして、たゞちに魚および獲物を、それらの交換價値に對象化された勞働價値の比例において交換せしめてゐる。この際彼は、この原始的漁夫と獵師とをして、その勞働要具の價値を計算するにあたり、一八一七年（すなはち彼の「原論」の出版された年）にロンドン取引所において通用する年利率表を斟酌せしめるといふ時代錯誤に陷つてゐる。[17]」

またコンヂヤックは、マルクスによれば、商品流通が剩餘價値の源泉であることを證明せんとして「まことに子供らしくも、發展せる商品生產の社會をば、生產者が自己の生活資料を自ら生產し、たゞ自己の需要を超過する部分を、過剩物のみを流通に投ずる社會狀態と、すり換へてゐる。しかもコンヂヤックの論議は、しばしば、近代的經濟學者によつて繰り返されたのである。[18]」

ロッシャーもまた、マルクスによれば「その資本主義的生產過程に對する觀察を子供部屋においてしかも主要人物すなはち資本家の缺けてゐる狀態のもとにおいて」なすといふ誤謬を犯してゐる。[19]

ゾムバルトもいつてゐる。「リカァドゥの（理論の多くのものは、單に流動資本の時代に對してのみ考へられたものであつて、したがつて、今日においては、多くの部分は役に立たない。限界效用（の理論）は、それを私が東部ガリッシアの馬市について立てるのと、……ロンドン取引所における證券取引について立てるのとでは、まつたく別の意味をもつ。[20]」

「私どもは、かくのごとくに、最も單純なる經濟から出發して、漸次的に、現實の「經濟」に近接するのであるが、かゝる行き方を、數學者および自然科學者の用ひた呼稱に倣つて、逐次近似法(the method of gradual approximation)と呼びたい。かゝる方法は、ほとんどすべての經濟學者が現實的に用ひてゐるところである。いまその著例をあげるならば、たとへばカッセルはその理論構成の態度を、一言にて表現するに、この語をもつてしてゐる。カッセルはいつてゐる。

「單純化の過程の他の一面は、現實の經濟生活の眞の表象への後續的な逐次的近似(a subsequent gradual approximation)である。たとひ最初の單純化にして、抽象的理論の特性をきはめて強くもつことを要するとしても、その後に來る一歩一歩は、現實の經濟生活のいよいよ近似的な考察を、組織的に(できれば統計的な形態において)蒐集されたる知識を、要求するであらう。それゆゑ、全體としての研究は、自然の勢として、それが現實に近寄るにつれて、その方法を、漸次に變更すべきである。

「時として、(上述と)逆の方向に進行してゆくことが、いひ換へれば、統計的資料の蒐集から始め、しかる後にこの資料から、一層一般的なる結論に到達することを試みることが、よりよしとされることがある。しかしながら、研究せらるべき諸問題の何等かの單純化、ならびに、これらの諸問題の分析と精密なる形成と必要なる諸定義とから出發せずして、經濟生活に關する諸知識を、何等かの組織的な仕方で蒐集せんとすることは、ほとんど不可能である。この理由によつて、理論的單純化から、それに續ける現實への逐次的近接へ進むといふことは、疑もなく、一般的な經濟的研究に對して現實的に開かれてゐる唯一の途である。この立言は、いふまでもなく、統計的曲線、または『行動』(behaviour)を表象せる他の資料《データ》の科學的分析が、知識の源泉として、それが解答しなければならないところの諸問題を發見し、且つ提起する一般的理論への道案內として、きはめて大なる價値をもつことの可能性を排するものではない。

「もし理論が單純化を意味するとせば、現實の生活は、つねに理論によつて獲得された結果からの偏倚として現れるはずである。人々はしばしばかゝる偏倚をもつて、理論の不正を證據立てるところの錯誤であると見なす傾向をもつてゐる。がこれは誤である。理論は、本質的なものに注意を集中せんがために、第二次的な重要さしかもたない諸細部を、愼重に、度外視したのである。このゆゑに、現實は、理論からの偏倚として現れざるを得ないのである。かゝる偏倚は、我々の理論がいまだ現實の完全な表象ではないことを示すに過ぎない。もし一層進んだ吟味が、ある重要な、そしておそらくは典型的な偏倚の存在を示したとするならば、我々はそれの說明を見出すべく餘儀なくされ、かくして我々の理論の領域を擴大すべく餘儀なくされるであらう。かくのごとくにして我々は、漸次に、現實の經濟生活の眞實の表象に近づくであらう——たとひこの目標に決定的に到達することが毫もできないにしても。

「眞實に重要なることがらは、第一に、我々の理論が、それ自體において、論理的に終始一貫してゐる、第二に、それが我々の眼前にある問題において最も重要であるものを考慮に入れてゐる、かくて我々をして、既に建てられてゐる建築を顚さすことなしに、後になつて理論のうちに新しい諸要素を導入することを可能ならしめるがごとくに、構成せらるべきことである。これらがすなはち、よき理論の眞實の準尺である。現實の生活が理論の結果から偏つてゐることは、決して忌避すべきことがらではない。それは一層進んだ研究のための道案內としての役目を果すに過ぎない。(21)……」

カッセルはかくのごとくにその「逐次近似法」の要領を述べ、彼の「社會經濟學理論」„Theoretische Sozialökonomie" の全體系が、この「方法」に基づいて建てられてゐることを明かにしてゐる。

單にカッセルのみならず、私どもの接し得る善き理論經濟學者は、殊にその理論に對して多少なりとも認識論的反省をなせるものにあつてはなほさら、有意識的に逐次近似法を原理的に採用してゐることを知る。がいまは、それらを一々こゝに引證するの煩を避けたい。

私どもの理論構成の途は、かくして、私どもの體系的反省によつて規制されて、漸層的に積み重ねられてゐるところの、各種の「經濟」の內容をなす多樣の現象についての法則を定立し、これを一つの理論に統合してゆくことを意味する。こゝに方法と體系との間に密接なる聯關のあることを知る。私どもは、前に、科學一般における體系と方法との聯關について述べた。いまこれを理論經濟學の領域に引きおろして來て論ずるわけであるが、前に述べたところを參酌しつゝ、私は方法と體系とは、同資格的なものではなくして、後者が前者に論理的に優位する關係にあると思ふのである。私はこれを、比喩的に、戰爭における戰略と戰術との關係であるといひたい。

戰爭における目的はもとより勝利であるが、これを目指せる戰爭遂行（Kriegs-führung）は、これを內容的にいへば、戰鬪を按排し實行することをいふ。しかも此の戰鬪はそれ自身獨立性を有する個別的な行動の若干數より成るものであり、ひとはこれを爭鬪と名づける。かくて個々の爭鬪を按排し實行することゝ、これらの爭鬪およびそれの構成する戰鬪を戰爭の目的に結びつけることゝの間には、前者は後者に從屬するといふ關係が成り立つわけである。ひとは前者を戰術と呼び、後者を戰略と呼んでゐる。すなはち戰術とは一個の戰鬪における爭鬪力を如何に用ふべきかについての方術であり、戰略とは幾多の戰鬪を戰爭の目的のために如何やうに用ふべきかについての計畫である(22)。戰略は、かくして全軍事行動に對して、戰爭の目的に適應するところの目標を設定する。換言せば、戰略は作戰計畫を立て、この目標に到達するために役立つべき諸行動を選擇し、その系列をしてこの目標に朝宗せしめるやうに配置することである。戰略といひ、戰術といひ、ともに、現に有する各種の手段について戰爭遂行のために必要とするものを、適切に選擇し實施するときの態度であるが、兩者の間には、上記のごとき一線を劃することができる。

いま眼を理論經濟學の領域に轉じて考へるならば、私どもは理論經濟學において、經濟生活についての眞理性を帶びに理論を樹立するといふ認識目的を目標として、營みをつゞけてゐるのであるが、このためには、如何なる順序において進行してゆくべきかの見透しまたは構想を、まづ心のうちに描き出してゐる。これが私どもの理論の體系である。[23] そして方法は、かゝる體系を意識することによつて私どもが豫め作成してゐるところの思惟圖象《ゲダンケンビルド》――それは前述のごとく、諸經濟現象に對して特定の諸規定性を賦與するところの、(諸經濟現象は、いひ換へれば、かゝる諸規定性のある綜合物である特定の組織をもつ「經濟」である――の構成要素たる諸現象を、その圖象のディメンジョンのうへにおいて、操作し、それから法則を導出し來るための手續を意味する。方法は各個の現象を操作する仕方であつて、しかもそれは體系によつて既に制約されてゐる諸現象を、それらに適應した手續によつて加工する仕方である。かく見來れば、體系に對する方法の關係は、あたかも戰術が各個の爭闘力を動かすときの方術であつて、しかも諸爭闘のある一系列たる戰闘を支配してゐるところの戰略によつて規定されてゐるといふ關係と、まつたく一致してゐるといへるであらう。

狹義の、または低次における方法は、上述のごとく戰術に對應する。私どものいまの仕事は、かくして、この戰術に比すべきものが如何なる性能をもつてゐるかを、

描寫することにある。私どもが方法を驅使する舞臺は、理論經濟學の體系によつて既に規定されてゐる諸々の組織をもてる「經濟」であることは、前に繰り返して述べたとほりである。かくて方法論としては、これらの諸々の「經濟」に一般的に妥當する、またはある種の「經濟」に特殊的に妥當する「戰術」を論ずるを、その本分としてゐる。こゝに私のこの論文の主題中の主題が横たはつてゐるわけである。

が私どもは、この主題にとりかゝる前に、私どもの戰術を用ふる戰場を規定しておかねばならぬ。これは體系論の問題ではあるけれども、方法論としても、その前提として、これについての一般的な規定を度外視するわけにはゆかない。こゝに方法と體系との不可分性または連續性が、端的に暴露してゐる。

私どもの戰場は、多くの學者によつて、きはめて適切に、圖式(また圖象ともいふ。Schema, Schemata, schema, schême.)と名づけられてゐるものにあたる。圖式は、カント哲學においては、範疇と感性的直觀とを媒介し、前者を後者に適用せしむるものをいふので、それは感性と悟性との中間にあつて兩者を媒介する構想力の所産であり、一方においては範疇のごとく先天的であり、しかも他方においては現象のごとく感性的な先天的時間直覺をその本質としてゐる。(「純粋理性批判」における「純粋悟性の圖式論について」の章參照。)

經濟學において私どもの作成する圖式は、體系によつて既に指示されてゐるところの特定の標準にしたがつて、諸現象のうちから適當なる諸要素を選擇し來り、これを有機的な一つの統一體にまで綜合したものである。圖式は、かくて、一つの分肢—全體—關係(Glied-Ganzes-Beziehung)を、全體に對する諸部分の必然的な聯關すなはち構造聯關(Strukturzusammenhang)を、さらにまたこの聯關のうちに存在してゐるところの法則性を完全に表示する。

「理論は事實の變形(Umsformen)を企て……事實に對するひとつの圖式《シェーマ》を構成する。この圖式の目的は、見渡し難き多くの事實を簡潔に表現に齎し、我々が理解と名づけるところのかの事實の精通を、能ふかぎり簡潔にして完全なる方法で獲得することにある[21]。」そしてこれにおいては、私どもの理論經濟學の體系的展開のある特定階段が要請するところの本質的要素すなはち契機《モメント》のすべてが、選びあげられて統一されてゐ、且つそこには定型的な諸現象の概念と、それらの間の定型的諸關係とが表示されてゐるがゆゑに、私はこれを本質的定型といひたいのである[25]。

かくのごとき圖式を作成することの理論的意味と重要性とを、きはめて精緻な理論によつて闡明して、經濟學のうへに、また精神科學のうへに、大なる貢獻をなしたものは、實にマックス・ウェーバーその人であつた。

ウェーバーにおける圖式は、周知のごとく「理想型」(Idealtypus)と名づけられてゐる。それは如何やうにして作られ、如何なる理論的意味機能をもつてゐるか。以下これを彼の言葉によつて知らう。

「抽象的經濟理論において我々は、歴史現象の『理念』(Idee)と呼び慣はされてゐるところの綜合(Synthese)の一例をもつ。それは交換經濟的社會組織、自由競爭および嚴密に合理的な行爲をもつた商品市場における諸事象の理想像を見せてくれる。この思惟圖象は、歴史的生活の一定の諸關係と諸事象とを結合して、思惟された諸聯關の矛盾のない一つの世界を作り上げる。内容上この構想《コンストルクティオーン》はユートピアの性格を帶び、現實態の一定の要素《エレメンテ》の思想的高昇(gedankliche Steigerung)によつて獲られたものである。この構想の經驗的に與へられた生活事實に對する關係は、もつぱら次の點に存する、すなはちこの構想の中で抽象的に敍述されてゐる種類の諸聯關、すなはち『市場』に依存する諸事象が、現實態のなかで、何等かの程度で働いてゐることが確定され、また推定された場合には、一つの理想型(Idealtypus)に照らしてこの聯關の特性を實際的に明瞭ならしめ、且つ理解し易からしめることが可能だといふ點である。この可能性は索出的(heuristisch)であり、また敍述にとつて價値があるだけでなく、むしろ缺くべからざるものであらう。研究にとつては理想型的概念は歸屬判斷を敎へる。それは『假設』ではなく、假設の構成に方向を指示せんとする。それは現實的なるものゝ敍述ではなく、敍述に對して明確な表現手段を與へんとする。すなはちそれは歷史的に與へられた近代的交換經濟的社會組織の『理念』であつて、たとへば中世の『都市經濟』の理念が『發生的』概念として構成された場合と全く同一の論理的原理に從つて展開される。この場合、『都市經濟』の概念は、觀察されたるすべての都市の中に事實上存在する經濟諸原理の平均といふやうなものとしてゞなく、やはり一つの理想型として構成されるのである。それは一個の、または若干の觀點の一面的高昇により、そしてこの一面的に高揚された觀點に合するところの、こゝには多くかしこには少く、處によつては全く無いといふやうに分散して存在する夥しい個々の現象を、それ自體において統一された一つの思惟圖象に結合することによつて獲得される。この思惟圖象はその概念的な純粹性において現實のうちには何處にも經驗的には見出されない。それは一個のユートピアである。そこで歷史的研究にとつて、各個の場合に現實がこの理想像にどれほど近いか、また遠いか、つまり或る一定の市の諸事情の經濟的性格が、どの程度まで概念上の意味で『都市經濟的』であるといはれ得るかを確定すべき課題が生ずるのである。だが研究と説明との目的のためには、この概念は注意して使用すれば、その特殊な役割を果す。(26)」

「理想型」は、かくのごとくにして構成されたものであるが、しからばそれは科學の方法のうへに如何なる意味・機能をもつてゐるであらうか。

「かやうな理想型的概念が我々の攻究しようとしてゐるところの經濟科學に對して有する意義は何であるか。……我々の語るのは、純理論的意味での『理想的』思惟圖象(であつて)、我々の想像力にとつて充分に理由づけられてゐるものとして、すなはち『客觀的に可能』だと見え、我々の法則定立的知識に的確だと見えるやうな聯關を構成することが、問題たるのである。

『『理想型』』が果して單なる思想の遊戲であるか、それとも科學的に效果的なる概念構成であるかは、決して先天的にきめられない。ここでもまたたゞ一つの標準、すなはち具體的な文化現象をその聯關、その原因的制約性ならびにその意味において認識することに對する效果といふ標準があるのみである。それゆゑに、目的としてゞなく手段として、抽象的理想型の構成は考へられるのである。ところがいま歴史的敍述の概念的諸要素を注意して觀察すると、歴史家が具體的聯關の單なる確認を超えて、如何に簡單なものにせよ、個別的事象の文化意味を確定し『性格づけ』ようと企てるや否や、彼は通常理想型においてのみ鋭く且つ明確に規定し得るやうな概念を用ひて研究してゐる、またさうせざるを得ぬことが判明する。……我々は……無數の概念を用ひて、思惟し理解しつゝ現實を克服しようとするのであるが、これらの概念および概念構成は、その內容からみて、何か一個の具體的現象を『無前提的に』敍述することにより規定されるべきか、または若干の具體的現象に共通なところのものを抽象しつゝ概括することによつて規定されるべきであるか。歷史家の語る言葉は、數百もの言語のうちに、かやうな、無反省に働く表現慾からとり出された無規定の思想像を含んでをり、その意義はまづ直觀的に感受されるだけで、明確に思惟されてゐないのである。……或る文化現象の有意義性を益〻鋭く意識に上さうとすればするほど明確な、單に特殊的にでなく全面的に規定された概念を使用したいといふ欲求は、愈〻避け難くなつてくる。……概念內容の發生的定義を試みようとする場合には、たゞ右に確定した意味の理想型の形式が殘存するのみである。理想型は一の思想像であつて、歴史的に實在であるのでもなければ、まして『本來の』實在であるわけはなく、況んやそれは實在が類例としてその中に配列されるべき一の圖式の役目を果すためにあるのでもない。却てそれは一つの純粹に理想的な極限概念の意味をもつのであり、我々はそれによつて實在を測定し、比較し、以てその經驗的内容の中の一定の意義ある部分を明瞭ならしめるのである。かゝる概念たるや、現實に即して訓練された想像力が的確だと評價するところの客觀的可能性の範疇を用ひることにより、我々がその中に諸聯關を構成するところの形成體なのである。[27]」

かくて「理想型」は、純粋に理論的補助手段であつて、決してこれをもつて實在を評價的に價値判斷する場合の標準となる「理想」ではない。[28] それはかゝる價値判斷とはまつたく無關心にたゞ純理論的「完全性」以外の如何なるものにも係りをもたない。[29]

ゾムバルトは「理想型」に對するウェーバーのこの基礎づけをもつて、完全なものとなし、

「我々は彼の思想に追從するほかに何事をもなし得ない。たゞし我々は、彼の用語を受けつぐことだけは拒まねばならぬ」として、ウェーバーの「理想型」(Idealtypus)と「理想型的概念構成」(idealtypische Begriffsbildung)といふ語を避けてゐる。何故ならば、ゾムバルトによれば「こゝで問題となつてゐるのは、たしかに『類型』(Typen)ではなくて、それとはまつたく異なつた性質をもつところの『理想的』構造(„ideale" Konstruktionen)であるからである。[30]」

私はウェーバーの「理想型」には、いづれかといふと、歷史科學における方法——歷

史的文化的生活において顯現せる諸聯關を、その發生的過程において、理解するための方法としての意味に、重點がおかれてゐると思ふのであるが、私どもはこゝではかくのごとき思惟圖象を、法則定立・理論構成の手段として、作成しようとしてゐるのであるといふことを强調しておかねばならない。

その名稱をマックス・ウェーバーのごとく「理想型」とするにせよ、ゾムバルトのごとく「理想的構造」とするにせよ、私どもがいまこゝに論じてゐるところのものは「經濟的諸聯關のよりよき理解のための合理的な圖式(rationale Schemata)」であり「それにおいて、またはそれによつて、一定の諸條件が充されてゐ、且つ完全に合理的に人が行爲するとき、如何やうに經濟的諸現象の推移が行はるるか、を指示するところのものである」(31)點において、それらは、方法論上の、まつたく同一の・一つの構圖である。

この圖式の理論的意味について、いま少しくゾムバルトに聽かう。

「ひとは、合理的圖式の構成を、孤立化方法(das isolierende Verfahren)と呼んだ。……『孤立化方法』なる語は、時代の大流行にしたがつて、自然科學的研究から借りたものであるが、自然科學的研究においては、この方法は、一定の諸要素を、それの作用を、他の諸要素との比較において、確認し、それを測定し得るために、實驗的に孤立せしめるところの手續を意味する。その際問題となることは、つねに、一つの假設のうちに、結局、表現してゐるところの經驗的な事實發見（empirische Tatsachenermittelung）である。しかもこのことは、我々の合理的圖式の作成に際してはまつたく問題となつてゐない。合理的圖式は、現實態および現實態研究とは、毫末も關係がない。通常ひとは、生活からある資料をとり來るが、それとまつたく同じく、單に想像したに過ぎない、または案出されたに過ぎない何等かの出來事を、一つの圖式のうちに作出することもできるのである。……〔したがつて、この圖式は〕現實的な諸聯關を〔そのまゝ〕反映することを、毫も要しない。……もちろん我々は、現實態の圖式への近接を云々し得るが、このことは、經濟的諸事象が、それが目的合理的に形成されると同じ程度において、圖式のうちに表現されてゐるところの事象に、類似してくるといふ意味をもつにすぎない。(32)」かくして、「第一に、合理的圖式は、理解の補助手段であつて、研究の終結をなさずして〔自然法則のごとくに〕、それの出發點を意味する。したがつて、我々は、圖式の定立をもつてしては、一般的に、現實的諸聯關についての何等の洞察をもまた一般的に何等の事物知識をも獲得してゐないことを意味する。解決すべき諸問題がむしろ圖式の背後に横たはつてゐることを意味する。たとへば、私が限界效用理論の完成を充分になしてゐるとしても、私は、現實において、一般的に、個々の交換が限界效用原理に則つてなされるか否かについては、決して知らないのである。事實上の諸關係は、きはめて複雑であり得、またしばしば、圖式が單に些少な援助しかなし得ないほどに、複雑である。……現實態は、一般的に、……圖式が私に反映するところの姿とは、ほとんどまつたく似ないものとして現れる。圖式からの偏倚、衝突、『雑音』、攪亂的原因……はきはめて顯著であつて、その研究こそは研究者の本來の任務となるのである。

「第二に、合理的圖式は、我々が知れるがごとく、つねに歴史的な特徴を帯びてゐるところの、一つの一定の意味聯關の範圍のうちにおいてのみ妥當する。〔たとへば〕『限界效用法則』を定立するには、豫めそれに對して限界效用法則が妥當するところの市場關聯をきはめて精確に規定しておかないでは、失敗するであらう。もつと精確にいへば、一つの一定の經濟組織の範圍のうちにおいてのみ、我々は合理的理解の意味のある圖式を形成し得る。……一人の農業者の封鎖的孤立經濟に對すると、高度資本主義に對するとに、同一の圖式を作成することは、無意義である。資本主義經濟の內部においてすら、意味ある圖式を作り得るためには、〔これを〕異なれる階段に分たねばならない。かくしてリカアドゥの圖式の多くのものは、單に流動資本の時代に對してのみ考へ出されたものであつて、したがつて今日においては、多くの部分は、用ひられ得ない。限界效用の圖式は、それを私が東部ガリシヤの馬市について立てるのと、……ロンドン取引所における證券取引について立てるのとでは、まつたく別な意味をもつ。……

「第三に圖式は、自己目的ではなくして、目的に對する手段であるから、生産物ではなくて、生産手段であるから、それが奉仕すべき目的に對して適應しなければならない。このことに則つて、旨式の量と種類とが決定されなければならない。我々が利用し得る以上に多數の、また精巧な生產手段を作ることは『不經濟』であり、またそれの用途についての考慮なしに生產手段を作ることは、愚かである。あらゆる目的に對して、一つの適度に、換言せば、相對的に合理的なる手段が存する。……斯學における如何なる認識目的にもまた、それに對してもつともよく役立つところの圖式がある。如何なる圖式も、その價值を、自らのうちに持たないで、これを、認識を獲得するにあたつてのそれの適切性によつて獲得する。[33]」

シュムペーターがその精密經濟學體系の認識論的意味を闡明するために用ひてゐる次の言葉もまた、私どもにとつて、圖式の本質的意味・機能を語つてゐるものではなからうか。いはく、

「純粹靜學的經濟學は一定の經濟事實の抽象的形像、卽ちその事實の記述の役を果すべき一の圖式にほかならぬ。それは一定の假定を基礎とし、その限りに於て我々の恣意の所產であること、あたかも他の精密科學が何れもさうであるに異ならない。それ故歷史家が、我我の理論を幻想の構成物であるといふならば、或る意味に於て、彼は正當である。確かに、現象の世界そのもの丶中には、我々の『假定』も、我々の『法則』も獨立には存在しない。しかし

この事からは未だ假定や法則に對する抗議は生じない。何故なら、この事は假定や法則が事實に適合するのを妨げるものでないからである。かゝる適合は何に由來するのであらうか。それは單に圖式の構成に際して我々が恣意的ではあるがしかも合理的な方法を採り、圖式を全く事實に顧慮して企畫したからにすぎない。[34]」

「もし圖式《シェーマ》の無理強ひによつて(たとへ論理的な過失は犯さないとしても)現象の本質的な標識《メルクマール》が失はれ、いはゞ圖式内での該現象の生命が危くされるならば、それを執拗に圖式の中に押し入れようとすべきではない。何れの方向を進むも有罪たるを免れないのである。[35]」

「我々は自己の主權を濫用せず、事實が我々に强制するが如き、また事實によつて否定されぬものと合理的に考へられ得るが如き假定を設けるであらう。それにも拘らずかくの如き、事實による否定は常に生じ得る。これに對して我々の爲し得るところは、かやうな偶發事に對して平靜に對應し得るが如くに基礎的假定を選擇することに盡きる。……我々の圖式が觀察されなかつた事實にも適合することを願望するのである。……さうしてこの期待におほむね實現されるのである。そのとき……我々は命題が『普遍妥當的』であると云ふ。[36]」

ウェーバーの「理想型」にしろ、ゾムバルトの「合理的圖式」にしろ、その他爾餘の理論家によつて、これに類する名辭を與へられてゐるところの圖式は、すべて、上記のごとくに、それ自身歴史的發展者であるところの經濟ならびに文化的・精神的生活の他の種類の側面を理解することを目的として、作製された手段に過ぎないので、それ以上の何物でもない。したがつてそれは何よりもまづこの目的にむかつて合目的々でなければならない。かくして如何なる圖式をつくるべきか、また圖式が歴史的なる發展をなす經濟に關するものなるかぎり、この發展に順應しつゝ、それを修正してゆかねばならぬが、如何にこの修正を施してゆくべきかは、私どもの科學的本能と才能とに依存するであらう。

（1） 拙稿「理論經濟學體系論」29頁。
（2） 同上、29——30頁。
（3） Othmar Spann, Gesellschaftslehre, Zweite Aufl. S. 5.
（4） （5） a. a. O. S. 8.
（6） Spann, Kategorienlehre, 1924. S. 3.
（7） Spann, Der Schöpfungsgung des Geists, I. Teil, 1928 S. 31.
（8） Marx, Das Kapital, Bd. I. (Kautskys Ausgabe) S. 3.
（9） a. a. O. S. 10.
（10） a. a. O. S. 25.

(11) Léon Walras, Éléments d'économie politique pure, 1926, p. 45., 手塚壽郎譯、上卷、六三頁。

(12) ib. p. 44., 同上六二頁。

(13) ib. pp. 47——8., 同上六五——六頁。

(14) 拙稿「理論經濟學體系論」30頁。

(15) 同上32頁。

(16) G. Cassel, On Quantitative Thinking in Economics, 1935., pp. 7—11.

(17) Marx, a. a. O. S. 40.

(18) a. a. O. S. 116.

(19) a. a. O. S. 272.

(20) W. Sombart, Die drei Nationalökonomien, SS. 301—2. 譯本、三五六頁。

(21) Cassel, ib. pp. 92—4.

(22) Clausewitz, Vom Kriege 馬込健之助譯(岩波文庫)上卷、一五九——六〇頁。

(23) 拙稿「體系論」96頁。

(24) J. Schumpeter, Das Wesen und der Hauptinhalt der theoretischen Nationalökonomie. 1908., 安井・木村兩氏譯本、三九頁。

(25) 拙稿「體系論」31頁。

(26) Max Weber, Die Objektivität sozialwissenschaftlicher und sozialpolitischer Erkenntnis (in der Gesammelten Aufsätzen zur Wissenschaftslehre) SS. 190—1, 富永・立野兩氏譯本、七二——四頁。 なほ Weber, Wirtschaft und Gesellschaft (G. d. S.) 1922, Erster Teil, Kapitel. I. をみ。

(27) a. a. O. SS. 192―3, 同上、七五――八頁。
(28) a. a. O. SS. 194―200., 同上、七九――八六頁。
(29) a. a. O. S. 200., 同上、八七頁。
(30) Sombare, a. a. O. SS. 258―9, 譯本、三〇八頁。
(31) a. a. O. S. 259., 同上、三〇八頁。
(32) a. a. O. SS. 259―260., 同上、三〇九――一〇頁。
(33) a. a. O. SS. 301―2., 同上、三五五――七頁。
(34) Schumpeter, Das Wesen, u. s. w., 譯本、五一三頁。
(35) 同上、二八七頁。
(36) 同上、五一三頁。

第二節　理論經濟學の諸方法

第一項　諸種の方法

私は以上において、私どもの戰略としての體系の指令にしたがつて、戰術としての方法を實施するための戰場としての圖式を作成することを説明し來つた。

この圖式のうちには、前に見たやうに、それを構成してゐる諸要素と、これら諸要素の間の種々なる聯關とが伏在してゐる。私どもの方法はこの伏在せるものを掘り出して明るみに暴すことを意味するのであるが、以下これについての一般的な、すなはち可能なる諸多の圖式のいづれにも共通的であるやうな理論を、まづ知りたいと思ふ。

さて私どもの先人によつて、理論經濟學の方法として、擧示されてゐるものは、もとより、多種・多様であつて、これが一切を擧げつくすことは至難であるが、そのうちにも重要性の度差を見るのであつて、いまその重要度の高きものと思はるゝものを拾つて來るならば、次のごときものがあらう。すなはち

演繹的方法――歸納的方法
先驗的方法――經驗的方法
綜合的方法――分析的方法
抽象的方法――具體的方法
主觀的方法――客觀的方法
心理主義的方法――論理主義的方法
原子論的(または個人主義的)方法――全體主義的方法

精密的方法――現實的（または經驗的）方法
數學的方法――非數學的方法
代數學的方法――幾何學的方法
靜態的方法――動態的方法

のごとく一對をなしてゐるものや、

類同の方法
差異の方法
殘餘の方法
共變の方法
統計的方法

等のごときものや、時として方法の名で、しかしより多くの場合、むしろ「原理」の名で呼ばれてゐる次のやうなものがある。

經濟主義の原理 (Prinzip der Wirtschaftlichkeit)
代位の原理 (Prinzip der Substitution)
稀少性の原理 (Prinzip der Knappheit)

限界原理 (Prinzip der Grenz)
平均原理 (Prinzip der Durchschnitt)
限界效用原理 (Grenznutzenprinzip)
費用原理 (Kostenprinzip)
歸屬原理 (Zurechnungsprinzip)
差益原理 (Rentenprinzip)
自由競爭原理 (Prinzip der freien Konkurrenz) 等。

こゝに私が掲げたものは、重要なるものを可及的に逸しないことにつとめたとはいへ、もとより、理論經濟學上に用ひらるゝアパラートとしての一切の種類の方法を網羅し得たとはいへない。またこれらを表示してゐる語は、決して一義的なものではなく、そのうちには、たゞ名稱を異にするのみで、內容的には、まつたく同一物を意味するものもあるし、その意味するところは、ほとんど同一物であるが、たゞ手續としての重點をおいてゐる點が、大なり小なり異なつてゐるといふやうなものもあらう。またこれら各種の方法は、法則樹立ならびに理論構成といふ私どもの目的を顧慮するかぎりにおいて、當然、その意味機能の間に輕重の差があり、且つ、上級—下級、本源的—派生的、規制的—從屬的、等の關係において立ち、もしくは等位的な關係において立つ。そこで私どもの問題は、これらの諸方法の本質をまづ明かにし、さらにそれらの間のかゝる諸種の關係を嚴密に考察し、且つそれらのうちで、いづれが最も重要な最上級の本源的なあるひは窮極規制的なものであるか。もしかゝるものがありとせばそれはたゞ一つであるか、あるひは二つであるか、あるひはまたそれ以上であるかといふことゝなる。

この點については、經濟學の歴史的發展の途上において、何回となく烈しい論爭がおこなはれて來てゐる。ある學派は甲なる方法をもつて、その理論的構成上の中心的な手續となすに對して、他のある學派は乙なる方法をもつて、かゝるものと見なし、相互に他の學派の立場を自らのそれとまつたく相容れざるものと考へて排斥し合ひ、自らまたは相手方により、あるひは第三者によつて、方法上の特異性をもつて、その學派の名稱づけをなして來たことは、私どもの知るところである。しかもかゝる論爭は、結局、理論經濟學の本質の特徴づけが理論的な精神科學・文化科學もしくは社會科學の一つにふさはしきものでなければならないといふことによつて、その決着を見出さねばならなかつたことは、當然であつた。

私の歸結をまづ明かにしておくならば、上にかゝげた種々なる方法のうちで、理論經濟學にとつて最も重要な・本質的な・最上級の・窮極規制的方法は演繹的方法――歸納的方法といふ一對であり、そのなかでも殊に、演繹的方法が支配的地位に立つ。このことを證明するために、私どもはまづ、これらの諸種の方法の意味・機能もしくは性能を知らねばならない。私はいまこゝに、これについてきはめて概略的な説明をなすにとゞめる。私どもは、これらについての古典的な取扱ひを、ミルの "Logic" やケアンズの "The character and logical Method of Political Economy", Ist ed. 1857 やケインズの "The Scope and Method of Political Economy", Ist ed. 1890 やメンガーの „Untersuchungen über die Methode der Socialwissenschaften", 1883 のうちに見出すであらう。私はこれらの諸家の教示を受け、さらにより近代的な人々によるこれが補完・修正・發展を參照しつゝ、以下に私見を述べようと思ふ。

第二項　演繹的方法と歸納的方法

私どもはまづ演繹的方法と歸納的方法とから始めよう。

演繹的方法 (deductive method) 論理學によつて教へられてゐるがごとく、この方法は、ある一般的・普遍的な原理(詳しくいへば、ある特定の諸現象を決定する諸力と、これらの力について成立せる最も一般的な法則)が自明的なものとして與へられてゐ、または直接的に直覺によつて知られてゐ(これを與件 data, postulates といふ)、それらの結合から、一聯の推理を追つて、特殊の條件のもとにおいては、これらの力の相互作用によつて、如何なる結果が惹起されるかの歸結を誘導する。すなはちそれにおいては、私どもの判斷が純粹な推理によつて、外部から何等の援助をも藉らないで、一般から特殊へ進行するのである。かくて獲得された結論は、特殊的條件のもとにある具體的事實に對しては、より高度の普遍性をもつが、所與としての諸前提に比べると、より低度の普遍性、換言せば、特殊性をもつことゝなる。もし與件が正しく、且つ必要にして充分であり、推理が正當であるならば、誘導された斷定は正當であり、且つ精密的であらう。

この方法は、推理の始まる以前に既に諸與件が與へられてゐ、且つ導出される歸結の性質がこの諸與件の性質のうちに決定されてゐるがゆゑに、先驗的《アプリオリー》方法と稱せられ、また推理の自動的進行が唯一の進行方法であるがゆゑに、合理的《ラシヨナル》方法ともいはれる。

演繹法は、上に述べたごときものであり、したがつてその進行は、次の三階段から成り立つ。第一に、諸與件諸前提の設定。第二に、歸結の誘導(すなはち演繹的推理)。第三に、具體的な事象と對比することによる歸結の確證(すなはち檢證《ヴェリフイケーション》)。檢證によつて、いふまでもなく、與件の選擇の正當なりしことゝ、演繹的推理の合理的なりしことゝがテストせられる。

以上は一般的に演繹法についていつたのであるが、經濟學の領域においては、演繹法は、ある特定の假設をまづ立て、それから諸經濟現象についての一般的・普遍的なある命題を誘導して來る。この際諸與件として如何なる假設をもつて來るかは、人によつて一定せず、また彼が理論の全體系のそれぞれの階段において、如何なる經濟現象についての法則を定立しようとしてゐるかによつても、一定してゐない。したがつて私どもは、これらの假設のすべてを枚擧することは不可能であるが、いま一例として、演繹法をその傳統的方法としてゐるといはれる古典學派の人人が立てゝゐる典型的なものを擧げれば、「人間性」、「經濟人」の形成せる・「自由競爭」の完全に行はれてゐる市場、「報酬漸增・漸減の法則」、「人口法則」等であらう。

ところでこゝに演繹法にとつて、極めて重大なる難問がある。それは私どもが諸與件・諸前提・假設を一體どこから齎したか、といふことである。

演繹的方法は、理論構成のための一つの方法である以上、この目的のために有用でなければならない。かくして私どもが經濟學の理論構成の前提として選んだ與件は、恣意的なものではなくて、その認識目的に適つたものでなければならない。すなはち前に用ひた比喩によれば、戰略に對應せる戰術たるの地位に適つたものでなければならない。かういつて來ると、この前提が、理論構成の當該階段の要請してゐるところの經濟それ自體から獲得されたものでなければならぬことが、明かとなつて來る。それは實に、この經濟の含む諸現象が現實に現してゐるところを觀取することによつて得られたところの、これら諸現象の一般的・普遍的特性にほかならない。かく演繹法が歸納法を相接邊してゐることが示唆されてゐる。

歸納的方法(inductive method)論理學の示すがごとく、歸納的方法は、具體的・個別的な諸事象の研究によつて、それらの間に存する普遍的なもの・齊一的なるもの・合則的なものを求めて、一般的命題すなはち法則を樹立する推理の仕方である。そしてこの過程は、これらの諸現象の複雜なる諸屬性の間の類同性《アグリーメント》と差異性《ディファレンス》とを考察し、觀察し、または實驗することによつて進行する(歸納的推理)。この推理の仕方は、法則の以前に諸事例の複雜なる屬性といふ資料《データ》の存在が前提とされてゐ、この具體的なもの・特殊的なものから、漸次的に、抽象的なもの・一般的なものとしての法則が發見せられるので、演繹法とは、まさに逆行する過程である。この意味において、私どもは、この方法を、後驗的《アポステリオリ》または經驗的《エムピリカル》方法とも名づける。

歸納法の過程は次の三階段より成り立つ。すなはち第一に、具體的な諸事例の蒐集。第二に、これらを分析・抽象し比較することによる歸結の獲得、すなはち法則の樹立(歸納的推理)。第三に、この法則の具體的・個別的現象への適用。

この第二段の歸納的推理の手續として、ミルは次の四つのものをあげてゐる。

類同の方法 (method of agreement) 歸納的方法における一つの手續であつて、たとへば「Aを原因または要因とし、我々の研究の對象がこの原因の結果であることを確めんとする。でもしこのAなる要因をば、異なれる諸事例が、A以外の原因を共通にしてゐないやうな狀態においこ、發見または作出することができるとする。さうすると、すべての我々の實驗において作出せられ發見せられるところの如何なる結果も、Aの結果として指示し得る。たとへばAがBおよびCとともに實驗され、その結果がa b cなりと假定する。また次に、AをDとEとともに(BとCと除外して)實驗して、その結果がa d eなりとする。しからば、我々は次のごとく推理し得よう、すなはち、bとcとはAの結果ではない。何故なら、bとcとは第二の實驗において、Aによつて作出されてゐないから。さらにまたdとeも、Aの結果ではない。何故なら、それらは第一の實驗において、作出されてゐないから。しかも事實上Aの結果であるものは、兩つの事例において作出されてゐなければならない。ところでこの條件はaを除外した如何なる事態においても充されない。aなる現象はBまたはcの結果であり得なかつた。何故なら、aはBとCとの存しないところで作出されたから。またaはDまたはEの結果であり得ない。何故なら、aはDとEとの存しないところで作出されたから。かくしてaはAの結果である。」(1)かくのごとく「考察する現象の二つまたはそれ以上の事例が、たゞ一つの事情のみを共通にしてゐるときには、それについてのみすべての事例が合致してゐるところのこの事情が、與へられたる現象の原因(または結果)である。」(2)

差異の方法 (method of difference) これは前者とは逆に「我々が確認せんとしてゐる原因の存在または缺如といふ點だけが異なつてゐて、それ以外のあらゆる點においては類似してゐるところの諸事例」をもつて來る。たとへば「もし我々の目的がAなる原因の結果であることを發見することにありとせば、我々はAを、若干數の確證し得た狀態、たとへばABCのうちに求め、作出された諸結果を注視し、それらを、Aが缺如してゐるときの殘りの、すなはちBCなる諸原因の結果と比較する。もしABCの結果が、abcであり、BCの結果がbc

であるとするならば、Aの結果がaなることは明かである。[3]」

この二つの方法を併用する場合がある。それは「それによつて我々が現象を作出するところの要因が、單一の前件の要因ではなくて、我々がそれらを相互に分離し、別々に提示し得ないところの諸前件の結合であるときである。[4]」この場合には結論を引き出すために「ある與へられた原因の存在または缺如といふこと以外には異なれるところのない二つの事例を比較するのではなくして、一方においてはある原因の存在といふこと以外には一致しない二つの種類《クラス》の事例を、他方においてはこの原因の缺如といふこと以外には一致しないところの二つの種類の事例をそれぞれ比較する」方法である。[5] これを私どもは「間接的差異方法」(indirect method of difference) または「類同および差異の併用方法」(foint method of agreement and difference) と呼ぶ。

殘餘の方法 (method of residues, residual method) これは「與へられた現象から、前に行つた歸結の力によつて、既知の諸原因と目せられてゐるところのすべての部分を除去するならば、殘つたものは、前に無視されたところの、またはそれの結果がなほ未知量であるところの諸前件の結果である」とする方法である。[6] 經濟學において私どもがしばしば遭遇するところの缺除法 (Ausfallsmethode) または喪失の思想 (Verlustgedanke, lost-principle) 等の語はこの方法の別名にほかならぬ。

共變の方法(method of concomitant variation) これは、たとへば不可壞的な自然的要因のごとく「我々がこれを排除することも、孤立化することもできず、さらにまた存在することを妨げることもできず、孤立して存するやうに工夫することもできない」[7]原因の働いてゐるとき、その結果を算定するために用ひらるゝものである。 この際には、私どもは、一見どうしても、これらの要因の結果を、これらの要因が共存することを妨げるわけにはゆかないところの他の現象の結果と引きはなすことができないやうに思はれるが、必ずしもさうではない。「我々はある前件を全然除去してしまふことができないけれども、それにおいてある變動《モヂフイケイシヨン》を作出し得る、または自然が我々のために作出してくれる。 こゝに變動といふのは、前件におけるある變化《ミエーチ》(但しそれの全部的推移を意味しないところの)である。 もしAなる前件におけるある變動が、つねにaなる後件におけるある變化を伴ひ、他のbおよびcなる後件が同一にとゞまるとする、(あるひはその逆)、もしaにおけるある變化が、Aにおけるある變動によつて先立たれてゐる、他の前件のいづれにも變動を認め得ずとするならば、我々は安んじて、aが、全部的にまたは部分的に、Aに歸屬されるべき結果である、または少くとも因果關係を通じてAと何等かの仕方で聯結せられてゐると結論し得よう。[8]」 經濟學においてよく使用せられる比較法(Vergleichungsmethode)または方程式方法(Gleichungsmethode)は、これに當る。 この方法は、諸要因の大量觀察によつて、要素を數字的に表現し、その間の變動聯關を、數量的に見ようとするときには、統計的方法となる。 經濟的現象、いな一般的に社會的現象においては、實驗がほとんど不可能なるがゆゑに、歸納的方法は、結局この共變の方法に、したがつて統計的方法に、概して歸着することゝなる。

ミルが實驗的研究の方法としてあげたこれら四つのものゝ性能はほゞ上記のとほりであるが、要するにそれらは、すべて、歸納的方法に從屬するところの研究手續にほかならない。

歸納的方法の手續は、上述のごとくであるが、これについてもまた、演繹的方法の場合とおなじく、私どもは、次のごとき難問に逢着する。 それは、私どもがこの方法によつて法則を立てるために蒐集するところの諸事象の範圍が――少くもその種屬が――一定であることと――それは自明であるが――は、一體如何やうにして可能となつてゐるかといふことである。 これは、いふまでもなく、歸納法を實施する前に既に、すなはち先驗的に、私どもには、資料の選擇・蒐集についてのある原理が與へられてゐるからだといふことにある。 事實は、まさに、私どもは求めてゐる法則を、求むるまへに豫想し、これに本質的に關聯すると思はれる事例のみを蒐集してゐるのである。こゝにもまた、歸納法が演繹法と相互に包含し合つてゐることが暗示されてゐる。

歸納法にとつてのいま一つの難問は、それが法則誘出のために用ひる資料が、つねにある限定された種類と有限な數とにおいてあることに存する。かくしてかゝる特定の種類の、且つ有限數の事例から導き出された法則は、この特定の種類の現象に關して蓋然的(more or less probable)であるといふこと以上に出でないことが、自明である。法則は必然的なものでなければならない。しからば歸納法は、その結論の蓋然的妥當性と必然的妥當性との間のギャップを、如何やうにして埋めんとするか。

以上一般的に歸納法についていつたことは、經濟學上の方法としてこれを用ふるときにも、妥當する。

しからば演繹的方法と歸納的方法とのそれぞれにおける上述の難點は如何にして克服し得るか。それは、この兩者の本質を論じたときに私どもが知つたやうに、相互にその存在を容認し、且つその援を求め合ふことによつて、換言せば相互依存の關係に立つことによつて、可能となる。この點について、マーシャルの次の言葉は、けだし簡にしてよく要を得てゐるであらう。いはく、

「歸納は分析と演繹との助けを借りて適切な部類の事實を集め、それを整理し、分析し、それから一般敍述或は法則を導く。その上は演繹が主役を勤める。演繹はこれらの一般化の或るものを相互に連結し、これらから試驗的に一層廣汎な新しい一般化卽ち法則を作り、その後は再び歸納に歸つて、この新法則を檢證し『實證』するためこれらの事實を集め配合し整理する上に主要な任務を盡す。(9)」

もちろん私どもは、科學において一般に私どもが、現實的に、なせるところを反省するとき、演繹的方法と歸納的方法とを併用するにしても、私どもの認識目的の異なるにつれて、そのいづれを主とし、いづれを從とするかの差異のあるを發見するであらう。科學の歷史的部門においては、歸納的方法を主として用ひ、一般的原理に照らしつゝ（すなはち演繹的方法を補助手段としつゝ）史實を蒐集し、それらの說明·理解を普遍的原理において求める。この場合もし歸納的一般化によつて得られた法則または理論が、自明的な一般的原理から背馳すると思はれるならば、諸事實を一層注意深く選擇して、考察すべきである。

科學の理論的部門においては、私どもは、主として演繹的方法に依據し、從として歸納的方法を用ひる。すなはち一般的に容認せられ得るがごとき特定の假設を立て、これより推理された結論を、そこに集められてゐる個々の現象に當て嵌めて、それらを說明する。この場合如何なる假設を立てるかは、諸々の個別的現象のうちに有する合則性から豫想されたもので、これが正當になされたか否かは、原理を個々の現象に適用して見ることによつて、決せられる。この際もし演繹的な展開が事實に合致しないやうに思はれるときには、演繹の過程の出發點たる假設を、もつと事實に即したものに修正すべく、もしくは演繹的推理そのものを、一層事實に適合したものに修正すべきである。

かくて、私どもが演繹の出發點においた假設は、實踐的には、一つの試みに過ぎないのである。この試みのためには、從前における該理論家の、または他の理論家の研究の結果が有效的に使用されるであらうが、それが檢證せらるべきものであるといふ意味において、かゝる方法は試驗的方法(tentative method)と呼ばれ、すべての精密的科學がなすところは、まさにこれである。

かくこの兩つの方法は相互に他を顧みつゝ用ひられねばならないのであつて、

この相互牽制について、シュムペーターは次のごとくいつてゐる。

「何れの定理も何れの成果も悉く事實について檢證されねばならないことは明かであり、たとへ實際には屢〻、極めて屢〻忽にされるにしても、原理上は何人によつても承認されるところである。同樣に……一切の理論的思想過程の出發點は事實を措いてあり得ず、事實觀察からしてのみ、たとへ屢〻間接的にではあるとは云へ、理論の成果は悉く流出することも明白である。……理論的思想過程そのものゝ中にも事實觀察は指導者、矯正者、刺戟者、警告者として干渉してゐる――さうしてこのことは最も理解されてゐないところである。……理論と『記載』とは……實際上にもつねに提携して行かねばならないのである。最も簡單な要素以上に出づるや否や、現實への新なる展望が必要となり新なる與件が不可缺となる。さうして理論が事實――一切の留保條件を附していふのであるが――に對する視向を銳くし得るにつれて、事實は一歩每に理論にその豐饒性を增すが如き影響を及ぼす。……一切を左右する決定的な點は、事象の二つの相異る相を區別するにある、一方には理論の體系、その嚴密性、その精密性の基礎をなすところの理論の原理的恣意性があり、他方には理論の現象(これのみが理論の內容と價値とを與へる)に對する適合竝びに理論の現象による被規定性がある。之等の契機を區別し、且つそれらを相互に正しい關係に置くならば、一の明快な解釋が生じ、これがこの問題の通常の論議に見出されるやうな困難と疑惑とを效果的に克服するのである。(10)」

かくのごとく、歸納的方法と演繹的方法とは、決して、對蹠的・相互反撥的なものとして、摩擦し合ひつゝ混交してゐるものではなくして、私どもの認識目的に對して合目的々なやうに、これらが統合せられ、一つの統一的な手續として用ひらるべきものなのである。換言せば、この兩つの方法が、圓滿なる協働において、認識目的への追進をなすべきであるある。以上のごときものが、演繹的方法と歸納的方法とのあひだの一般的な關係であるが、これが如何やうに經濟學に、別して理論經濟學においてて、現れてゐるかゞ、私どもの重要な問題である。

私どもがいままで見て來たやうに、演繹法と歸納法とは、一般的にいつて、したがつて經濟學の領域においても、ある意味においては、相互に前提し合ふ關係に立つてゐる。

從來經濟學において、また他の社會科學においても、この二つの方法の重要性について、激しい論爭が行はれて來た。殊にこの論爭は、經濟學においては、學界においてそれの方法論的反省が組織的に開始されたときから(具體的には、それはカール・メンガーとグスタフ・シュモラーの論爭――一八八三年――に始まるといつて大體差支へなからうか）方法論上の中心問題――あるひは考へ方によつては、唯一の問題をなして來たのである。そして問題は、斯學が演繹的科學であるか、歸納的科學であるか、あるひはまたこの兩方法を併用する科學であるか、またもし併用するとせば、そのいづれが重要視されるかといふ點に集中するのである。この點について、たとへばミルは社會科學は演繹的科學であることを、次のごとくいつてゐる。

ミルにおいては「社會的現象は、すべて、人間の諸群團に對して、外部的環境の行動によつて發生せしめられた、人間性の現象であり[11]」、社會科學は「社會における人間の科學、人類の集團的な大衆の行動と社會生活を構成する種々樣々な現象との科學[12]」である。かくて社會科學は「社會的狀態において、ともに結合せられた人間の行動および感情の法則[13]」を探求する科學である。そして「社會的狀態における人間の行動と感情とは明かに全く心理學的および論理學的法則に支配される。如何なる影響を如何なる原因が、社會的現象のうへに及ぼすとも、それは心理學的および倫理學的法則を通じて、なされる[14]。」社會的法則は、したがつて「心意の一般的法則より生まれたる派生的法則のみ。それはこれら一般的法則より演繹することによつてのみ獲得される[15]。」「ゆゑに今もし人間の行爲および感情の法則が充分に知られてゐるものと假定せば、それらの法則より、所與の如何なる原因の生むであらうところの社會的事實でも、その性質を規定することについては、異常な困難がない。(16)」

社會科學の眞の方法は、「(より複雜なる物理的科學の實踐と一致して)、實に演繹的に進むところの方法である。しかも一個または少數の本源的前提からでなくして、多くの本源的前提からの演繹によつて進むところの方法である。時としては同一の、また時としては異なれる諸精神的能因または人間性の諸法則を通じて作用せる多くの原因の一個の總合的な結果として(事實然りである)の夫々の結果を考察するところの方法である。(17)」

經濟學を、原理的に、歸納的科學となし、抽象的方法または演繹的方法(「二三の抽象的前提からすべての現象を説明し、それらからすべての時期と國民とにあてはまる理論を誘導せんと欲するところの(18)」)を否定、すくなくとも輕視するものとして、「歴史學派」を擧げることができよう。私はこゝでは、單に、その頭目の一人としてのシュモラーの「原論」――それは「歴史學派全盛の表象」にして、「同時にそれの生涯における莊嚴な終止和音(19)」であつた――から、次の言葉を引用するだけにとゞめる。

「國民經濟的な諸力の作用の窮極的な統一的法則なるものは存在せず、また存在し得ない。一つの時期と一つの國民との國民經濟的諸原因の總結果は、つねに、我々が國民性と歴史とから、一般的な國民經濟的、社會的および政治的眞理の援助のもとに、把握し得るが、しかも間斷なくそれの諸原因に還元することの到底できないところの、獨特な形成物である。人間の經濟的狀態の總發展に關しては、我々は、直接的研究、假設的諸命題および目的論的觀察以外のものを持たない。しかしそれによつて個々の國と時期との國民經濟が構成されてゐるところの、數多の要素に關しては、我々は確固たる基礎をもつてゐる。最も一般的なものは、最も複雜なものとして、つねに最も不確實なものである。ゆゑに我々は個々的なものから出發して、突き進んでゆく。比較的簡單な諸條件は、我々は理解してゐる。個々の側面の發展は、我々は、因果的に可成り完全に說明し得る。また個々の經濟的制度の歷史も概觀してゐる。」

「我々が獲得してゐるところのものは、演繹的推論の歸結たると同時にまた歸納的推論の歸結でもある。いやしくもこの二種のいはゆる推論手續について完全に知つてゐるものは、誰でも、現實態を說明する科學にして、專らこれらのうちの一つに依存してゐるものがあるとは、主張しないであらう。たゞ時として、認識の現狀に應じて、そのうちの一方法が、他のものに比して幾分かより多く、個々の科學の前景に、顯れ來ることがあり得る。(20)」

「斯學が歸納的手續と演繹的手續とのいづれをより多く使用すべきかといふことは、決して、一般的に答へらるべき問題ではない。(21)」

かく演繹的方法と歸納的方法とは相補完し合ふべきであるが、我々は「メンガーやディッェルのごとき、英國的演繹學派の殿軍が、一または二の心理學的命題、または經濟主義の原理からの演繹のみをもつて、理論經濟學と認め、もつて斯學の領域を、まつたく狹めんとするものなりと主張する。我々は諸多の歸納と他方での演繹の援用とによつて、單なる假設的な現實に對してますます衝突しつゝあるところの歸結の範圍を狹め得ると信ずるのである。[22]」

殊に斯學の發展の現階段に即して、我々は、なほ、事實の蒐集とそれからの歸結とに重點をおかねばならないのであつて、我々「新歷史學派」と「ロッシャー——舊歷史學派の」との區別は、「我々」が「彼よりも」徐々に普遍化しようと欲すること、資料の該博なる蒐集から、個々の時代、國民および經濟的狀態の特殊的研究に移らうとする一層强き欲求を感ずるといふ點にある。それはまづ第一に經濟史的特殊論文《モノグラフィエン》とあらゆる近代的な特殊的研究とそれの歷史的根源との聯結とを要求する。それは最初に、全體としての國民經濟と普遍的な世界經濟の生成過程よりも、むしろ、個々の經濟的諸制度の生成過程を說明せんと欲する。それは法制史的研究の嚴密的方法をもつて始めるが、旅行や自らの詮索を通じて、書物による知識を補完せんと努め、また哲學的および理學的研究を援用せんと努める。[23]」

この最後の引用句は、シュモラーの「原論」そのものゝ眞の姿を、簡明に自ら表現してゐるといへよう。　シュランニー・ウンゲルは、

「同書の中には、非常に有力な且つ價値の多い幾多の歷史的、及び社會學的、材料が提供され

てゐて、本來の國民經濟學的核心が、展こ、一般的社會的觀點によつて解明せられてゐる。從つて、人々が、同書をば國民經濟學綱要といふよりは、寧ろ國民經濟學的見地に立てる一般的社會學と看做すのも、確かに不當ではない。又シュモラーが國民經濟法則を承認する領域は非常に狹小なものであり、從つて彼れの學說體系に於ては本來の經濟理論は甚だ繼子扱ひにされてゐる。」(24)

といふ言葉でもつて、シュモラーの「原論」の內容を批判してゐるが、まことに、このとほりであつて、私共は、これを讀んで「こんなものは理論經濟學ではない」といふ感想を抱かしめられざるを得ないであらう。そこには經濟の理論は、はなはだ稀薄にしか存してゐない。それは彼の方法から推して當然の成行であらねばならない。

こゝに代表的に、ミルとシュモラーの見解を引用したのであるが、その科學的營みに現れたところを、虛心に見るとき、彼等といへども現實には、その方法を、その言葉のごとくに、嚴格に、限定してゐないことを知るであらう。要するに、私どもは絕對的な意味において、演繹的方法のみを用ひてゐる經濟學者を發見することは、事實上できない。すべての經濟學者は、その理論の出發點たる諸與件を、彼が生を享けてゐる時期における、彼の住んでゐる社會の諸現象のうちから、それらを通じて一貫してゐるある原理を、直覺的に、(天才においては)または知識的に(普通の人においては)認知することによつて、構成してゐるのである。そしてこの前提から推論したる歸結としての法則なり、理論なりを、その社會において、諸現象に適用して見ることによつて、その妥當性を確證してゐるに過ぎないのである。

また私どもは、その方法を絶對的に歸納的方法に限定してゐる經濟學者を發見することもできない。世の多くの「歴史家」において見るがごとく、單に事件を記録することを、あたかもその唯一の目標としてゐるがごとく思つてゐる場合においてすらもなほ、彼は觀察する事件の蒐集にあたつて、ある選擇の原理を、暗默のうちにもつてゐることを否定することができない。いはんや彼が組織的に歴史を書く場合を考へると、史實の精選をなし、またそれらからある歸結を推理して來るにあたつて、そこに何等かの指導原理の存するを認めないわけにはいかない。しかもこの原理は、蒐集され考察されてゐるところの事象そのものから引き出されて來たものでなく、かへつて逆に、これらの事象そのものが蒐集され、考察されるに至つたのは、この原理が豫めそこに與へられてゐたからである。

私はいま問題を理論經濟學にかぎつていひたいが、それにおいて、もしひとが、たとへば演繹的方法のみを、飽くまでも、用ひようと試みたとすると、私どもの獲得した法則なり、理論なりは、理論經濟學の目的のためにはきはめて僅少にしか役立たないものになつてしまふであう。そして私どもの理論的營みは、きはめて速かに痲痺的狀態に陷つてしまはざるを得ないであらう。

たとへば數學のごとき先驗科學にあつては、最初にある概念が觀念的に(この際心理發生的には、經驗が暗示を與へてゐることは否定し得ないが)與へられてゐ、それ以後は先驗的に與へられてゐるそれ自身の論理による解析ばかりで、その內容が、自動的に展開してゆくのであつて、純粹的に演繹的方法で事足りるであらうが、經驗科學にあつては、推理は、つねに、その對象たる經驗界と相談しながら、進められてゆかねばならない。經濟學などに比べると、遙かにより多く演繹的であるやうに思はれるところの物理學などにあつてすら、外界の現象を顧みることによつて、つねに、その推理が影響を受けてゆくといはれてゐる。

いはんや經濟學などにあつては、純粹な演繹法の適用は、一層困難である。私どもはまづ第一に、理論構成の與件もしくは第一原理を精確に充全的妥當性において設定することの困難を認めねばならない。第二に、よしかゝる與件が確定し得たとしても、それを展開し、修飾《モディファイ》してゆくところの要素の性質・種類およびその力の大さの把握が困難であり、これは決して與件そのものゝ屬性からの自發自展において、先驗的に、求め得られるものではない。これらについての認識は、すべて現實の經濟的事象の變化または發展の相そのものを參酌することによつて、これを獲得しなければならない。私どもは、むしろ、かくして得た知識によつて、最初の出發點に設定された與件、第一原理の自動的展開を、現實態から隔絶しないやうに、歪曲してゐるに過ぎない。（以上の立言は「經濟」に作用してゐるところのすべての經濟外的な力を度外視して考へる場合にすら、妥當することは斷るまでもなからう）。

私どもはまた理論經濟學において、純粹に歸納的方法にのみ依存することはできない。斯學の對象はきはめて複雜であつて、それにおける單一の現象といへども、前にも述べたやうに、諸原因のきはめて錯綜した作用の結果としてそこに顯現してゐるのであつて、それの原因を求める仕事は、それの現實の態容を規定することに參與した、多數の異なれる原因の確認をなすことにあるが、このことは、演繹的方法における與件または第一次的原理・第二次的原理……を豫想せずしては行はれ得ないことは前に繰り返して述べたとほりである。が何よりも私どもは、一體歸納法においては、發見せんとする法則のために、どこまで事例を蒐集して行けば滿足するのかといふ一事を考へることによつて、この問題を一擧に解決し得ないであらうか。もしこの蒐集の仕事に限界を與へるところの何等の原理もそこになしとするならば、私どもは歸納法によつて獲得される法則・理論の蓋然的な正當性・妥當性をすら安んじて信用することはできないであらう。しかも現實的には、歸納法を主張する論者も、事例の無限の探求といふやうな退屈なことをやつてゐるのではなくて、一定の範圍内において、この仕事を打ち切つてゐる。彼がある所で、安んじてこれを打ち切り得るのは、彼が歸納以外の仕方で既に獲得してゐるある原理をもつてゐるからである。要するに、經濟學においても、單に事實を渴望し、記錄や資料や統計書や調査表を蒐集して、いはゆる「素材探し」(Stoffhuber) に終始して、「新しい思想の精緻に無感覺である」ことは無意味であると同樣に、また、單に新しい思想の蒸溜物によつて事實への味覺を失つてしまふところの「意味探し」(Sinnhuber)[25] も、窮極的にはゆきづまりに逢着せざるを得ないであらう。

經濟學一般について、演繹的方法と歸納的方法とが協調的作業をなすべきことは、いまいつたとほりであるが、理論經濟學においてもまた然りである。たゞ理論經濟學が「理論的」であるかぎりにおいてそれは、先人の語を藉りていへば、結局、一つの「演繹的科學」たらざるを得ない。

前に述べたとほり、經濟學におけるこの二つの方法の並存・對立・從屬といふ問題は、激越なる論爭を產んだけれども、結局、それが「演繹的方法の優位の承認」(26)といふことにおいて、落着を見たのも、それは理論經濟學に關してゞあり、そのかぎりにおいてのみ、當然といふべきであつた。すなはち理論經濟學においては、演繹的方法が仕手を演じ、歸納的方法が脇師を演ずると解するかぎりにおいて。(經濟學の歷史的部門においては、このシテとワキとが入れかはるわけだ。)したがつてシュムペーターもいつてゐるやうに、「演繹法の優位の承認」をなすにあたつて、「一體如何にして「我々」が理論は專ら演繹的であるとの承認を爲し得たかといふ點」について歸納法の援助を前提としてゐることを明確に意識せねばならない。もし我々が「この承認によつて、理論は或る永劫不變の法則からの演繹をあらはすことを言表しようとしたのであるならば、毫も支點なき思辨を弄ぶものといふ非難は確かに「我々」に的中するであらう。(27)」しかもマーシャルも指摘してゐるやうに、たとへばミルのごとくに「經濟學上の演繹的方法を過度に唱導」したものといへども、「實踐上に於てはその言明程に極端ではなかつた(28)」のであつて、歸納的方法をも援用せざるを得なかつたが、これはむしろ當然のことである。マーシャルは次のごとくいつてゐる。

「經濟學の取扱ふ諸力の結合法はミルの云つた通り、化學の結合法に非ずして寧ろ力學の結合法である。この事實あるが故に經濟學の取扱ふ諸力が演繹的取扱に適する一長所を持つは眞である。即ち吾々が二經濟力の作用を各別に――例へば一生產業に於ける賃銀率の增加と作業困難の減少とが各別に該生產業に於ける勞働供給に及ぼす影響の如きを――知つてゐる場合には、相應よくこの二力の合成作用を豫測し得るのであつてその特殊實驗を待つ迄もないのである。

「併し力學に於てさへ演繹推理の長い連鎖は實驗室內の出來事に直接適用あるのみである。これらの連鎖はそれ自體だけでは現實世界の異質的素材及び諸力の複雜・不確定な結合を取扱ふに充分な指針とは殆どならぬ。この目的のためにはこれらの連鎖を特殊實驗によつて補足する要があり、新事實の間斷なき研究と新歸納の間斷なき探求と調和を保ち且つ往々之に從屬的に適用する要がある(29)。」

「經濟學上には演繹推理の長い連鎖を容れる餘地のないことは明かである(30)。」

経濟學上に於ける分析と演繹との機能は少數の長々しい推理連鎖を作り上げることでなくて、多數の短い連鎖と個々の連結環とを正しく作り上げることにある。さりながら之は決して容易な業ではない。若し經濟學者がお調子にのつて輕々と推理するならば、彼はその勞作の各所に於て不備の聯結を行ひ易い。彼は分析と演繹とを細心に用ふるを要する。その理由としては、この分析と演繹との助力によつてのみ彼は正しい事實を選擇し之を正しく部類分けし之を思想上の暗示と實踐上の指針とのために用ひ得るからであり、又總ての演繹が歸納の上に立たねばならぬことが確かであると同樣、總ての歸納的過程は分析と演繹とを伴ひ且つ含まねばならぬことも確かだからである。(31)」

私どもは、いまゝで理論經濟學の方法の大宗ともいふべき演繹的方法と、それの補助者としての歸納的方法との性能を考察して來たのであるが、何故に、または如何なる意味において、それが大宗的地位に立つてゐるかは、なほ單に暗示的に示されてゐるのみであつて、充分に立證されてゐるとはいひ得ない。この仕事は、私どもが、經濟學の方法と考へられてゐるところの諸多の方法の性能を知ることによつて、仕遂げられる。

前にも述べたやうに、これらの方法のうちには、たゞ名稱が異なるだけで相互に等しきもの、またはその内容についての重點の置き所が違つてゐるだけで、實質的には同一のものを意味するものがある。で私はまづ演繹的方法——歸納的方法といふ一對と内容的に同一のものから始め、次にこれと似通つたものに及ばう。

第一に綜合的方法を分析的方法といふ相對立せる一對の方法がありとせられてゐる。

綜合的方法(synthetic method)これは演繹的方法の同義語と見るべきものであらう。演繹は、より一般的な命題から、より一般的ならざる命題を推理することを意味するが、一つの科學における最も一般的なる命題は、きはめて抽象的なものであつて、特殊的なものとしての結論の演繹の過程は、ますます具體的な命題の定立の過程である。この場合、具體的なものは、基本的諸原理の結合または綜合によつて、抽象的なものから得られる。そして結論は、相互に作用し合つてゐるところのこれらの數個の諸原理、または諸原因の結果を檢討することによつて得られる。綜合的方法といふ命稱は、要するに、演繹的方法における諸假設——諸原理・諸原因——のそれぞれの效果を、推理の過程の進むにつれて、私どもが、一定の原理(演繹的方法の基礎をなしてゐるところの)に依據しつゝ、私どもの思惟のうちにおいて、綜合してゆくといふ點に重點をおいたものである。

分析的方法 (analytical method) は、いふまでもなく、前者とは反對の思惟過程を取るものであつて、特殊の事實の分析をもつて始め、これによつて法則を發見し、一般理論を構成するものであつて、歸納的方法のシノニムにほかならない。たゞ推理の過程において分析的な作業に重點をおいてゐるに過ぎない。

前にも述べたとほり、歸納的方法と演繹的方法とは、一つの統合的手續として協働すべきであるが、歸納を分析に、演繹を綜合に置換するならば、私どもの理論的經濟學の思惟過程の各階梯は、分析的にして且つ綜合的であり、この二つの方法が相互に制約しつゝ、辨證法的に統一せられてゐると見ることができる。

さらにまた抽象的方法と具體的方法といふ一對がある。

抽象的方法 (abstract method) たとへばミルが前に私が引用した個所でなしてゐるがごとく、經濟學において、「人間をたゞ富を獲得し消費することのみに從事してゐるものとして考察し、」「富の欲求に絶えず對抗する原理だと見られるもの、ずなはち勞働に對する嫌惡、および現在において高價な放縱を享樂せんとする欲求以外の、すべての人間の他の感情または動機を全く捨象し[32]、富への追求が人間行爲の唯一無二の目標であるとして、かゝる抽象的假設から出發し、その自動的展開によつて、經濟現象を窮極的に説明せんとするがごとき、抽象的方法と稱せられるものの適例である。

　具體的方法 (concrete method) いふまでもなく前者の反對で、いはゆる實證主義派のとる方法であつて、如何なる抽象的な、または假設的な推理をも否定し、殊に、經濟的現象をば社會生活全體から引き離して論ずることを否定する。すべての種類の社會現象とともに經濟現象を、その完全な具體性において把握せねばならないとする。

　が要するにこの一對の方法は、實は演繹的――歸納的といふ一對の方法を意味するのみ。かくて抽象的方法のみにては、また具體的方法のみにては、結局、無能力であるといへるのであつて、現にこれらの方法の獨裁性を支持するがごとく放言してゐる者も、實踐にあたつては、決してその主張どほりに、ふるまつてゐないことは、前に繰り返して述べたとほりである。

次に主觀的方法(subjektivistische Methode)は、個人的經濟活動の合法則性の分析から出發し、もつて諸個人の構成せる社會的諸現象および社會生活における法則を建てようとする方法である。すなはちロビンソン的な經濟主體の個人的動機↓この動機に基づく財の評價↓この評價に則つての經濟活動↓諸個人のかゝる活動の綜合としての社會的現象の法則――といふ方向に推論を進めてゆく方法である。ベーム・バヴェルクの次の言葉は、この立場を端的に表白してゐる。

「經濟學がその研究を任務とするところの『社會的諸法則』は、諸個人の行爲の合致のうへに立つてゐる。行爲における合致は、さらに、行爲を指導してゐるところの、合致する諸動機の作用の結果である。かゝる事態のもとにおいては、社會的諸法則の説明が、諸個人の行爲を指導するところの原動的な動機にまで遡ること、したがつてこの動機をもつて諸法則の出發點となすことについては、毫も疑の存しないことは、容易に知り得る。[33]」

オーストリー學派の立場はこれであつて、それが個人の動機にまで、從つて個人の心理的領域にまで遡るものと、この立場を見るときは、これを心理主義的方法といひ得よう。が、かく「心理學的」といふ名稱が相應しい程度にまで深入りしてゐないにしても、理論の構成にあたつて個人から出發するところの方法の亞種は、さはめて多く存する。ロビンソン的論理、方法論的個人主義(シュムペーター、,,Wesen,"u. s. w., 第六章)原子論 (Atomismus) (シュムペーター同上。シュパン、,,Gesellschaftslehre", ,,Kategorienlehre", u. s. w.)等の名稱を與へられてゐる方法は、すべてこれである。

客觀的方法 (objektivistische Methode) は、與へられた時期と地域とにおける社會現象一般、したがつてまた「經濟」——一つの全體としての——を前提とし、これにおいて個々の經濟現象、したがつてまた個人の經濟行爲を規制するところの法則を求めようとする方法である。一つの全體としての經濟社會の分析から出發して法則を求め、これを、それの部分としての個々の現象に適用せんとする態度である。もちろん個人の主觀的なる意識または動機を絶對的に無視するわけではなくして、たゞそれを、はじめから社會によつて規制されるものとして取りあげ、かゝるものとしての個人意識または動機の表現たる行爲の客觀的な結果における合法則性を追求する方法である。この意味において、これを「客觀的」といふ。いはゆる客觀的價値論の人々は、概してこの立場にあるが、マルクスの夫は、その代表的なもので、他の客觀主義者のうちに往々にして見る不徹底な要素をまつたく揚棄してゐる。この立場は、部分たる個人より出發せずして、全體たる社會から出發するがゆゑに、「全體主義」（「方法としての全體主義」）といはれる。前にも述べたやうに、私もまたこの立場に立つてゐる。またこの態度は心理主義に對立するといふ意味においては、論理主義的方法ともいひ得よう。

　この一對の方法は、いま私どもが見たところから察せられるがごとく、そのいづれを採るにしても、理論經濟學において、演繹的方法をもつて、法則を發見し、理論を構成してゆく際に、何處から出發するか、如何なる假設をもつてするかについての態度・主義を意味するのであつて、このゆゑに、それらは、演繹的方法の主義決定者である。それの指向者である。

（1）　J. St. Mill, Logic, Vol. I. 9th ed. 1875 pp. 448—9.
（2）（3）　ib. p. 451.
（4）　ib. p. 456.
（5）　ib. Vol. I. pp. 456—8., Vol. II. p. 473.
（6）　ib. Vol. I. p. 459.
（7）　ib. p. 460.
（8）　ib. p. 462.

(9)　Alfred Marshall, Principles of Economics. 大塚金之助、譯本、第一分册、三五四頁。

(10)　Joseph Schumpeter, Wesen und Hauptinhalt, u. s. w., 譯本、五一八——九頁。

(11)　J. St, Mill, Logic, Vol. II. p. 466.

(12)　ib. p. 464.

(13)　(14)　ib. p. 469.

(15)　ib. p. 457.

(16)　ib. p. 489.

(17)　ib. p. 487.

(18)　Gustav Schmoller, Grundriss der Allgemeinen Volkswirtschaftslehre, Erster Teil, 1923. S. 123.

(19)　Unger, Die Entwicklung der theoretischen Volkswirtschaftslehre im ersten Viertel des 20. Jahrhunderts, 1927., 堀、三谷兩氏譯本、八五頁。

(20)　Schmoller a. a. O. S. 110.

(21)　(22)　a. a. O. S. 112.

(23)　a. a. O. S. 120.

(24)　Unger, 同上、八六頁。

(25)　Max Weber, Die "Objektivität", u. s. w., (Gesammelte Aufsätze zur Wissenschaftslehre) S. 214. 譯本、一〇七頁。

(26)　J. Schumpeter. Wesen, u. s. w., 譯本、五一六頁。

(27)　同上頁。

(28) A. Marshall, 同上、三三八頁。

(29) 同上、三三八——九頁。

(30) 同上、三五四頁。

(31) 同上、三四一頁。

(32) J. St. Mill, Essays on some unsettled Questions of Political Economy, 1844, 末永茂喜譯、一七七頁。

(33) E. von Böhm-Bawerk, Grundzüge der Theorie des wirtschaftlichen Güterwertes (Jahrbücher f. Nationalökonomie u. Statistik, N. F. Bd. XIII) S. 78.

第三項　精密的方法と經驗的方法

次に私どもは、方法における重要な(殊に、方法操作の結果として獲得せられる經濟學的法則の性質の規定といふ仕事に鑑みて重要な)ものとして、精密的方法と現實的・經驗的方法との一對をもつ。この兩者の對立は、その歴史學派との抗爭においてカール・メンガーが特に重視して論じたものであるが、今日においても、この區分は、理論經濟學上重大な意義をもつてゐると思ふ。メンガーによれば(そしてこれはドイツ西南學派においても概して同樣であるが)、社會的な現象の理解には、次のごとき二つの方法がある。すなはち、第一に、一つの具體的現象の個別的な生成過程を研究することによつて、換言せば、そのもとにおいて、それが生成し來つたところの、しかもそれに特殊な個性において、現にそれがあるがごとくに生成し來つたところの具體的な事情を意識することによつて、この具體的現象を、特に歴史的《ヒストーリッシュ》な方法によつて(それの歴史を通じて)理解するのである。(1)

第二は、理論的理解である。「ある具體的な現象を、それの繼起または共在におけるある規《レーゲル》則性《メッシツヒカイト》(合律性《ゲゼッツリヒカイト》)の一つの特殊的な場合として認識することによつて、これを理論的な仕方で……理解する。換言せば、我々はある具體的現象において、專ら現象一般のある合律性の類例を認識することによつて、この現象の存在の根據およびその本質の特殊性を意識にのぼす。したがつて、たとへば我々が具體的な場合において、地代の騰貴資本利子の低落などを理論的に理解するのは、該現象が(我々の理論的認識の根柢のうへに)もつぱら地代資本利子などの諸法則の特殊な類例として現れ來つてゐるがゆゑである。(2)」

こゝにいはゆる歴史的方法は、私どもの當面の問題をなさない。何故なら、それは、科學の歴史的部門における方法であるから。すなはち、經濟學における歴史的方法――理論的方法といふ一對の方法は、理論經濟學に關するかぎりにおいては、後者のみが私どもの關心をもつものであるといふ意味において、對蹠的にそれらの性能を論ずることを必要としない。

さて現象を理論的に説明するために、まづ考へられる方法は、メンガーによれば、現實的＝經驗的方法 (die realistisch＝empirische Methode) 方法である。 それは、

「諸現象の定型および諸定型的關係を、諸現象がそれの『完全なる經驗的現實態』において、すなはち、それの本質の全體性《トータリテート》および完全な複合《コンプリカチオン》において、如何やうに現れてゐるかを考究すること、換言せば、現實的諸現象の全部を、一定の現象形態において秩序づけ、それらの共在と繼起とにおける合律性を、經驗的な遣り方において、確めんとすることである。(3)」

しかもこの經驗的＝現實的方法を、たゞちに現實態における諸現象の理解に、無雜作に用ひ得るかといふに、かならずしも然らず。 けだし

「諸現象は、それの完全な經驗的現實態において、經驗的には、ある現象形態において繰りかへして現れるが、決して完全なる嚴密性をもつて繰りかへさない。 何故なら二つの具體的な現象が全き一致を示すことはほとんどなく、いはんや比較的大なる群の現象が然かする場合もないからである。『經驗的現實態』においては、すなはち諸現象がそれの本質の全體性と全き複合とにおいて考究されるときには、決して嚴密なる定型は存しないからである。

あたかも各個の具體的な現象はつねに特殊たる定型として提示されてゐ、したがつて理論的考察の目的と效用とが完全に揚棄されるがごとく思はれるのである。諸現象形態の『すべての經驗的現實態』を(それらの完全な內容に卽して)包括するところの嚴密なる諸範疇を確立せんとする努力は、かくして、理論的考察にとつては、到達し得ない目標である。(4)」

すでに現實的・經驗・的方法によつて、完全な嚴密性を具備するところの定型を確定することができないとすれば、これによつて、定型的諸關係の確定、換言すれば、完全な嚴密性をもつ法則の定立もまた、不可能であるといはなければならない。

「諸現象の世界が嚴密に現實的な仕方で考察されるならば、これらについての法則は、單に、ある現象形態に屬する現實的諸現象の繼起と共在とにおける觀察てふ方法において確められた事實上の合律性を意味するに過ぎない。かゝる見地のもとにおいて獲られた『諸法則』は、實際には、ただＡなる現象形態およびＡなる現象形態に屬する具體的な諸現象に對しては、實際上、規則的にまたは例外なしに、Ｃなる現象形態に屬する現象が繼起するか、乃至はそれがＡおよびＢに屬するものと共存的に觀察されるといふことを、意味し得るにすぎない。Ａおよび Ｂなる現象一般に(すなはちすべての、否いまだ觀察されてゐない事例についてすらも)Ｃなる現象が繼起するといふ結論、あるひはこゝに問題となれる諸現象が一般的に共在してゐるといふ結論は、經驗を超えたものであり、嚴密な經驗主義の見地を超えたものであつて、それは上述の(現實的＝經驗的)考察方法の立場からは、嚴密には保證されてゐない。……諸現象の嚴密な streng (精密な exact) 法則は、理論的研究の現實的方向の歸結では、決してあり得ない。たとひそれが考へ得べき最も完全な現實的方向であり、またそれの基礎に横たはる觀察が、最も包括的な且つ批判的なものであつたとしても。(5)」

かくして私どもが經驗的＝現實的方法によつて獲得し得るところの科學的認識は、現實的定型と經驗的法則の二者であるが、これらのものは、この方法が上に述べたやうな限定的な意味においてしか精密性をもつてゐない結果として、それぞれ次のごとき範圍の妥當性をもつにとゞまる。すなはち

「現實的定型 Realtypen　それは現實的な諸現象の基本的形態であつて、それの定型的形像のうちにおいては、諸特殊性《ベゾンデルハイテン》に對して(現象の發展に對してもまた!)(許容される)餘地が、多少とも存してゐる。

「經驗的法則 empirische Gesetze　それは我々に對して、現實的諸現象の繼起と共存とにおける事實的《ファクティッシュ》な(しかし例外なきことが毫も保證されないところの)合律性を、意識せしむるところの理論的認識である。(6)」

かくのごとくいはゆる「現實的＝經驗的」方法に、現象界のすべての領域において驅使することができるけれども、これによつて獲得さるゝ法則は、「形式的に不完全であり、」その理論は、「我々に單に缺陷多き理解、不確定な見透しと現象に對する徹底的には確實でないところの支配を許容するに過ぎない。(7)」かくしてこゝにこの缺陷を補ふことのできる方法が當然要請せられることゝなる。メンガーは、かゝる方法に精密的方法(die exacte Methode)なる名稱を與へる。

精密的方法によつて我々の獲得せんとするところのものは、

「諸現象の嚴密な諸法則の確立であり、諸現象の繼起における諸合律性の確立である。それは單に例外なしに現れるのみならず、我々がそれに到達した認識方法に關するかぎり例外のなきことの保證をさへ含意してゐる。……それは普通に『自然法則』と名づけられてゐるが、『精密的法則』なる名稱と呼ぶ方が遙かに正しい。(8)」

精密的法則とは、「たとひ唯一の場合においてのみ認められるに過ぎないとしても、正確に同一の事實的な諸條件のもとにおいては、つねに再び現象として現れるに違ひないといふ命題、または、その本質上これとまつたく同じことであるが、一定せる種類の嚴密に定型的な諸現象に對しては、同一の事情のもとにおいては、つねに、しかも我々の思惟法則に關してまさに必然的に、同様に一定せる種類の他の嚴密に定型的な諸現象が繼起せざるを得ないといふ命題である。AおよびBなる現象には、それらが嚴密に定型的に考へられるかぎり、同一の事情のもとにおいては、つねに、嚴密に定型的なCなる現象が繼起せざるを得ない。たとひこゝに問題となれる現象繼起が、單に一つの場合にだけ認められるにしてもこの規則《レーゲル》は、諸現象の本質についてのみ妥當するのではなくて、またそれらの分量についても妥當する。〔傍點は筆者〕そして經驗は、この規則に關しては、何等の例外をも示さざるのみならず、批判的悟性にとつては、かゝる例外は、むしろまつたく思ひもよらないものである。(9)」

精密的方法は、次のごとき經路において用ひられる。まづそれは定型の確立をなす。すなはち

「それは、すべての實在的なものゝ最も簡單な諸要素を、そしてそれがまさに最も簡單なるがゆゑに嚴密に定型的に考へられざるを得ないところの諸要素を發見せんと努める。それは單に部分的にのみ經驗的＝現實的であるところの分析の方法によつて、これらの要素の確定に努める。すなはちこれらの要素が現實態において獨立的な現象として存立してゐるか否かを考慮せず、いなそれらが完全な純粹性において、そもそも獨立的に表現され得るや否やといふことすら考慮しないのである。この方法において理論的研究は、質的に嚴

密に定型的な現象形態に到達する。また……完全な經驗的現實態にあてはめて檢證することはできないけれども、（何故ならこゝに論じてゐる諸現象、たとへば絶對的に純粹な酸素や酒精や金や絶對的に經濟的目的のみを追求する人間等々は、部分的に、吾人の觀念《イデー》においてのみ存するのであるから）……精密的法則の獲得のための必然的な基礎であり、前提であるところの結論に到達する。[10]」

次にそれは、定型的諸關係、すなはち現象の法則の確定をなす。

「現實的な諸現象の繼起等における合律性を研究するのではなくて、それはむしろ、前に述べたやうに、現實的世界の最も簡單な部分的にはまつたく非經驗的なすべての他の諸影響から離れた（同樣に非經驗的に）諸要素から、如何やうにして複雜な諸現象が展開し來るかを、精密な（同樣に理想的な！）尺度を常に考慮しつゝ、研究するのである。〔この際〕……それらの最も簡單な要素またはそれらの要素の該複合が、人爲によつて影響されてゐない現實態のうちに實際に認め得るやいなや、否これらの要素または複合が、その完全な純粹性において、そもそも表現され得るや否やをさへ、考慮しない。それはまたこの際完全に精密な尺度が、現實には可能でないことを意識してゐる。しかもなほ……これらのことを前提として出發するのは、他の方法をもつてしては、精密的研究の目標、すなはち嚴密な法則の確定が決して達成され得ないに對して、嚴密に定型的な諸要素の・それらの精密な尺度の・およびその他のあらゆる原動力的要因からの孤立の・前提によつて、……單に例外を有しないといふだけでなく、我々の思惟法則そのものによつて、例外を有せずといふほかには考へられないやうな現象の法則に——すなはち諸現象の精密的法則に……到達するからである。(11)」

かくして「我々は、人間的諸現象を、それの最も根源的な且つ最も簡單な構成的諸要因に還元し、これら諸要素に對して、それらの性質に適應する尺度を與へ、最後に、それらの孤立において思考せられたこれらの最も簡單な諸要素から、複雜な人間的諸現象が形成されるときの諸法則を研究せんとするのである。(12)」

理論經濟學に精密的方法を用ふることは、前述せるところにしたがつて、

「人間的經濟の最も根源的な、最も要素的な諸要因の研究、該諸現象の分量の確定と、人間的經濟の複雜な諸現象形態がこれらの最も單純な諸要素から展開する際に從ふところの諸法則の研究(13)」

を意味するのであるが、しからば、この場合においてまづ第一に規定すべきことは、いはゆる「人間的經濟の最も根源的な、最も要素的な要因」とは何を指すかといふことになる。　メンガーによれば、

それは「諸慾望、人間に對して直接的に自然から提供された諸財(これに關聯せる享樂手段ならびに生産手段)および可及的に完全なる慾望滿足にむかつての努力(可及的に完全なる財需要の充足への努力)である。[14]」

以上見來つたやうに、メンガーにおける精密的方法は、その論理的・形式的意味においては「精密的自然科學」の方法と、まつたく同一である。

自然科學は、いふまでもなく、幾多の苦悶を經て、神學的自然觀や、形而上學的自然觀から、解放せられて、今日の「精密的自然科學」の階段に達した。そしてそれにおいて用ひられてゐるところの精密的方法は、次ぎのやうな經路において現れる。[15]

第一段には、要素化 Elementarisierung である。この過程は、たとへば光の電波への、化學的現象の電氣的事象への、音響の電氣振動への還元のごとく、より單純なる諸事實を發見して、當該現象が、この諸事實の屬性のうちに、その說明原理を求める。化學者が元素の概念に、生物學者が細胞の概念に達したるがごとき、これである。「要素化の過程はその認識論的內容に基づいて、正しくは次のごとく表示される。すなはち、ある對象を認識する、すなはちこれを『說明』するとは、自然科學においては、何か他のものへの・それの『還元』をいふ。それはつねに次のごとくにして行はれる。當該の自然現象に、ひとが他の現象にもまた見出し得る同じ性質または表徴が發見され、二つのものはもはや異なつたものとは思はれず、むしろ一は他の特殊の事例と考へられ、まさにかくすることによつて、これに還元される。(15)」これについて私は、こゝに、ヴィンデルバントの言葉を引いておく。

「日常生活及び特殊知識に於て個々の因果關係が假定せられるとき、また科學に於て個々の因果法則が問題にされるとき、生成として綜合的に總括される諸狀態、卽ち過程の初と終とは多くは互に相似ないものである。一物體から他の物體への運動の移行きの如き純機械的生成に於ては、それでも尙過程の初と終とが最も似た場合である。化學的變化やその他、稻妻が雷鳴の原因と思はれる場合の如き現象に於て、はこれらは固より甚しく相違する。摩擦電氣と木球の踊り、太陽の光と氷の解けることと又は花の咲くことと、更に毆打と之を避けんとする動物の悲鳴、杖を振上げることとゝ犬の逃走——これらは凡て原因と結果との關係であるが、その場合には兩者は益〻不等別種なることが明瞭に示される。併し原因と結果とが違へば違ふ程、兩者間の因果關係が益〻わからなくなるやうに思はれる。……之に反して衝突と反衝、壓と逆壓の如く兩者が原理上等しき場合には一つの他への轉化は何等の困難も作はない、そのときこの關係は理解されると言はれる。この意味に於て、例へば加熱と機械の作業の如く初と終とが遠く離れてゐる複雑な現象をも吾々は、それを個々の基本的現象に分解することによつて一層理解され得るものとする。蓋し後者にあつては原因と結果が比較的似てゐるために例へば機械のもつ個々の齒車や輾子が他のものへ運動を移す如く、最早何等の特別な困難も生じない如く思はれるからである。種類の異なるもののゝ因果性は、もしそれが種類の同じもののゝ純粹の因果性に分解されるならば一層理解されるものとなる。從つて自然研究は物體の凡ゆる生成を結局機械的に説明する、換言すれば原子から原子への運動の移行きへ還元する、といふ必然的傾向を有する。熱は、それが分子運動と解されるとき、理解されると思はれる。電氣や光も亦、それがエーテルの振動に還元されるとき理解されると思はれる、等々。理解の要求は同一性の要請に他ならぬ。そして物體的自然の現象は、それが同一種類の因果といふ右の如き單純な形式に分解される程度に應じて理解されることゝなる。生命又は有機體の機械的理解に關する凡ての問題はこの方式に歸せられる。(16)」

第二段には、數量化 (Quantifizierung) が來る。「還元」は、結局、この數量化のための準備に過ぎない。諸現象がある一定の要素に還元されるといふことは、諸現象がこの要素の何倍かにそれぞれ當るかといふこと、すべての現象が、この要素を公分母とすることを意味するので、すべての現象は、かくして一定の數的比例において立つ。換言せば、あらゆる性質が、無性質なる元子の數的關係に飜譯せられることゝなる。

精密的方法の第三段は、數學化 (Mathematisierung) である。前の二段における現象の數量化によつて、問題となれる諸現象は、すべて、確定した數値を取り得、かくてこれらの現象の間に存する法則性が、數學的記號をもつて象徴され得る。すなはち一定の方程式の群によつて表示されることゝなる。

以上は自然科學における精密的方法についての立言であるが、私どもの精神・文化・社會科學においては、精密的方法が可能であらうか。然りとするならば、それは如何なる意味においてゞあらうか。

上述によつても知り得るがごとく、精密的方法における最も重要なることは、現象の可測性といふことである。そして可測性の問題は、結局、私どもが確信をもつて押し立てゝゆくことのできる測定の尺度が獲得できるかどうかといふことに歸する。そしてこの尺度は、當該現象を分析して行つて、(ゾムバルトのいはゆる要素化)ある特定の構成要素に到達したときに(いはゆる窮極物 das letzte Ding において。しかし場合によつてはもつと手前のところで)得られる。

「ある一つの物を測定することは、我々が比較の標準として、單位として採用する同じものの一定量と之とを比較することである。一の長さ、一の重量、一の價値を測定すること、すなはち之を確めることは、メートル・グラム・フラン、一言にしていへば、同じ種類の單位の幾倍がそれに含まれてゐるかを見出すことである。(17)」

精神的・文化的・社會的現象について、かくのごとき測定の尺度が見出され得るか。この點については、否定的な答が與へられる。何となれば、前に私どもが見たやうに、社會的現象は、自然的現象に比して、原因・結果の連鎖の錯綜性が大であり、しかもこの間に處して、感性的に現象を分析してゆくことが不可能であつて、物質的形態をもつ尺度を立てることは、結局不可能である。かくて、分析は、思惟のうちにおける抽象的考察といふことになるわけであるが、こゝに普遍妥當的な尺度の確立といふことが困難となる原因が存する。經濟學だけについていふと、前にもいつたやうに、私どもの最單純な・基本的要素は、結局、經濟價値なる概念であり、測定ならびに尺度の問題は、財が體現してゐるこの經濟價値の量の確定といふことであり、これに關して、價値論上種々なる見解がある。しかもこの見解の差異が、結局、學者の所屬すべき學派の決定的契機をなしてゐる。これについての詳論は、拙稿「價値論と方法論との交渉(18)に譲ることゝするが、こゝで强調しておかねばならない一事がある。それは、精神科學における尺度は、要するに假設的なものであるといふことである。このことは、かならずしも、精神科學についてだけのことではなくして、自然科學においてもまた然りである。自然科學の發展が、その基本的要素を、あるひは地水火風に、あるひは分子に、あるひは原子・電子に……といふ風に追求して來てゐる過程を意味してゐることが、これを證しよう。精神科學においてもまた然りであつて、要するに、斯學の本質および認識目的に鑑みて、有用的な・目的合理的なるものでありさへすればよいのである。

從來の學説において、私がこゝにメンガーを引用することによつてその片鱗をうかゞはしめた限界效用説と、マルクス的な勞働價値説とが、この尺度の追求について、したがつてまた財の可測性の解決について、最も偉大なる功績を殘したものであることと、しかし私は必ずしも無條件に、これらのいづれにも追從するものでないことは、拙稿において明かにしておいた。

これらの學説においても、私どもは、經濟現象の可測性が、あるひは明白に、あるひは暗默のうちに、假定せられてゐることに、さしたる困難なしに、氣がつくであらう。

しからば、それは、如何やうに假定されてゐるか、もすこし推し弘めていへば、精密的方法は如何やうに使用されてゐるかゞ、私どもの重大な問題となる。

以上私は、主としてメンガーの言葉を引用しながら、精密的方法と經驗的方法との間の差異について述べて來たのであるが、これを要するに、精密的方法は、現象に極度の抽象を施し、理論の當該階段の要求する以外のすべての要素を捨象したのちの要素について、法則を求めるものであり、經驗的方法は、現象を、具體的に與へられたまゝの相において、考察して法則性に達せんとするものである。前者によつて私どもの獲得するものは、精密的法則（または自然法則）、後者によつて獲得するものは經驗的法則と稱せられる。精密的法則は、「諸現象の共存と繼起とにおける諸合律性《ゲルメーシッヒカイテン》、例外のない、いなそれに關しては、一つの例外の可能性すら、まつたく排除されてゐるやうな合則性」であり、經驗的法則は、「例外も確かに存するところの、またはそれに關しては例外がなほ可能であるやうに思はれるところの合則性である。(19)」すなはち兩者の區別は、その嚴密性の絶對的なるか、相對的なるかといふ點にある。

しかも諸理論科學の敍述におけるとおなじく、理論經濟學においても、この兩つの形式的に相異なる種類の認識が、相竝んで盛られてゐ、總括的敍述において取扱はれてゐるのを見るのである。これは如何なる理由によるのであらうか。メンガーはいふ。

「諸理論科學一般におけるがごとくに、理論經濟學においても、精密的認識と現實主義的認識とは、理論的研究のある點において相異なる方向の結果であり、したがつて形式的關係においては、種々の相異點を示す。しかも研究の領域は、二つの方向に共通であり、いづれの場合においても、全國民經濟を包括する。理論的研究の精密的方向も現實主義的方向もともに、我々に對して、國民經濟のすべての現象を、それぞれその仕方において、理論的理解に齎さうとする傾向をもつてゐる。

「それゆゑ〔これらの〕兩つの研究の方向は、相補完し合つて、我々に國民經濟の異なれる諸領域の理解の途を開くのでは決してなく、むしろそれらのそれぞれの機能は、我々をして國民經濟的諸現象の全領域を、それぞれの獨自の仕方において、理解せしめるといふところに存する。たゞそのいづれかの方向が、あるひは缺陷ある客觀的前提のために、あるひはまた研究の技術のうちに存する理由によつてか、何等の結論にも到達し得なかつた場合には、かかる場合においてのみ、そしてかゝる事情が存するかぎりにおいて、國民經濟の一定の諸領域においていづれか一つの研究方向が他に優ることゝなる。

「諸現象の領域が複雑なればなるほど、該現象を、その最も簡單な諸要素に還元し、それによつて前者が後者から合則的に構成されてゆく過程を研究する任務は、いよいよ困難且つ包括的となり、精密な研究の完全にして滿足な結論を得ることが、いよいよ困難となる。かくして自然科學におけるとおなじく、社會的研究の領域においてもまた、複雑な諸現象に關しては、概して經驗的法則のみが存立し、自然および人間生活のより複雑でない諸現象に關しては、精密的理解が著しい重要性をもつといふ事情もまた説明ができよう。かくして現象界の複雑な諸現象に關聯するところの理論的認識に關しては、現實主義的研究方向が優位であるに對して、より複雑ならざる諸現象に關しては、精密的研究方向が優位であるを常とするといふ周知の事實も明かとなる。しかも原理的にこれら二つの研究の方向は、現象界のすべての領域のみならず、現象の複雑性のすべての階段にもまた適充するのである。(20)」

理論經濟學においては、一般的にいつて、その全體としての體系の諸部分のうちで、初の方に位するものにおいては、精密的方法が殆ど獨裁者的であり、その後、次第に經驗的方法の介入する餘地が生じて來る。これは、私どもの理論が、單純なものよりより複雑なものへの方向において展開せらるべきであり、また事實上然されてゐることの當然の結果である。私は、この點についてたとへばカッセルの「原論」において、彼の理論が景氣變動論に移る際《キハ》において（第四編の冒頭[21]）、彼がきはめて鮮かに、精密的方法と經驗的方法とを取換へ、且つこのことを明確に意識してゐることに對して敬意を表したい。

　わが理論經濟學の本質的任務は、經濟の諸定型と定型的諸關係とに關する法則の精密性の程度がどうともあれ、とにかくかゝる法則を追求することにある。かかる法則の精密性が比較的小であつても、私どもは、それが現象の理解・豫見ならびに支配に關して、私どもに對して提示してくれるそれの補助手段としての有用性を否定し、もしくは蔑視してはならない。經濟現象について、自然科學的意味におけるがごとき精密なる法則が得られ難いからとて、理論經濟學の存立を否定することはできない。

　精密的方法と經驗的方法との間の性能上の差異とその相互補完性とは、上述のごとくであるが、私どもの理論構成に關しての追求慾は、最高の嚴密性においてある法則性を目指してゐ、能ふべくんば、何等かの手續によつて、「經驗的法則」を「精密的法則」にまで引き上げようとしてゐることは、いふまでもない。後者は前者の理念または極限概念である。

兩者の關係が、かくのごとくであるが、然らば、これらと、演繹的方法——歸納的方法といふ一對とは、如何なる關係に立つであらうか。この點については、精密的方法が演繹的方法における一つの亞種であること、典型的なる夫であること、否むしろ演繹的方法の別名でさへあることについては、敢へて證明の勞をとるの必要がないであらう。問題は精密的方法を極限概念とし、これに向つて自己完成の途を辿つてゐると見るべき經驗的方法にある。これは前にも見たやうに、これを用ふるにあたつての理論の階段の如何によつて、精密的方法に非常に近いものから始つて、きはめて遠いものに及ぶ大なる度差をもつて存在してゐる。精密的方法から遠くにあるものは、歸納的方法に近いものであらう。しかしいづれにしても、經驗的方法の目指してゐることは、現象の單なる敍述にあるのではなくして、ある程度の法則性の發見にある以上、説明の原理をもたねばならず、この原理は、精密的方法におけるそれに比べると一層具體的であるが、(そしていふをまたない)演繹的推理の出發點となるこて、この具體性に度差があることはいふをまたない)演繹的推理の出發點となることは、精密的方法におけると、おなじでなければならない。すなはちそれは推理の態度としては、原理的には、演繹的方法のそれである。たゞその際もてる説明原理の獲得に、歸納的色彩が濃厚であるといふに過ぎない。

理論構成を目標とせる理論經濟學の立場からせば、私どもの理論は、一切の具體的な複雜な經濟的現象を、その屬性の隅々にいたるまで質的ならびに量的に、ある根本原理から、一直線に說明することにある。たゞ現象の複雜な諸聯關は、このことを、容易には、許さない。こゝにおいて理論構成の實踐は、諸現象を、まづ、その具體的な複雜性において、分析し、ある共通な諸要素によつてこれを綜合して、これらの現象について、この一群の要素に關する法則または理論を立てる。そこに分析と綜合、歸納と演繹の統一を見る。がこゝで用ひられた方法は、きはめて具體的な經驗的方法であり、したがつて立てられた法則や理論は、なほきはめて具體的な經驗的法則または理論である。私どもの仕事は、かゝる分析と綜合、歸納と演繹との統一を、いよいよ抽象的な相でなすことにおいて、繼續されてゆく。すなはち用ひられる方法がいよいよ抽象的なものとなることによつて、精密的方法に近づき、立てられる法則または理論は、いよいよ具體性を失つて行つて、精密的法則に近づく。

この過程の各階段は、かくして分析と綜合との、歸納と演繹との、漸層的なる統一を意味し、しかも理論構成のこの統一的な漸進的な過程の成立と進行との根本的な最高原理は、精密的方法の與件として設定されてゐるのである。この與件よりすべてを説明し、逆にこの與件の自動的展開を、すなはち精密的方法を、經驗的方法によつて調節してゆく。これが私どもの實踐してゐるところである。

かくのごとくにして、そこには、經驗的方法と精密的方法とが併用されてゐるのであるけれども、後者は極限概念として、前者に對して指導的な立場にあり、單なる經驗的法則を精密的法則に引揚げることは、理論構成における私どもの理想である。前にもいつたやうに、理論經濟學は、原理的には、歸納的方法よりもむしろ、演繹的方法を用ひる。また最も完成した演繹的方法が精密的方法であるから、理論經濟學の本來の方法は、約言して、精密的演繹法であるといへば、いゝであらう。

（1） C. Menger, Untersuchungen, u. s. w., S. 14., 譯本、三六頁。
（2） a. a. O. S. 17., 同上、三七頁。
（3） a. a. O. S. 34., 同上、五一頁。
（4） a. a. O. SS. 34—5., 同上、五二頁。

(5) a. a. O. SS. 35—6., 同上、五二—三頁。
(6) a. a. O. S. 36., 同上、五三頁。
(7) a. a. O. S. 38., 同上、五四—五頁。
(8) a. a. O., 同上、五五頁。
(9) a. a. O. S. 40., 同上、五五—六頁。
(10) a. a. O. S. 41., 同上、五六—七頁。
(11) a. a. O. SS. 41—2., 同上、五七頁。
(12) a. a. O. S. 43., 同上、五八頁。
(13) a. a. O. S. 45., 同上、五九頁。
(14) a. a. O., 同上、五九—六〇頁。
(15) W. Sombart, Die drei Nationalökonomien, SS. 104—7., 譯本、一三〇—三三頁。
(16) W. Windelband, Einleitung in die Philosophie, SS. 153—4., 譯本、一七二—四頁。
(17) Destutt de Tracy, cited in Ricardo's „Principles," Gonner's ed. p. 268., 小泉信三譯(古典叢書本)、四二一頁。
(18) 拙稿「價値論と方法論との交渉」、七〇頁以下。八二—四頁。
(19) C. Menger, a. a. O. S. 25., 同上、四五頁。
(20) a. a. O. SS. 52—3., 同上、六六—七頁。また S. 265., 同上、二五七頁をも。
(21) G. Cassel, Theoretische Sozialökonomie, V. Auflage. 1932, SS. 472—3.

第四項　技術的諸方法

いまゝで私がこの節において述べて來たことは、理論經濟學の方法としての脊椎骨をなす精密的演繹法と、それへの準備としての經驗的方法、またそれの補助者としての歸納的方法とを中心としてゐ、これに副次的に、あるひはこれらのシノニムとして見得る綜合的方法――分析的方法、先驗的方法……經驗的方法、抽象的方法――具體的方法を、あるひはこれらの方法を用ひるにあたつての態度としての主觀的方法（心理主義的方法）――客觀的方法（論理主義的方法）、原子論的方法――全體主義的方法などについて述べたのである。以上の諸方法は、精密的演繹法をその主宰者としながら、理論構成のための本來の、いはゞ第一次的な方法をなしてゐる。この本來的な方法に對して、私どもは、理論構成のための補助手段としての諸種の方法、いはゞ技術的な方法をもつてゐる。たとへば數學的方法は、あるひは獲得されてゐる經濟學的法則に含まるゝ諸關係を諸關係式において表現し、あるひはこれら諸關係式の圖表を作製し、かくのごとく「法則を描く」ことによつて、これを直觀的に把握し得るやうにする。また統計的方法は、演繹的方法によつて、その可能性が豫想されてゐるところの法則を、實地に檢證するために蒐集された數字を數理的に解析し、現象における現實の合則性を數字的に表示する。したがつてこれらの方法は、あるひは經濟學的理論の實證の、あるひはその敍述・傳承のための技術的な手段である。

數學的方法(mathematical method) 經濟的現象は、私が前に經濟價値の本質について述べた際(1)にも觸れたとほりに、本來數量的なる現象である。この數量性には、もちろん、單に量的な(quantitative)場合と數字的な(numerical, ziffermässig)場合との差はあるが、ともあれ經濟的現象の數量性、殊に諸現象間の複雜なる數量的聯關についての法則・理論の追求が、普通の言葉をもつてする方法(literary method)に代はるものとして、現象とそのあらゆる論理性を、符號にて表現するところの數學的取扱ひを可能ならしめることは、自然の勢である。これによつて、私どもは、單に普通の言葉を用ひる方法に比して、視覺に直接的に訴へることによつて、はるかに小數の命題または定式をもつて、遙かにより容易に、且つより精確に、現象間の聯關を暴露することができる。 數學的方法の經濟學への應用については、ゴッセンが「經濟學は異なれる諸力(Kräfte)の共働を取扱ふものであるが、計算するといふことなしに、諸力の作用の結果を決定することができない」(2)といひ、ジェヴォンスもまた次のごとくいつてゐる。

「すべての經濟學的著述家は、彼等がいやしくも科學的たるかぎり、數學的たらざるべからず何故ならば、彼等は經濟的諸量およびかゝる諸量の諸關係を取扱ひ、しかもすべての諸量と諸量の諸關係とは、數學の領域にはひるからである。彼等自身の方法の認知に對して最も頑强に且つ明白に抗議して來たところの人々すら、彼等の言葉において、自らの推理の量的特性を、不斷に告白してゐる。」アダム・スミスすら經濟的現象の數量性については、既に氣がついてゐたのであつて、「數學的に論議することは、たとひそれが正當にされたか、正當にされなかつたかの差はあれ、とにかく經濟學の理論における諸著述家に關しては、區別がないのであると、私はいひたい。」彼は從來經濟理論に數學を應用した人々を四種に分つてゐる。第一類に屬する人々は、「數學的取扱を、明白な、または組織的な仕方で、毫も試みなかつたが、記號的または圖表的取扱を單に偶然的に導入することによつて、その價値を認めた」人々であり、第二類に屬する人々は、「豐富に數學的手段を用ひたが、それの眞の效用を誤解し、もしくは眞の理論から逸脫したために、砂上に建築した」人々である。第三類には、「數學的術語や方法についての如何なる誇示もしなかつたにもかゝはらず、量的觀念の取扱ひにおいて精確性に到達しようと注意深く努め、かくして效用と富との眞の理論の、大小の差はあれ、完全な理解に導かれて行つた人々」を含む。第四類こそは、眞に數學的方法を利用した人々であつて、彼等は「意識的に、且つ公然と、問題についての數學的理論を構成し、そしてもし私の判斷にして正當なりとせば、「我々の」科學についての眞の見解に到達したのである。(3)」

ジェヴォンスがこゝに擧げてゐる人々は、そして彼自身をも含めて、その數學的方法の使用における成功の程度に差はあるが、すべていはゆる「均衡理論以前」の數學派であつて、現在の私どもの立場からは、完全な意味における數學派といふわけにはゆかない。

從前の「數學派」にあつては、概して、單に現象を數學上の記號をもつて表示するに過ぎず、または單に個々的現象の間の關係を方程式または圖表において表現してゐるに過ぎない。しかしこれだけならば、用ふる技術が、非數學的方法と違つてゐるだけのことであつて、理論的意味において、本質的な差別を、その間に認めるわけにはゆかない。均衡理論においては、これに反して、全體としての經濟が、私の愛用する言葉でいへば、「社會的總再生產過程」が、それを構成してゐる部分的現象または部分的過程の諸聯關の一つの全體として、相關的に聯關し、また變動してゆく諸經濟現象の全體系として、數學的表現を與へられつゝ、私どもの眼前に展開される。

諸現象の一つの體系のうちにおける、このやうな相關關係に注目がなされ得たこと自身既に、數學的思考方法の經濟學的領域への適用の可能性の表現であつて、したがつて、この思考の過程ならびに歸結が數學的な表現をもつにいたることは、當然である。しかしながら、かゝる數學的思考方法も、實は、演繹的方法における考へ方の一つの仕方にほかならないのであつて、その推理の出發點には、一定の經濟的な條件を備へた假設が立てられてゐ、この假設のもとに數理的思考が展開してゆくのである。

數學的方法は「若干の一般關係及び若干の短い經濟學的推理過程を明快に表現する。驚くべき簡潔精密な言葉の使用を許すからである。この關係及び過程は元より通常の言葉で表現し得るが、數學の言葉を用ふる場合の如く輪廓の鋭さを持たない。又之よりも遙かに重要な點として、數理的方法による物理問題取扱上の經驗は、經濟變化の相互的交互作用を把捉せしめ、この把捉は他の如何なる途をもつてもこれ程には行かない。(4)」かくして數學的方法は理解のための補助手段の一つであつて、たゞちに理解そのものを意味しない。したがつて私どもは、必ずしもこれを必須なものとしない。たゞこれを用ふるとき、諸現象のもつ諸規定性の表現と、その相互間の聯關についての傳承とに一層便宜であるといふに過ぎない。純粋經濟學——それは數理經濟學であると、一般通念では考へられてゐる——において、ひとは必ずしも、數學的方法を用ひずしてその目的を達成することができる。たとへば私どもはその優れた一つの試みとして、中山伊知郎氏の「純粋經濟學」をもつ。數學的方法の適用の限界性については、「我々はまづ單に簡約な表現として數學的公式を利用すべきである。しかし我々が豫定の結果を得るや否や、我々は數學的公式を、普通の言葉に取換へ、これらの數學的公式を燒却しなければならない(5)」といふマーシャルの言葉は、けだし最も簡明に、これを私どもに敎へてゐるといへるであらう。要するに私どもは、方法そのものゝ形式的な性質の自動的な展開に卷きこまれて、何故にこの方法を使用するかについての目標を忘れてはならない。自然科學の領域においてすら、數學的方法は、愼重な考慮のもとになされることを要求されてゐる。

「數學を自然の研究或は記述に用ひるといふ事がどうして出來るか。其れを採用する事が必然的であるや否や、さうだとすればそれはどういふ意味に於てゞあるか。此等の問題を明にする事は數學の應用を誤らしめないために明かにして置く必要のある事である。

此等の問題に對する誤解はやがて數學の濫用を惹起し、或は數學を用ひてある推理の結果を妄信するやうな弊を釀す恐れがある。」たとへば「物理學上の各種の問題に數學を應用する場合には、當該の問題を數學的に formulate し得る爲に問題自身に幾多の限定や假定を施す必要が起る。……實際の問題に於ては數學の嚴密なる開展の困難を避ける爲に種々な省略を行ふから此處にも誤謬の入り込む門は多數に開放される。(6)」

いはんや經濟學においては、その對象の本質からいつて、これに數學的方法を用ふる場合、本來の認識目的への途から逸走する危險性の存することは一層大であらう。いふまでもなく、そこで數式や圖表でもつて表現されてゐるところのものは、經濟的事象の性質を、決して完全に象徵してゐない。數値としてそこに提示されてゐるところの現象(いはゆる經濟諸量)は、幾階段かの抽象化を經た結果であつて、そこにはかゝる抽象化を指導した何等かの原理の存することが、示唆されてゐる。

この抽象化の第一歩は、經濟的現象の測定といふ事實に在る。自然科學においては、測定は、すべての被測定物を長さ・質量・時間等の基本單位に還元することをいふので、その中心をなす問題は、如何に單位または尺度を決定するかにある。私どもの科學においても、從來かゝる測定について種々なる仕方があつたこと、それが結局價値の測定といふ問題であること、その典型的な仕方は、マルクスの勞働價値論におけるものと、限界效用説におけるものとであること等は、周知のごとくである。これらの説において、あるひは抽象的人間勞働を、あるひは限界效用を、財價値測定の尺度となしてゐるのは、理論の幾階段かの精緻なる展開過程を經だあげくであつて、その際ある假設が定立されてゐることはいふまでもない。

然らばかゝる假設は、如何にして立てられるか。こゝに私は數學的方法の演繹的方法への必然的聯結を見る。前者は後者の規制に從つて、まづその出發點たる價値測定すなはち經濟現象の數量化を行ひ、しかるのちは、かゝる數量間の聯關を、現象間の事實的聯關の觀察によつて補整しつゝ、理論の展開をなしてゆく。いひかへれば、數學的方法は演繹的方法の手段である。乃至はそれの展開のある一種の仕方である。ゆゑにそれは演繹的方法に對しては、派生的・從屬的・あるひは第二次的な位置を占めてゐるといふべきであらう。

さらに私どもは、精密的方法と數學的方法との間に密接不可分な關係があること、いな同義語であるとさへ考へられ得ることを指摘せねばならない。自然科學においては、精密的方法が即ち數學的方法であること、また精密的法則が數學的形態をとつてゐることは、自明のことゝされてゐる。前に精密的方法について述べたときに見たやうに、それによつて私どもの獲得するところの法則性は、單に諸現象間の性質上の關係における必然性のみではなくして、また量的なる關係の必然性をも意味する。數量的關係を含意しない法則なるものは考へられないが、精密的法則にあつては、この數量的關係が、精密的な必然性において示される。

經濟學の領域において數學的方法を用ひる場合にも、それは、經驗的方法としてではなくて、精密的方法としてゞあることは、いふまでもない。ワルラスはいふ。

そもそも「數學的方法は經驗的方法にあらずして、唯理的方法(méthode rationnelle)である。本來の自然科學は、自然を純粹に單純に記述するにとゞまり、經驗の外に出でないものであるか。私はこの問題に答ふるの勞を自然科學者に委せておく。が確かなことは、物理數學的科學は本來の數學のごとく、それからそれのタイプを借りたところの經驗から出發することである。これらの科學は、この現實的タイプから、彼等が理想的タイプと定義するところのものを、抽出して來る。そしてこれらの定義の基礎のうへに、先驗的にそれらの定理と證明とのすべての足場を作る。そしてその後、その結論を確認《コンフイルメ》するためにではなくて、それを應用するために經驗に再び歸るのである。いやしくも幾何學を學んだ者は何人も熟知するがごとく、抽象的な、理想的圓または三角形におけるごとくに、圓の半徑はたがひに相等からず、一つの三角形の內角の和は二直角に等しくない。實在は、これらの定義や證明を近似的にさへも確證しない。しかもこれらの定義と證明とははきめて廣く應用され得るのである。この方法にしたがひ、純粹經濟學は、交換・供給・需要・市場・資本・收入・生產的用役・生產物のタイプを經驗に借りねばならぬ。純粹經濟學は、これらの現實的タイプから、定義により て、理想的タイプを抽象し、これらの理想的タイプのうへに推論を行ひ、科學が一旦成立してからさらに、應用を目的として再び現實に歸らねばならない。かくて理想的市場に、理想的需要供給と嚴密な關係をもつところの理想的價格が得られるのである。他もすべて同様である。(7)」

ワルラスのこの言葉は、「純粹經濟學」が精密的科學の一つとして、數學的方法によりて成立すること、このためには、經濟的諸量がその純粹性において現れ來つてゐるところの理想的形態を、まづ立つべきことを示してゐる。このワルラスの見解と、他の人々によるおなじ方向への考へ方との聯關については、後に述べることにして、私どもは、數學的方法そのものについて、なほ述べつくされてゐない點を、片づけておかねばならない。

數學的方法に二つの亞種がある。　一は圖表的方法(graphic or graphical method)であり、他は代數的方法(algebraic or algebraical method)である。　經濟學に關するかぎり、前者は、經濟的諸量——これらの變數の間には函數關係が在るとされる——を圖示し、諸量の間に存する法則を明示する。　圖表を用ゐることは、必ずしも經濟學としては必要としないけれども、これによつて、私どもは、視覺を通じて、一層端的に、關與せる諸要素の間の關係の全部に對する見透しをつけることができ、適確に「法則を讀む」ことができる。

代數的方法は、經濟的諸量の間の函數關係を方程式において示す。　數學上の方法として、前者との間に存するところの、一般的な關係についての立言(小倉金之助、「計算法及びのもぐらふい」——岩波講座「數學」參照)は、こゝでもまた妥當するであらう。

要するに圖表的方法ならびに代數的方法は、私が前に述べたところの數學的方法の内容をなすものとして、これを數學の立場から見れば、一つの應用數學として立つ。私どもは、いまはこれを、理論經濟學の立場から、斯學における理解ならびにその成果の傳承のための一種の技術的手段として見、その性能を考察しなければならない。

統計的方法(statistical method)これはいふまでもなく、經濟的統計資料を蒐集し、これを分類・整頓して圖表を作り、これによつて、蒐められた數値の平均値を獲得し、この平均値を通じて諸多の經濟現象を對置・比較し、それらの間に何等かの關係があるか否かを吟味する方法である。社會的現象のごとき複雑なる現象においては、「諸原因の錯綜性」のゆゑに、現象の間の因果關係の歸屬に關して斷定を下すにあたり、種々な困難が存するが、この方法は、要するに前掲の共變法における一種の手續であつて、これによつて私どもは數量的歸納を行ひ、現象の變《ヴァリエーション》動の法則を樹立することができる。それは、約言すれば、大量觀察による數量的關係についての觀察による歸納的方法である。

しからば演繹的方法を中軸としてゐる理論經濟學に關するかぎりにおいて、統計方法は如何なる意味をもつてゐるであらうか。社會的現象のごとき實驗の不可能なる現象については、その歸納的考察は、統計的方法による場合が多い。私どもはこれによつて經驗的法則を立てることができる。そしてこの經驗的法則に暗示されつゝ精密的法則を立てる實踐的可能性の門が開いてゐる。理論經濟學においても同樣のことが妥當する。

前に述べたとほりに、試驗的方法（tentative method）によつて、ある假設を立て、これによつて現象を蒐集し、整理して、暫定的な法則を發見し、これをさらに事實と對照して、最初の假設の再吟味を遂行し、その結果に基づいて修正された新たな假設を立て、逐次かくすることによつて、價値のより高き法則を發見してゆく。これがすなはち、前に述べた逐次近似法にほかならない。そして統計的方法は、その典型的なものである。

經濟的現象の統計的取扱によつて、私どもはまづそれの經驗的法則を見出し得、これによつて、既に成立してゐる演繹的理論の展開をして事實に適合せしむるやうに調節することができる。さらに進んで、それは、演繹的方法の出發點たるべき與件の性質を暗示する。このことは、殊に、景氣變動理論の構成の實踐において、私どもがしばしば見るところである。要するに、理論經濟學に對しては、統計的方法は、それの中軸的方法たる演繹的方法に奉仕する補助手段としての歸納的方法の一つの亞種としての役割を演じてゐるわけである。

（1）拙稿「價値論と方法論との交渉」、七〇―八一頁。
（2）Hermann Heinrich Gossen, Entwicklung der Gesetze des menschlichen Verkehrs und der daraus fliessenden Regeln für menschliches Handeln, 3. Auflage, 1927, S. VI.
（3）William Stanley Jevons, Theory of Political Economy, 4th ed., 1924, pp. XXI–XXVIII.
（4）A. Marshall Principles of Economics, 大塚金之助譯、第一分冊、三五四―五頁。
（5）Memorial of Alfred Marshall, ed. by Pigou, 1925, p. 427.
（6）寺田寅彦、物理學序說、（全集第九卷）三〇―五頁。
（7）Léon Walras, Éléments d'économie politique pure, 1926, pp. 29–30. 手塚壽郎譯、上卷、四八―九頁。

第五項　其他の「方法」

本節の第一項において擧げた諸多の方法の性質・機能について概觀し來つて、私どもの手にいまや殘つてゐるところのものは、そこで私が、「時として方法の名で、しかしより多くの場合「原理」の名で呼ばれるもの」として現したものである。

これらを眺め渡すとき、それらのもでる理論上の意味が種々様々で、必ずしも齊一的でないことが知れよう。　たとへば「經濟主義の原理」、「代位の原理」などは、人間の合理的行爲一般の指導原理である。「稀少性の原理」は目的に對する手段の存在の相對的小量または劣質なることに關し、經濟をこの點から說明せんとする原理で、前二者と、もちろん、無關係ではない。「限界原理」（「限界效用原理」および「差益原理」）もそれに從屬するある種の形態であることは、周知のごとくである）と「平均原理」とは、現象の說明にあたつて、「限界原理」は、問題となれるある特定の事項に關しての限界點に立てる單位現象を、然らざるすべてのもの丶量の規制者、または尺度と見なす考へ方であり、「平均原理」は、問題になれるすべての個別的現象の量の平均値を求め、この平均的な現象を、すべての當該現象の代表者と見なし、それが表現してゐる性質に卽しつ丶、すべての現象に通ずる法則を立てようとする考へ方である。また「費用原理」は生產物の價格決定者として生產費をもつて來、これによつて價格現象を一貫的に說明せんとする原理であり、「歸屬原理」は、補完的に役立つところの諸財に關して、これらの財の結合的全體の價値が如何やうに各財に歸するかといふことに着目して、價値または價格の理論を構成せんとする考へ方であるが、殊にそれは、生產財の價値または價格の決定の理論に關する。すなはち、生產的結合に參加するところの各種の生產財に、生產物の價値または價格が、如何なる割合で歸屬してゆくかといふことから、各〻の生産財の價値または價格を決せんとするのである。がこれが歸結は、結局、各種の生産財の提供者たる勞働者・地主・資本家の生産上の貢獻の決定、またこれが對價としてのこれらの經濟主體への分配分の決定、すなはち分配ならびに所得の理論への當然の展開を豫想もしくは暗示してゐる。

この種の「原理」は、こゝに列擧したほかにもなほ存するであらうが、そして斯學の發達につれて將來增加してゆくことであらうが、いづれも、現實の現象によつて暗示せられて、理論家が、全體としての理論構成の、またその部分的階梯における、彼の思考の方向の指針として定立したものである。この意味において、それは理論構成上の態度についての原理であり、これを、前に掲げたところの諸多の「方法」と、同一のディメンジョンに並べて「方法」と呼ぶことは、いさゝか失當であると思ふ。何故ならば、かゝる原理は、私どもの理論構成――演繹的方法の驅使に際してのorientationであるかぎり、理論經濟學における中軸的方法たる演繹的方法に對して、規制者として立つてゐ、それは演繹的方法以上のものであるからである。

かゝる「原理」を、その思惟進行のorientationとして、意識的に、且つ一貫して用ひることによつて、全體としての理論體系が、統一的なものとなり得る。私どもは、その著例の一つとして、カッセルの「理論的社會經濟學」をあげることができよう。彼は、この書におけるすべての理論を、「稀少性原理」を中心として展開してゐる。彼はこれについて次のごとくいつてゐる。

「價格は、……需要を制限して、限定せられたる稀少性において與へられてゐると想定されてゐるところの供給によつて、滿足せられ得るやうにする本質的機能をもつてゐる。これが稀少性の原理である。おそらくは、この原理は、古い有りきたりの需要供給說以外の何ものでもないといひ得るかも知れない。ある意味においては、然りである。それにもかゝはらず、私は、……あらゆる經濟にとつての、その欲求を充す爲に自由に處分し得る手段の稀少性の本質的な重要性を强調することが、有益であると思ふのである。かゝる稀少性の存在こそは、經濟すること(economising)を必然的ならしむるところの根本的事實である。したがつて私どもは、この稀少性に對して、私どもの經濟理論におけるそれの正當な中心的地位を與へねばならない。〔傍點は筆者〕私は、私の經濟學の研究のそもそもの初めから、この點に關して、あるものが缺けてゐることを感じてゐたのである。なるほど、市場の狀態の論議においては、稀少性に對して注意が拂はれて來てゐる。こゝでは、論者は、價格が需要と供給とによつて決定せられるといふことに一致してゐるのであつて、このことにおいて、私どもは、稀少性原理についてのある認識を認め得るのであるが「彼等においては」價格問題の分析がさらに進んで、終極的生產要因の價格を導入しなければならなくなるに至るや否や、事態についてのこの見解と、したがつて稀少性の全原理とが、背景のうちにひつこまされてしまひ、いな多くの場合においてまつたく消失してしまふことが特徵となつてゐる。(1)」

カッセルがその理論經濟學において對象としてゐるものは、價格經濟↓資本主義經濟で、あつて、これについての理論構成の中心をなすものは、價格構成理論であり、すべての經濟的量が、價格として考察されるのであるが、彼によればこの量の決定において、窮極的規制者は、諸財の「稀少性」といふ事實である。——かくてたとへば、利子は資本用役の、また勞賃は勞働の、地代は地役の、稀少性價格(Knappheitspreis)であるといふやうに。彼の理論が、この稀少性價格を中心として、如何やうに展開されてゐるかの全貌を、こゝに述べる餘裕はないが、これに對しては、彼が「稀少性原理」をもつてその指導的原理とすることに、あまりに固執して、いさゝかこれを强行しすぎてゐることを指摘し得るであらう。

この思考のorientationとしての「原理」に關說してゐるところの、いま一つの例として、シュムペーターの言葉を引用し、且つかゝる「原理」の如何やうなものであるべきかについて、反省しようと思ふ。彼はいつてゐる。

「何よりもまづ我々は交換關係を記述する一の原理(Prinzip)を求める。もし或る種の大さをその中にあて嵌めるならば我々の體系の所求の要素を結果として生ずるやうな表現は何れも原理たるに適してゐる。この際それがそれ自身に於て價値ある認識を表してゐるか否かを問ふ必要はない。さらに現實に存する總ての交換關係を觀察することが我々にとつて不可能であるのはいふまでもないから、この原理は一の恣意的な假說(Hypothese)の性格をもち、それが事實と說明すべからざる矛盾に陷らない限り我々の利用に供することが出來る。我々はそれが可能である場合には勿論何等かの事實觀察から出發するが、その限りに於ては原理に全然恣意的であるわけではない。しかし我々は進んでその原理を、我々の觀察し得ない場合、例へば未來に屬する場合にもすでに述べた如くに適用するであらう。我々はまた我々の假說を每日檢討し得ないし、またそれを欲するものではなく、差當り單にこの假說の上に理論を組み立てて行くであらう。一般に、科學的說明、原理の本質は實にこの點に存するのである。」[2]

そして「我々の體系の全性質、我々の理論的建造物の姿は我々の選擇する原理に依存し、原理の差異如何によつて同一現實の科學的形象も異つたものとなる。(3)」しかも如何なる原理を選ぶべきかは、「その正當性のアプリオリ的論議に依存するものではない。……我々の關心するところは原理の正當性(Richtigkeit)ではなくして專らその有用性(Brauchbarkeit)にすぎない。……我々の結果の獲得のために最も實用的(praktisch)であり、且つ……我々を最も遠くまで導いて行く」ものを選ぶべきである。(4)

この場合私どもの科學者としてもつべき要素的能力が、大なる役割を演ずるであらう。——私はこれに三つあると思ふ。第一は對象全體の本質についての直觀的能力であり、第二は演繹的方法による推理的能力であり、第三は現象を觀察し、系統化し、歸納する歸納的能力である。これらが私どもをして、如何なる「原理」を選ぶべきかを決定せしめる。がこれを論ずることは、本論文の主題たる方法の問題を既に逸脫してゐることを意味する。

(1) Gustav Cassel, Fundamental Thought, etc., pp. 106—7.
(2) J. Schumpeter, Wesen und Hauptinhalt, u. s. w., 譯本、五一頁。
(3) 同上、五二頁。
(4) 同上、五三頁。

第三節　諸方法の體系《ヒエラルヒー》

以上において私は、理論經濟學上從來用ひられて來てゐるところの各種の方法を、できるだけ網羅的に列擧し、それらの理論的意味・機能の階段的・次元的の層位にしたがつて、整頓・分類し、その相互間の聯關をほゞ知悉し得たのであるが、要するに方法は、科學上のいはゞ技術的問題であつて、既にさうである以上、その種類がいくらでも分化・再分化して行くことができるであらうし、また新しきものが絶えず生まれて來るであらうことも否定できない。したがつてすべての方法を細大もらさず拾ひあげて來ることは、絶對的・意味においては、もとより不可能であるかも知れない。しかしその主要な・根幹的なものを、列擧し、これを體系的に整序することは、必ずしも不可能事ではないので、上來私のなしたことは、その試みの一つである。

私どもがいまゝでなして來たことを要約すれば、自然的存在と區別された社會的・文化的・精神的存在に對して、私どもの理論構成的思惟は、存在の複雜性について、抽象的に操作してゆく。(現實態より、精神的存在と自然的存在とを區分し來ることと自體既に抽象であるが。）この操作にあたつて私どもの第一着になしたことは、私どもの全理論の體系的な構想にしたがつて、事實をある特定の圖式《シエーマ》に變形し、もつて見渡し得ないやうな多くの要素と、それらの間の見透し難い複雜な聯關とを、簡潔に再表現することであつた。こゝにおいて、法則定立の地盤が得られ、私どもが前に約束したところの狹義における方法がはじめて發動し得ることゝなる。私どもがこゝに立てた圖式は、事實を構成せる諸要素の類型的なものゝ綜合にほかならず、かくてそれらの間に存在してゐるところの普遍的關係・類型的聯關が、この圖式のうちに見出され得、これを定式化することができる。法則とはかくして成立せるものにほかならないのである。

しかも圖式においては、事實のうちに存する諸聯關が簡潔化されてゐるとはいへ、なほ複雜な相を呈してゐ、これを操作して法則を定立するには、この複雜性に對應して、これによつて暗示された手段として、各種・各樣の方法が、使用せられる。これらの方法として如何なるものどもが、いまゝで一般的に用ひられて來たか、またそれらが如何なる機能を果して來たかについては、上に私が略述したとほりである。

これらを通觀して、私どもは次のごとくいひ得るであらう。すなはち第一に、私どもが前にそれらの各々について、その意味・機能を細敍したときに見たやうに、理論經濟學に用ひられてゐる方法は、決して一義的、一樣的なものではなくして、それらの性能の質と量とに關して、階級性・差等性がある。すなはちそれらの間には、一般性――特殊性、單純性――複雜性、抽象性――具體性、獨立性――依存性、優位性――從屬性……等の關係が存在してゐ、その間に複雜な聯關があつて、私どもは、まづかくのごとき性能を明確に知悉することを要求せられてゐる。

第二に、私どもはある特定の一種類の方法の萬能を否定せざるを得ない。經濟學の發展史が示してゐるやうに、過去において、ある種の方法の他の諸多の方法に對する優位性が、いな獨裁性すらが、主張された。そしてどの方法をしてこの優位的または獨裁的な地位につかしめるかについて、人々の意見が一致せず、それらが到底相俱に存し得ないとさへ思はしめるやうな激烈な論爭がおこなはれたのであつた。しかし、現實に理論經濟學がなしてゐるところに對しての反省は、かかる論爭をして、次第に和解せしめずにはおかなかつた。今日においては、偉大なる理論家といふのは、ある特定の一つの方法のみを偏重せずして、可能なる一切の方法を調和的に、效果的に驅使する人々である。

「今日では種々なる方法の和解が漸次に齎され、そして、經濟學の發展のためにそれらの中の如何なる方法から如何なることが期待さるべきであるかといふことに關して漸次に意見が一致するやうになつた。かくて一種の分業が成立して、種々なる方法は一つの組織的に發展するより大なる統一體の部分的觀點となり、又、それらの方法はもはや相互に敵對せず、多かれ少かれ平和的に且つ理解を以て相互に補充し合ふやうになつた。(1)」

もちろんこの際如何やうに各種の方法を驅使するか、調和的に、または效果的にといふは如何なることを指すかについて、人々の意見が必ずしも一致してゐるわけではない。ある特殊の方法、たとへば演繹的方法または歸納的方法の獨裁權を主張するものは、今日ではもはやないけれども、これを重要なものとし、他の諸多のものをしてこれを補完せしむるにあたつて、如何になすかは、理論家の性癖と才能と手心とに俟つところが多いといへよう。否たとへばシュランニー・ウンゲルが指摘してゐるがごとく、學者の性格のうちに潛むその民族性あるひは國民性が、これに對して、ある程度において、規制的でさへあり得るであらう。

しかも私どもは、理論經濟學における現代の傾向として、純歷史的方法がほとんどとその勢力を失つてしまつてゐること、これに對して、演繹的方法の一手段として數學的方法が、(すなはち「均衡理論」の姿において、)ますます有勢となりつゝあること、そして後者に對する補助手段たるの役目において、統計的・實證的方法が次第に有用視されて來てゐることを認めないわけにはゆかないであらう。

しかも如何にせば、諸多の方法を調和的に、效果的に驅使することができるかについての指導原理がないわけではない。私どもは、この際たゞ、方法が眞理獲得といふ私どもの認識目的に對する手段であるといふことを想起しさへすればいゝのであつて、諸種の方法の調和、統一といふことは結局、それらが斯學のこの認識目的に適ふやうな指導原理のもとにおいて、これに服從するやうに使用されることを意味する。この場合、理論經濟學が理論的であるかぎりにおいて、理論そのものの本質から、理論經濟學において用ひらるゝ一切の方法のうちで、演繹的方法が最も重要な方法でなければならない。それが中心的な・支配的な・指導的な方法であつて、他のすべての方法は、演繹的方法の從僕として、これに從屬しつゝそれぞれの役目を果してゐるといふべきである。そしてそれらの間にもまた、あるひは等位的な、あるひは支配・被支配的な聯關が存在してゐるのであつて、これらのすべての聯關を通觀するとき、私どもは、そこに諸多の方法の一つの階級的王國（Hierarchie）または總圖式（Gesamtschema）を見ることができると思ふ。私はこれを、暫定的に次のごとく、描いて見た。（なほ科學的ならざるある原因によつて、私は、靜態的方法と動態的方法の一對の方法については、本論文において、關説することができなかつた。この兩者については、拙稿「經濟法則の論理的性質」に讓ることゝした。次の圖においては、それらは「理論科學的方法」なる項目の下に挿入せらるべきである。）

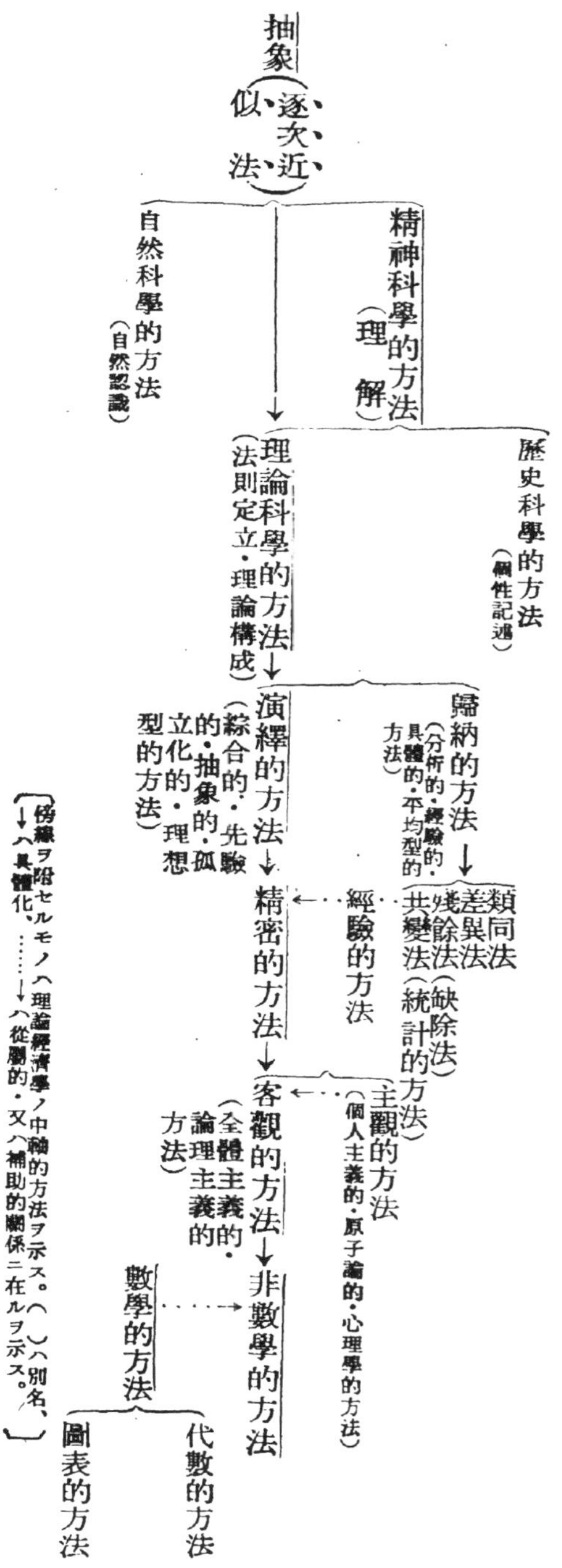

この圖表によつて、私どもの知ることは、理論經濟學においては、演繹的方法を脊椎骨として、諸多の方法がこれに隷屬し、これが補助手段として立つてゐる。あたかも今日の艦隊が、戰艦が中心となり、爾餘の艦艇がこれが補翼として員に備ることによつて、編制されるがごとく。しかも戰勝は、戰艦のみにては確保しがたく、これら一切の艦艇が、その艦種において缺くるところなく、またその各々が必要なる量において備つてゐるところの、いはゆる均勢《プロポーショナル》のとれた編制をもつ艦隊にして、はじめて得られるのである。理論經濟學においてもまた、私どもが、その認識目的を追求するためには、上に述べたやうな諸種の方法を、演繹的方法を主力艦としつゝ、各種の方法を、理論構成の各階段を形成してゐる各種の法則の定立に際して、適切に(換言せば、それらの本來の性能を發揮するがごとくに)驅使しなければならない。そしてこれは、艦隊司令長官としての理論家の戰略と戰術とに關しての判斷と才能とに委ねられてゐるわけである。

(1) Unger, Die Entwicklung der theoretischen Volkswirtschaftslehre, u. s. w., 譯本、二〇六頁。

第四節　精密的法則を中軸とする理論體系

以上私は、理論經濟學において用ひられる諸多の方法の性能と、そのヒエラルヒーにおける夫々の層位とについて述べたが、これによつて精密的演繹法が中心をなしてゐ、これを補翼するために種々なる方法が存してゐることを知つた。しからばこれらの諸方法の使用が、實踐的には、如何やうに行はれてゐるであらうか。これは、前にもいつたやうに、私どもの理論の全體としての展開のそれぞれの階段において、これに對應するがごとくに、特定の本質的定型を構成し、この本質的定型についての法則を定立し、理論を構成してゆく過程であるが、この際、前に述べたところの戰略と戰術との關係にも對比すべき理論經濟學の全體系の各階段と、前記のすべての方法が形成してゐるところの全ヒエラルヒーとのあひだの聯關が、私どもの考察の主眼點をなすといはねばならぬ。

私どもは、まづ、全體系の展開の各階段に相應せる圖式(Schema)を定立する。この圖式は、前にもいつたやうに「純粹的」なものである。換言せば、私どもが、理論體系の當該階段において論理上要請されてゐるところの諸本質的要素《エレメンテ》(すなはち諸契機《モメンテ》)ののみの有機的綜合體でなければならない。私どもは、かくのごとき圖式としての構造聯關を眼前においてゐる。それは諸契機の形成する一つの全體である。この全體に對して諸契機は、その構成部分としてある特定の聯關をもつてゐ、そこに私どもは、ある種の法則の潜んでゐるのを見る。

「我々は、一定の『諸分肢《グリーダー》』の一定の『全體』への必然的な結合を認知するとき、もしくは——私はむしろいひたい——一つの一定の現象の一定の意味聯關への必然的從屬(何故なら『全體』は、精神の領域においては、つねに、意味聯關であるから)を認知するとき、我々は合本質的合則性を云々し得るのである。　分肢—全體—關係は、我々はこれを構造(Struktur)ともいひ得る。　したがつて構造法則を云々し得るわけである。(1)」

「全體とは、完全な、且つ固有の意味においては『諸部分』の最低位の種屬によつて決定されたところの、一つの聯關である。　如何なる物的統一體にも、一定の法則が存する。　法則が異なるにつれて、換言せば、諸部分としての機能をつくすべき諸內容の種類が異なるにつれて、全體の種類が異なつて來る。

「統一體または全體なる理念《イデー》は、基礎付《フンディールング》の理念のうへに建てられ、そして基礎付なる理念は、さらに、純粹な法則の理念のうへに建てられる。(2)」

私どもは、まづかくのごとき「構造法則」を知らねばならない。　但しこのゾムバルトのいはゆる「構造法則」は、私見によれば、それだけではなほ「法則」なる名稱に相應し

くはない。これに屬するものとして、ゾムバルトは次のやうなものを擧げてゐる。たとへば

「利得追求は、資本主義的經濟組織の一つの必然的な要求なり。」

「資本主義は、プロレタリヤを增加することなしには、發展することを得ず。」

「擴張的景氣においては、株式相場の騰貴は、不景氣の必然的なる前提なり。」

「いづれの經濟においても、生産――運送――分配――消費は、一つの必然的な循環を形成す。」

「勞働は、吾人が自ら働くときは苦痛を生じ、他人の勞働を買ふときは勞賃を生ず。」

「商品の流通は可變的なり。しかも變らざるものは、生産が繼續し得るためには、賣價は原價よりも高からざるべからずといふことなり。」

「移住の法則。」

「交通の合法則的な自然的組成。」（その主要潮流は地表の基本的特性によつて決定さる。）

「編攝（Ausgliederung）法則」（シュパンにおける。）(3)

が要するに、これらの「構造法則」は、部分《タイレ》＝分肢《グリーダー》が、全體すなはち意味聯關のうちから、引き出されて來るといふこと、個々の現象のもつ性格・屬性・機能または意味が、こ

れらの現象が編入されてゐるところの一つの全體から、當然に、必然的に、演繹的に推知され得ることを意味するに過ぎないのであつて、それは、全體としての圖式による個々の部分の性質の敍述《ダールシュテルング》たるのみ。私どもが「法則」なる語を、嚴密なる意義において解するときは、かゝる分肢―全體關係の單なる敍述以上に、さらにこの關係を數量的に見た場合の必然性をも含意せしめてゐる。この意味において、私はゾムバルトのごとく、構造聯關を、たゞちに「構造法則」と呼ぶことを避けたい。ともあれ私どもは、圖式を描くことによつて、私どもが方法を用ふべき戰場を、ここに得たことゝなる。そしてこの圖式は、前述のごとく、純粹なもの、すなはち必要な諸要素だけから形成されてゐるものでなければならない。それは、この意味において、抽象と綜合との結果獲得されたものであつて、ゾムバルトの語によれば「假構」(Fiktion)であり、彼はそのいはゆる「構造法則」といふ名稱に對應して「假構法則」das Fiktionsgesetz) と名づけらるべきものが、そこに存在してゐるとする。

「假構法則」の例として、ゾムバルトのあげてゐるものを見本的に記すと、

「すべての古典學派の價格法則、すなはち供給と需要の法則、生産費の法則。これらの意味するところは、もし經濟的動機のみが支配してゐるとせばもし買手と賣手とが何處にもつ

とも有利な市場があるかと知るとせば、もし商品と資本とが完全に自由に移動し得るとせば、諸價格は、供給の增大によつて低下し云々、またそれは生產費の周圍をめぐるであらうといふことにほかならない。(4)」

かくして私どもの理論經濟學において、その理論構成の第一步は、それの體系に關してての私どもの省察によつて、既に與へられたものとして私どもの眼の前におかれてゐるところの圖式としての「經濟」の純粹的な「構造」を明確に把握することによつて踏み出される。これによつて私どもは、この經濟の基本的與件・本質的構成要素を、要するにその契機《モメンテ》「契機とは單なる要素《エレメンテ》に對する概念であつて、それがなければ全體が存立しないやうな、しかも全體から離れては無意味になるやうな分肢《グリーダー》である(5)」」を知り得、これらの契機は、それが全體のうちにおいて相互に聯關し合ふことによつて自動的に展開して、この經濟を形成してゐるといふ意味において、この經濟についての理論構成の出發點なる與件をなす。すなはちこの「構造」の如何なるものであるかの敍述が私どもの第一の仕事である。次に私どもは、かゝる「構造」のうちに相互に聯關し合へる構成要素のあひだの、また個々の諸要素と全體とのあひだの數量的關係における必然性を把握する。かくしてこゝに私どもの仕事が、まづ、法則を、圖式としての「經濟」の諸契機から、演繹的方法によつて定立することにあることが示されてゐる。

かくして得られた法則は、私どもがそれを導出するときの源泉または假設が、「本質的定型」であるとの意味において、「本質的定型的法則」と稱し得ようか。

またそれは、精密的方法、換言せば孤立化的方法によつて得られたものであるといひ得る。何故なら前述のごとく、私どものこゝに描いた圖式としての經濟は、全理論體系の展開の各階段に對應せる諸契機のみから成つてゐ、他の諸要素をすべて捨象してゐるからであり、また演繹の出發點におかれる假設にして既にかくのごときものであるとするかぎり、それよりの推理によつて導出された命題・法則またはまた、おなじやうな性質を、原理的に、帶びてゐなければならないからである。かくして理論經濟學におけるすべての命題・法則ならびに理論は、一言にしていへば、精密的法則または理論であつて、どこまでも、假設的なものである。したがつてそれは、もとより、現實態とは全然沒交捗な、觀念的なものではないが、それからきはめて遠いものである。

理論經濟學が、精密的方法を用ひて精密的法則または理論を追求してゐること、少くとも可能なるかぎりにおいて、それをなさうとしてゐることについては、學者のなせるところを、虚心に見るものは、何人といへども否定し得ないであらう。前にも述べたやうに、精密的演繹法は、理論經濟學における、私どもの可能なるすべての種類の方法の中軸をなしてゐるものであつて、他のあらゆる方法は、これに對する補助者であり、乃至は、少くともこれを極限概念としつゝ用ひられてゐるのであつて、したがつて精密的法則および理論の論理的可能性は、偏狭なる歴史主義者でないかぎり、肯定せざるを得ないであらう。

たゞこの際問題となるは、第一には、精密的演繹法の出發點となるべき假設を、如何やうにして定立すべきかといふことである。また第二には、演繹的推理の進行に際して、如何やうに事實を參酌して、その進行を調節してゆくべきかといふことである。このことについて、私どもはいまこゝでは、個々の法則についてゞなく、一般的に云々するだけにとゞまらねばならない。

私どもは、どこから精密的演繹法の前提たる假設を得て來るか。それは、いふまでもなく、事實のうちからである。しかも事實からこれを獲得するといつても、恣意的にではなくて、繰り返していつたがごとく、私どもの理論の全體系の指令によつて形成された圖式を通じてゞある。シュムペーターはいつてゐる。

「經濟法則は……直接に事實材料からではなく、その圖式化を通じて得られるのである。けれどもまさにその處置は法則の本質をいさゝかでも變更することにはならない。我々は事實から出發するが、我々の記反對を思はせる外觀が存在することは否定し難い。我々は事實から出發するが、我々の記述を一層簡潔に一層展望的に形成し、また我々の關心せざる要素を事實から切り離すために、或る種の假設(Hypothesen)を樹立し、その援助によつて事實を簡潔に表現するのである。ところでこの假設が多くの論議の的であつた。それが大抵の場合言ひ表されてゐる形に於ては、假設は大命題・普遍命題として現れ、事實のうちで充分な基礎づけを缺いてゐる。したがつてそれはいつでもアプリオーリ的思辨の非難を受けるのである。『證明されざる假設』として(6)！」

かゝる假設の理論構成の途上において必然的たることは明かである。

「何れの我々の命題にも附着してゐる……假定の一切は、單なる一の修辭にすぎずして之を除去しても何等差支へはないか。その答はいふまでもなく否である。我々は氣まぐれにかゝる假定を設けるのではなく、全く止むを得ないからである。さうして啻に我々が他の方法を採り得ず、この點に我々の方法の一の重要な制限を承認せざるを得ないのみならず、狹義の理論家は何人も、彼がそれを承認すると否とを問はず、同樣の立場に置かれてゐるのである。リカードウが機械の導入の影響について語るとき、彼は國民經濟の與へられた狀態、一定の資本、勞働者の一定の操業度から出發してゐる。マルサスの人口理論の諸成果は一定の技術、或ひは一定の技術の發展、一定の國民經濟の組織《オルガニザテイオン》、一定の人口增加、及びなほ其他の狀態を所與と假定してゐる。さうして之等の假定は、彼の理論の理解とその諸成果の評價とのために重要である。……純理論的な問題を取扱ふものは何人と雖もかゝる諸前提を免れることが出來ない。之等の諸前提が明白に定式化されることはいふまでもなく極めて稀ではあるが。何人かゞ彼の思想過程の途上でいきなり『土地の存在量』、『資本の存在量』等々を語るとき、或ひは何等かの契機を『他の事情にして等しければ』(ceteris paribus)を以て除外するとき、すでに之等の前提が存在してゐるのである。(7)」

この際重要なことは、私どもの立てる基礎的假設・與件は、充分に反省を經た、または基礎づけの確保されてゐるものでなければならないといふことである。この基礎づけは、第一に假定・與件と事實とのあひだの關聯についての反省によつて、第二に、そして殊にこの際私どもの注意を要するはこれである。何故なら、このことについての意識は、學者の間において、比較的稀薄であるから――そのためにこそ、私は「理論經濟學體系論」を書いたのであつた)、理論經濟學の全體系のいづれの階段に、論者がいま立つてゐるかといふことについての反省によつて、なされる。

この第一の點についてシュムペーターの次の言葉を顧みたい。

「如何なる意味に於て我々の理論は演繹的であるか。それはたとへば天文學の如き精密科學のすべてが然ると同じ意味に於てゞあるか。けれども天文學にその經驗的性格を卽ちそれが事實のうちに基礎づけられてゐることを否認するが如きは何人も思ひもよらぬところであらう。それではこの間の事情は如何なるのであるか。疑もなく我々の出發點は歸納されたものである。これに續いて新なる歸納がなされると共に演繹を行はれるが、捉はれざる觀察者はこの點に何等の非難すべきことを凡そ不審なることを見出さないであらう。これはこの上なく簡單なことがらであらう。我々の基礎的假定は、……決して要請を意味しないのは、もはや强調するを要しない。(8)」

シュムペーターのこの言葉よりも明かなるがごとく、また私が前節において歸納的方法と演繹的方法とについて闡說したところからも推論できるがごとく、私どもが精密的演繹法の與件として定立する假設は、決して觀念的思辨的なものではなくして、現實の現象を參酌しつゝ、現實態からの示唆によつて作成した圖式を母體としてゐるのである。この意味においては、それは現實態から歸納して來たものとさへいへよう。演繹的方法と歸納的方法との相互補完的關係は、こゝでもまた現れてゐる。しかも理論經濟學においては、前者が主であつて、後者が從であることも、理論的科學一般における同樣である。

第二に、私どもが定立する假設・與件は、理論の全體系のそれぞれの階段に對應してゐなければならない。換言せば、ある階段において立てた與件は、他の階段におけるそれと當然異なつてゐ、しかもこのことを充分に明確に意識しなければならない。かくすることによつて、私どもは經濟學上の諸理論において、前提の曖昧なことによつて生ずる論爭を避けることができる。ともあれかくのごとくにして構成される諸々の經濟學的法則または理論は、その前提・與件を異にすることによつて、必然的にある特定の妥當領域をもち、したがつてその眞理性が相對的であることは免れ得ない。否かくあつてこそ、それは、はじめて眞理なのである。

次に、精密的演繹法によつて、そこに描き出されてゐる圖式からして既に純粹的なものであるが、この圖式における諸要素のあひだの聯關についての法則を求むるにあたつてもまた、それを純粹的に行ふ。即ち私どもは、諸要素のうちから、定立せんとする法則にとつて本質的と思はれる要素《エレメンテ》のみを孤立化し來り、それらからのみ法則を演繹し來る。この際しばしば「他の事情にして等しければ」(other things being equal) といふ假定が用ひられる。

「この……『他の事情にして等しければ』(Ceteris paribus) といふ補助手段は—— 私は之を孤立化方法 (Isoliermethode) のモットーと呼びたい —— 單に我々にとつてのみならず、如何なる學問に對しても、孤立化的方法そのものに對してさへも、確かに缺くべからざるものである。一つの現象を正しい光のもとに照し出し、之を完全に理解し得るためには、この現象をそれ自身に於て記述し、その相《すがた》を不純ならしめる諸契機を排除すべきことは、全く明白である。從つて我々の領域に於ても屢々この補助手段を用ひるであらう。(9)」

このやうにして確立されるものが、すなはち精密的法則であるが、それは、その母體たる圖式が純粹的であるうへに、この圖式の內部の諸要素のあひだの關係を追求する際にも、純粹的な方法によるがゆゑに、現實態よりきはめて遠きものとなる。

「精密的研究の結果は、現象世界のすべての領域において、一定の諸前提のもとにおいてのみ、現實態において必ずしも常に妥當しないところの諸前提のもとにおいてのみ眞理である。(10)」たとへば、「ある一定の取引の領域において、一商品に對して現れる需要の增大は、(それが人口增大の結果であらうと、乃至はまた、各個の經濟主體において現れる該商品に對する慾望の強度がより大となることとの結果であらうと)……量的に正確に決定し得る價格騰貴を來す」といふ價格現象に關する精密的法則について見よう。この場合には、周知のごとく、次のやうなある特定の諸前提が存してゐる。すなはち「第一、こゝに觀察の對象となるすべての經濟主體は、自らの經濟的利益を完全に追求せんと努めてゐること。第二、これらの經濟主體は、價格鬪爭において、この際經濟的に追求すべき目標についても、またこれが達成のための該手段についても、誤謬を犯してゐないこと。第三、彼等には、經濟的事態が、それが價格形成に影響を與へるかぎり、きはめてよく知れてゐること。第四、彼等の經濟的自由(彼等の經濟的利益の追求)を妨げるところの如何なる外部的強制も、彼等のうへに加へられてゐないこと、これである。(11)」

かくのごとき諸前提が、現實の經濟において、全部一どきに存在してゐるといふやうなことは、きはめて稀にしかあり得ず、したがつて價格に關する精密的法則が、そのまゝ妥當する場合は、ほとんどあり得ない。他の、精密的法則についてもまつたく同じである。しからばかゝる精密的法則は、原理的に無價値かといふと、決してさうではない。私どもはかゝる精密的法則によつて、現象が、その純粹な相においてあり、何等の要素によつても攪亂されてゐないときに、それがもつところの諸聯關を知り得る。かゝる諸聯關についての知識をもつてゐて、はじめて、ある攪亂的要素がはひつて來た結果、現象の受ける變容が如何なるものであるかを（そして現實の現象は、ほとんどすべて、かゝる變容を經たものとして顯現してゐる）明確に把握することができるのである。精密的法則は、かくして現實態における現象についての認識の成果の第一階梯をなすものでなければならない。

シュムペーターは次のごとくいつてゐる。

「つねに例外を許さねばならぬやうな規則を導出することは、特にその例外が永續的にして重要であり、且つそれ自身において興味ある（屢々右の規則そのものよりも一層興味ある）ものである場合、何の益があるか、どいふ問が提起されるならば、我々はこの問に多少とも無理からぬ點があることを承認せざるを得ない。……（しかも）右の事情あるに拘らず理論の成果は充分に大いなる意義をもち、記述せらるべき領域の著しい否極めて著しい部分を掩ひ、且つ一定の限界内では（この限界を見失つてはならぬ）完全な妥當性を持つと信ぜられる。(12)」

これこそすべての精密的法則が、理論構成のうへにおいて持つてゐる意味である。

こゝに私どもの大なる關心を呼び起す問題は、精密的方法と經驗的方法との聯關である。これはまた精密的法則と經驗的法則との關係の問題としての重要性を帶びてゐる。前にも述べたやうに、經驗的方法は、現象を、それの現實的存在のままに、把握してゆかうとする方法である。

メンガーによれば、この經驗的方法は、現象のあらゆる種類の分野において、用ひられ得るのであつて、

「現象の世界のある領域、殊に自然の領域においては、嚴密な定型ならびに定型的關係が認められ、現象の他の領域、殊に社會現象の領域においては、これに反して、嚴密性のより小なる定型ならびに定型的關係が認められるといふ見解、換言すれば、前者においてのみ『自然法則』（＝精密的法則）が、これに反して後者においては、單に『經驗的法則』のみが認め得られるといふ見解ほど、方法論者の間に普及してゐるものはない。[13]」

しかしながら、彼によれば、かゝる見解は正當ではない。

「諸自然現象もまた、それらの『經驗的現實態』においては、嚴密な定型をも、嚴密な定型的關係をも、我々に提示しない。現實的な金、現實的な酸素と水素、現實的な水――無機的な、乃至は有機的世界の複雜な諸現象はまつたく別問題として――は、それらの完全な經驗的現實

態において、嚴密に定型的な性質を有せず、また上述の觀察方法においては、それらに關して、精密な諸法則を認めることもできない。」この點において、自然科學と精神科學（メンガーはここでは「倫理的諸科學」と稱してゐるが）とは毫も異なるところを示してゐない。それらの間には、「本質的な區別が存せずして、たかだか度差的な區別が存するのみである。理論的研究の現實的方向は、むしろ、嚴密な（精密な）理論的認識に到達する可能性を、現象の世界のすべての領域において原理的に拒否する。」[14]

またいはく、

「自然現象の領域においては、精密的法則（いはゆる自然法則）は支配してゐるが、人間現象の領域においては、それが支配しない、乃至は、前者においては精密的理論が獲得され得るが、後者にあつては、それが獲得され得ないといふ見解ほど、社會哲學者の間に普遍的になつてゐるものはない。この見解は、一方では、自然の領域では嚴密に定型的な事象が觀察される（たとへば、化學の最も單純な諸原素、物理學の最も基本的な諸因素など）に對して、人間現象の領域にあつては、人間諸現象の錯綜によつて……それの嚴密に定型的な性格、したがつてまたそれの精密的法則の可能性が拒まれてゐるといふことによつて理由づけられ、他方では自然の諸現象がもつぱら機械的《メヘーニッシ》に作用する諸力に支配さるゝに對し、人間現象においては意志の要素が決定的役割を演じてゐるといふことによつて理由づけられる。」

「がこの論議には、一聯の根本的誤謬がある。現實的な人間現象は、嚴密にいつて定型的でないこと、またこの根據からしてすでに、そのうへ人間の意志の自由……の結果としても、例外のない嚴密性の經驗的法則は、人間的活動の諸現象の領域においては問題にならないこと、これらのことはすべて、我々は無條件で承認する。これに反して我々が排撃せんとするのは、諸自然現象が、その全き經驗的現實態において、嚴密に定型的であるといふ見解、もしくは理論的な自然研究の經驗的＝現實的方向において例外なき嚴密性をもつ自然現象の法則が獲得せられ得るといふ見解である。經驗的現實主義の立場よりせば、精密的な自然法則も、社會現象の精密的法則とまつたく同じく、獲得し得ざるものである。この語の本來の意義においては、精密的な自然法則もまた經驗的＝現實的自然研究の結果ではなくして、精密的な自然研究の結果であるが、この精密的な自然研究は、その根本的性格からいへば、社會現象の領域における精密的研究と類似するものである。(15)」

メンガーは、精密的方法は「經濟性の原理」が完全に妥當してゐるやうな經濟に、經驗的方法は、これを攪亂するやうな要素の混交せる經濟に對して、用ひられると考へてゐるやうである。いはく、

「人間的經濟の現實的諸現象は、かくいへば最初の一瞥では、はなはだ逆說的に思へるかも

知れないが、少からざる部分まで、非經濟的性質のものであり、この事情の結果、經濟性の立場から見て、決して嚴密に決定せられない現象である。したがつてまた經濟の領域における理論的研究の現實的方向は、殊にいま述べた理由から、人間的經濟の現實的諸現象の共存と繼起とにおける『精密的法則』でなしに、嚴密性に度差はあれ、單に『合律性』に導き得るに過ぎないものである。これに反して前記の領域における理論的研究の精密的方向は、經濟性の諸現象、すなはち我々の見たごとく、嚴密に決定された諸事象を研究し、したがつてそれはもちろん人間的經濟の現實的な、いな一部分は最も非經濟的な現象の精密的法則には到達し得ないが、經濟性の精密的法則には到達し得る。(16)」

このやうに精密的方法と經驗的方法とは、經濟學においても、併用され得る。しかも私見によれば、經驗的方法の使用は、前にも述べたやうに、精密的方法と同資格においてではなくして、精密的法則を獲得するといふ認識目的を追求する一階梯における方法としてである。それは、理論經濟學においては、精密的方法への從者としての意味をもつに過ぎない。しかもそれは、つねに、精密的方法に可及的に近づかんとしてゐる。

精密的演繹法は、かくて、理論經濟學の中軸をなすところの方法であつて、可能なる一切の種類の方法は、これを繞つて、これに奉仕するために存在してゐる。かくて、精密的方法によつて成立する諸法則の統一的全體としての經濟理論は、理論經濟學の到達せんとする理念である。しかもそれに到達することは、單に到達すること自體を目的としてゐるのではなくて、そこから今一度逆に現實態の方に引き返して、現象を、經濟の純粹な存在形態の構成要素としてのそれからの隔りにおいて考察し、もつて現實態の眞實の性質を、概念的に、明かにせんがためである。

以上私は、一般的に方法概念を規定する仕事から始めて、理論的科學一般の、次に理論的精神科學の方法について、その本質・性能を略述し、最後に理論經濟學の方法のそれに及んだのであるが、これらの諸方法は、繰返して述べたやうに、理論經濟學を問題とするかぎりにおいては、精密的演繹法を中軸とし、その他のものは、これが補助者たるの地位を占めてゐ、かゝる意味において、可能なる諸種の方法の一つのヒエラルヒーをそこに見るのである。そしてこれらの諸種の方法を、經濟學の對象たる「社會的總再生產過程」に實施したるときの成果たる諸種の經濟學的法則と經濟學的傾向、さらに經濟學的理論は、あたかも、この諸方法の形成せるヒエラルヒーに對應するものゝごとくに、諸現象間の聯關における必然性の度差を標準として配列せられた一つの大なるヒエラルヒーをなしてゐると見得る。かくして私のこの論文は、いまゝで開陳し來つた諸種の方法に對應してゐるところの、經濟學上のこれらの諸法則、傾向および理論の理論的本質を檢討し、殊に使用された方法に係らしめる立場から、それらの間の聯關を論ずることにおいて、句切《ピリオド》點を附すことにならざるを得ないのであるが、そして私の最初の計畫では、本論文の第三部をこれに宛てるつもりであつたのであるが、既に意外に多くの頁を費してしまつたので、この問題は、本論文と時期をほとんど同うして起稿した他の論文——「經濟法則の論理的性質」——において取扱ふこととした。

（1）W. Sombart, Die drei Nationalökonomien, S. 257., 譯本、三〇七頁。
（2）Husserl, Logische Untersuchungen, S. 282 ff. zit. von Sombart, a. a. O. S. 257., 同上、三〇六——七頁。
（3）Sombart, a. a. O. SS. 257—8., 同上、三〇七頁。
（4）a. a. O. S. 261., 同上、三一一頁。
（5）拙稿「經濟學對象論」、116頁。
（6）J. Schumpeter, Wesen und Hauptinhalt, u. s. w., 譯本、四二頁。

（7） 同上、一六五――六頁。
（8） 同上、五一六頁。
（9） 同上、一六六頁。
（10） C. Menger, Untersuchungen, u. s. w., S. 54., 譯本、六八頁。
（11） a. a. O. S. 56., 同上、六九――七〇頁。
（12） Schumpeter, 同上、一七九――八〇頁。
（13） Menger, a. a. O. S. 26., 同上、四五頁。
（14） a. a. O. S. 37., 同上、五三――四頁。
（15） a. a. O. SS. 259―60., 同上、二五二頁。なほ S. 37., 同上、五三――四頁をも。
（16） a. a. O. S. 265., 同上、二五七頁。

あとがき

私はこの論文ならびに續いて發表する「經濟法則の論理的性質」によつて、昭和九年「理論經濟學體系論」を書くことによつて始めた（ついで昭和十一年「價値論と方法論との交渉」ならびに「經濟學對象論」を公にした私の「經濟學認識論」の展開の仕事を、一應終了し得た。もちろんこれらはすべて未完成なものであつて、これからの私の仕事は、これを補整し、發展せしめ、完全なものに一層近づかしめることに向はねばならない。

私は、一方においては、自らの業績の遲々たる進行を、顧みて恥ぢる。もとより私は、かゝる題目に對してのみ、身心を打ち込んで來たわけではないが。また他方においては、きはめて重大なる時局に際して、單に經濟學徒の立場からのみ考へても、あまりにも抽象的に失するやうな外觀を呈するかくのごとき仕事に從つて來たことに對しても、多少の感慨なきを得ない。

いまこの小論を世に出すにあたり、少くとも主觀的には、長年かゝつてやつと目標點に到達したといふ氣安さを感ずるとともに、「而うして果して何者をか得たる？」といふ心もとなさをも感ずるものである。

〔――35. III. 20., 37. II. 26―IV. 23.〕

取引所とは何ぞや

今西庄次郎

取引所本質の認識に方法あり

私が玆に取引所とは何ぞやと題して述べんとする所は、自己の取引所研究、假りに名附けて「取引所の理論的研究」の冒頭に置かんとするものである。一般に學問を説く者が其冒頭に定義として對象の本質を要述するそれに該當する。斯の如く先づ初めに對象を要述するは學問的に正しい事と云はるゝ。蓋し研究の順序に應ずるからだ。凡て學問的研究をなすには、何よりも對象の本質を把握せなければならず、それを正しく把握してこそ、よく他のものを混同するがやうなことを避け得ると共に、當然入るべきものを逸せざるを得るのである。けれども實際の研究そのものにありては、斯の對象の本質を把握するといふことを初めから正確に行ふは又六ケしいのだ。それは、研究のメルクマールとしてであるが故に、勿論言葉としては詳細なるを要しないのであるが、或る事物、事象の本質なるものは、ほんたうは該研究全體を通じて得られるものであるからだ。即ちそこには思考上前後に關する矛盾があるわけである。而して實際に於てこの矛盾は、先づ一應對象のメルクマールを定めて研究を始め、研究の進行の途にその初めの本質觀たるメルクマールに不完全なる點を見出せば戻りてそれが訂正をなし、再び研究を進めるといふ方法によりて解決せらるゝの外はない。要之、對象の正確なる認識は却て研究の終りに於て與へられるのであり、たゞ研究そのものの記錄ではなく、既に得たる結果を整理し一の學問として敍述する場合には、當初からその正確なるものを冒頭に掲げ得るわけである。

私は、これまで相當年月取引所を究明し來り夫に關する知識の系統を藏するに至つてゐる。勿論今後も尙ほ繼續する考であるが、定義なるものが上記の如くなるに於てそれは當該對象觀のエキス或は當該學問の代表とも見らるゝがゆゑ、玆に取引所とは何ぞやとして論ずる所は、現に私の到達せる取引所學の代表であるわけだ。

而して以下その論述に移るに當り、初めに又論じなければならぬことがある。それは、多くの人の與ふる定義と私の取引所觀とが必ずしも一致しないのであり、吾人としては勿論自己の方が正しいとなすのであるが、それらの正しからずとなす事由が先づ取引所といふ存在を認識する方法そのものにありと指摘し度いものの多い事である。我國學者の取引所論によく引かる[註一]ゝシャンツの定義は、商品の提供引渡及び支拂を同時になさざる、商取引締結のため商人及商業關係者が短期間内、通例毎日繰返す集合であるとなし、又エーレンベルヒは代替的交換貨物(Vertretbare Tausch-Güter)の市場であるとなす所にて、上記の人々に比べては新しいプリオンも、後者に似たる代替性貨物――彼等はこの中に有價證券をも漸次含ましめんとしてゐる――の市場といふ説を執てゐる。然るに之等に對し、取引所は掛繋ぎの機關であるとか、公定相場を立てる機關であるといふ風の定義も相當に行はれてゐる所である。一般的に云へば、内外とも、後者の風の定義より前者の風の定義の方が多いが、今はそれら兩種――(註二)現存せざる物件に關し云々する市場と云ひ、代替貨物に關する市場と云ひ、其他最高度な組織的市場と云ふ、前者の風に屬する諸定義には、本來認識する方面に大差なくその何れの點を特に取上げて云ふかの相違に過ぎないものも少くない――をさう一々列擧する必要はなく、一部の者は取引所を作用的にのみ把握し、作用的に定義するに對し、一部の者は組成的にのみ把握し、組成的に定義するといふ點をこそ知つて貰へばよく、私が他の學者の本質觀の内容、詳細度は暫く措き、その認識の方法に異議ありとなすそれはそののみに把握する所にあることを云ひ度いのだ。 換言すればそれらによりては眞に取引所の本質が端的に表現せられてゐないとなすのだ。

註一　主としては經濟學に關する辭典の取引所の項目に就て執筆せる關係であると思ふ。之等の人は必ずしも取引所專門學者だとは云へず、又現今から見れば大分以前の人でもあるが、その故に彼等の定義が駄目であると考へてはならぬ。取引所の本質なるものは時世と共に動くといふことは――其機能の發揮が改められるといふことは云へやうが――餘りないからだ。尙ほ彼等の定義は彼等としても固持せられたのではなく、例へばシャンツも其後多少變更し、現存せざる代替的交換貨物の取引を目的とせる、一定の場所、一定の時に規則正しく開かれる人々の集會であるといふやうになつてゐる(左記書第三版一卷五二四頁)。併し吾々としては、既述の如き定義のあること、つまり其型を問題とするのであるから、或る人の說の進步といふことは大した事柄でないのだ。

G. V. Schanz, L. Elster, Wörterbuch der Volkswirtschaft. I. Bd. S. 407.

R. Ehrenberg, Conrad, Wörterbuch der Staatswissenschaften. II. Auf. II. Bd. S. 1024.

W. Prion, L. Elster, A. Weber, F. Wieser, Handwörterbuch der Staatswissenschaften. IV. Auf. II. Bd. S. 1037.

註二　例へば向井鹿松氏の如き、我國に於けるその代表的なものであらう。

同氏著　綜合取引所論　昭和七年　一―一二頁。

取引所は社會的組織體なり

抑、取引所は一の社會的な組織體である。云ふ所の社會的組織體とは社會的な生存體卽ち生き物と見るのである。吾々の世界に存する有機的な活動體に對し社會的生存體といふ觀念を思想する態度は、夙に存してをり、特に法人學說と共に發達せる所である。社會的組織體と呼稱すれば、法人學說に於ける有機體說よりも組織體說に近いやうであるが、觀念內容は寧ろ有機體說の方に傾く。だが、私が取引所の如きを一の社會的生存體として認識せるは斯の種の學說にヒントを得たるものではなく、取引所をまつしぐらに眺めて得たる所であるのみならず、法人學說なるものは自然人以外の人格、其活動の機關といふやうな所に觀念の中心が置かれてをり、吾人の考はそれらと必ずしも重點を同じくせずといふよりも、觀念を等しくせずと云つた方がよいやうに思ふので、簡單に私の社會的存在體觀念を述べることゝする。

今、吾々が生物と云ふ言葉を以て普通に指稱する有機活動體を見るに、夫々一定のボディー（Body）を有ち、その中に生命を存して活動する。而して生命とは何ぞ、ボディーとは何ぞやが其素材(stoff)を指すものとせば、それは六ケしい命題であり、將來とも殘る生物學などの深遠な課題であらう。しかしそれが意味(Bedeutung)を指すものとせば、大體何人にも納得出來る概念は立て得る筈である。私は生命とは活動の源泉であり、ボディーとはそれを以て活動の行はるゝ具體的構造となす。此定義の不完全であることは覺悟であるが、兎も角生命、ボディーを斯の如く觀ずるに於て生物體は自然界のみならず、人間社會にもあるのだ。つまり取引所の如き社會經濟機關は正に生物體に外ならなくなるのだ。彼等は夫々、社會、經濟上の要求に應ずべく、謂はゞそれらの要求を凝固して自己の活動の源泉となしてをり、又それを果すべき人的、物的の構造を有するからである。唯一般の言葉の用法に鑑み、生物體或は有機體といふ語を自然的な生物體に限り、社會的なものを組織體と呼ばうと思ふのだ。

勿論、社會的な生物體は自然的な有機體との比較に於て――素材の點に於て比較するのでないことは既に申す迄もない――似たる點を有つと共に、又趣を異にする點を有せざるを得ぬ。それらの中、吾々の考論に役立つと思はれる主なる點としては、各生物の種類によつてボディーを異にするといふ所が其相似たる點として、生命先づあつてボディー規定さるといふ所が組織體の有機體と趣を異にする點として擧げられる。自然的有機體、例へば獸類が各種類によりて肉體を異にしてゐるが如く、社會的組織體も夫々構造、組成を異にするものにして、例へば市場に就て云ふも小賣市場、卸賣市場等組成を同じくするものではない。尙ほ有機體が自然的環境によりて同一種のものにても多少ボディーに相違を來す如く、組織體も社會卽ち當該國民經濟の狀態によりて多少組成上に變形を受けることも、上の相似たる點に屬せしめられる。だが、有機體のボディーに成長あり聽て死があることゝ、組織體に見る消滅とは決して同視してはならぬ。それは、有機體にありては各個體は死滅するも種族としては新陳代謝あるのみにて依然存續するといふやうな方面を見て云ふのではなく、生命との關係に於て、兩者の正に異る點に當るからだ。抑ゝ有機體にありては、その別格に置かるべき人間にしても、彼等が如何なる活動をなすべきや、人生の目的如何といふことが定まつて存生するのではなく、謂はゞボディーが自ら生まれ生命之に伴ふの形であるに對し、組織體は何れもボディーがその、まゝ生命と離れて存するを得ず、先づ一定の社會的使命卽ち生命が起り夫に基いてボディーが與へられるのだ。ボディーが死滅するといふこともボディーそのものの事情によりては殆ど起らない。斯の如く社會的組織體は生命が眞先きにあり、然も其生命は社會的要求を滿たさんといふ目的なるに於て、目的々生物體或は目的々存在體とも云ひ得るわけである。

以上は社會的組織體概念の要點である。說いて不完全な箇所もあらうが、斯の事實は恐らく何人にも否まれない所と思ふ。素より社會的組織體たるものは獨り取引所に限らず數多存してゐるが、論證する迄もなく、取引所もその主要なるものの一である。然りとすれば、その本質の把握は如何になさるべきか、又私が從來與へられてゐる定義の或るものの如きは其方法を誤れりと云へる意味も自ら知られると思ふ。生物體としての社會的組織體の本質は生命とボディーとに就て把握さるべく兩者の把握に依て始めて生きた彼の姿は明にされるのだ。生命的作用のみを指してボディーを明にせざるものの如きも、その全體が完全に說かれてゐるとは云へない。が、かのボディーのみを論じて作用を摑まざるものの如き、(有機體と異り)目的々生物體たる取引所の如きにありては、それは生命を逸脫してをり、如何に詳細なる解剖が行はれてをらうとも、謂はゞ死せる取引所或は取引所の殘骸に止まるものとなるのだ。

正當なる、換言せば社會的組織體觀念より把握せる取引所概念

然らば社會的組織體としての認識の下に取引所の本質を捉ふれば如何と云へば、私は取引所とは相場公定、常時的取引の要求を果す所の、清算決濟も出來るやう仕組まれた組織的な市場となす。相場公定、常時的取引といふことが、つまり彼の生命であり、清算決濟の出來るやう仕組まれた組織的市場といふのがそのボディーである。相場公定とは一定の市域內に客觀的な價格をはつきりと定むること、常時的取引とは何時にても取引をやらうと思へば相手方の見出し得ることを云ふ。而して之等二つの作用は質的には別の事であり、相場公定をなす存在體は常時的取引の目的を達する存在體とボディーが同じであるとしても、各獨立的な存在體となり得る可能を有つのであるが、現實には合體したる存在となるものとする。註 清算決濟の出來るやう仕組まれたとは、勿論その言葉で云ひ現はすやうに、彼のボディーの色々の構成全體が出來上つてゐることを意味する。斯の清算決濟も出來るやうといふことは、つまり差金投機需給の行はるゝやうな仕組になつてゐるといふに外ならず、其意味で彼のボディーを投機市場と云つても差支はない

が、たゞ投機市場といふ時は、投機需給をばかり行はすやうになつてゐるが如き感を與へる懸念がある。取引所を定義して組織的投機市場だと云ふものも少からず、その多くのものの所謂投機市場が吾々の見地に於けるボディーを指すか、生命とする所を指すか、どうもはつきりしないのであるが、ボディーを指すとしても、右の如く寧ろ避くべき表現だと云はねばならぬ　而して取引所のボディーたるは、上のやうに清算決濟も出來るやう仕組まれたといふことが相當の程度に發展、完備せる市場たるものとする。換言すれば假令相場公定、常時的流通といふ要求を滿たすとしても、それが清算決濟も出來るやう仕組まれた市場でないに於ては取引所と稱し得ないは勿論、又清算決濟も出來るやうな一種の市場形態をなせりとするも、それが非組織的なルーズなものなるに於ては取引所とは云ひ難いのである。然らば其限度如何の問題が起ることにもなるが、それには清算決濟を行はすやうな施設が專門的な機關といふほどになつてボディー中に加はつてゐるか否かを指標とすべきである。但し物理現象に於ける尺度みたいに正確にきめ得ない場合のあることを否むものでない。

註　何故合體するかの詳しくは取引所本論に於ける課題である。

繰返す迄もなく、吾人の認識方法からは、所謂生命を規定せざる取引所定義は死したる概念として否定せられるのであり、此點よりそのやうなものに就ては最早內容の吟味にまで進む要はないわけである。唯先に例として擧げた諸家の定義からも察知され得よう如く、取引所は代替物件に關する組織的市場なりと云ふ意味の定義は、恐らく獨逸學者などの影響であらうか、我國でも支配的なのであり、ここにそれの其內容だけには一言なかるべからざるやうにも感ずるのだ。處で吾人が其批判をなすに當りては、考慮すべき一つの問題に面せざるを得ない。それは、生命先づあつてボディー定まると云へば、生命によつてボディーの態樣も規制せられることゝなり、其批判は生命とする所と結んでなさるべく、ボディーだけに就いての當否は意味をなさぬといふことである。然も右の定義をなす人々の考ふる生命的作用が如何なるものなりや、吾人と異るかも知れないのだ。併し彼等の機能として說く所を見るに、吾人の生命とする所と大體似ないものでもなく、つまりそれらを强ひて生命と觀ずるならば、吾人の見地からボディーとして適當に把捉せられたりや否やの考論は出來るのだ。然らば一體右の定義は充分なりやと云ふに、私は矢張り不完全なるを指摘せざるを得ない。その所謂組織的市場と云ふ組織的とは一定の場所、日時といふやうな判り切つたことは云はずもがな、一定の型に塡まつた方式の下に自由に取引を行はしめるやうなれるをいふのであり、代替物に關するさういふ組織的市場は投機差金需給を行はしめる市場にも該當する。確に後者は前者の範圍を出づるを得ない。だが、又、代替物に關する組織的市場にして投機差金需給を行はざるものも成立つものにして、かの取引所目的と別な、例へば移轉目的を達せんとする實物市場のボディーもそれに該當するのである[註一]。卽ち代替物に關する組織的なといふことは、取引所ボディーの特質を表現するに足らず、進んで云へば代替物に關するといふことは、取引所組織體外の事情たるに過ぎないのだ。組織體外の事情とは取引所の存在と決して無關係と云ふのではないが、取引所組織體を直接構成せずと云ふのである。代替物件に關する組織的市場說を奉ずる者、往々貨物が雜多な少量宛の集成より次第に代替大量的となり、其等取引が現品取引、見本取引より銘柄、標準物取引へと進みて、その組織的な市場としての取引所を生成せりと說く[註二]。併し取引所は斷じて斯の如く機械的に出來上るものではなく、換言すれば取引所生成の原力は既述の如き要求目的にあり、唯それらの原力が大量物件界に成育する所、やがて夫を滿たす爲のボディドを有つた取引所として當該世界に現はれるのだ。實は代替物件と云ふことも正しからず大量物件と云ふべきであるが、(註三)その點は暫く措くも、代替物に關するといふことは取引所なる社會的生物の謂はゞ溫床を指すものに外ならないのだ。それは例へば、或る有機體の地球上に生存せるは地熱など外界が或る狀態に至り可能ならしめられたものとしても、何も外界の狀態そのものが其有機體を生んだのではないが如くである。之等の詳細は取引所生成論に屬し他の機會に論ずるとして、今は代替貨物を取引する組織的市場といふ定義の根柢に關聯ありと見らるゝが故に一言したのである。その說を奉ずる人々――我國學者の多數は然り――が吾人の論述を深思され、取引所本質に關する自說を再考されんことを望む次第である。

註一　かゝる市場は過去、現在にも見出すが、何ほとゝに、將來世の中が進めば、國家の生産、配給等に對する統制、干與が進むに至るであらうこと、そして諸物件の取引市場なるものは殆ど何れも、取引量、受渡期日などを市場的に一定し、銘柄名を指して行はれるほどに高度、定型化する事が豫想されることを考へてみるがよい。斯の如きをも取引所も云へるかといふ疑問の自覺を强めるであらう。

註二　我國取引所學者の代表たる向井教授も大體この說であるが、勿論吾人は反對である。前掲同氏著書一――一二頁參照。

註三　取引所で取引してゐる物件は凡て代替的のものであることは事實だ。併し――株式のやうな本來どれも同じものは、眞の意味で代替物と云つて然るべきかの疑問もあるが、之は廣い意味の代替物に入れるとしても――代替物の凡てが取引所を有つと云ふもので決してない。つまり必要なるは大量性(Massenhaftigkeit)でありたゞ大量物件たるには、純一の銘柄より成ること困難にして、殆ど、代替する多數の銘柄より成つてゐるといふに止まる。

扨て吾々の立場に於ける本論に還へるが、上に述べた所では、ボディーに深入りして生命の點に觸れる所少いやうだ。尤も前記社會的組織體にありては生命がボディーを規定するといふことより、ボディーの特徵を明にすれば、それで其生命、延いて本質は自ら窺ふに足ると云へるかも知れない。これでは生命を擧ぐるは本質を一層明確ならしめるに止まるが如くであるが、決して然るものでないのだ。然らずと云へば、他の社會的要求を滿たさんとするものにて取引所と等しきボディーを有つものでもあるのかといふことになるが、又さういふものがあるのだ。取引所とは如何なる存在かと云ふ問に對し、恐らく最も多く與へられるはそれを**投機機關だといふ答であらう。學者の著書にはその事を餘り詳細に說かない**

が、一般人の取引所本質觀は殆どさうだと云つてよい。茲には彼等の認識の方法に就ては繰返して論じないが、何をなすものなりやの生命とする所として、彼等は夫を公開的に投機をやらすものの、或は公認された賭博場と見るのである。而してその或る者は取引所はさういふ投機をやらすもの以外の何物でもなしと見、又或る者は投機をやらすものである外に價格作用に役立つことを認むるも、之等は取引所なくとも滿たされる事にて精々副作用たるに止まると觀ずる。然らば之等の取引所觀は如何と云ふに、私も取引所が社會の投機的要求をも滿たすことを認め、卽ち彼が投機機關たることを肯定するものであるが、上の如き一般の認識には其儘與せざるものである。先に述べたが如く取引所が差金決濟の行はるゝやう仕組まれた市場たるは、投機差金需給を行はすためなりとして、それらは飽く迄取引所目的の素材たるに過ぎない。處が吾々の經濟社會にありては投機的な慾念が強く起り存し、特に需給の形に於て行はんとするものにして、それらは又其要求を都合よく滿たさんとしての機關を求め、卽ち投機的目的を生命とせる組織體を存在せしめんとするのである。而してこの投機的組織體は投機需給の行はるゝ組織的市場として前記取引所のボディーに等しいのだ。然も之は自由に放任されてゐては現實に現はれるものにして、決して觀念的な存在に止まるものでない。これで前に述べた、他の社會的組織體にて取引所と等しきボディーを有つものありといふ言は、納得せられたと思ふ。處で夫等は――取引所と云ふ名を藉りて――現實に存在すると云つてもさう多からず、特に何時までも在るものでないのだ。するど强力な存在力を有つ投機的組織體はどうなるのかと考へられざるを得ないが、之が恰も等しきボディーを有てる取引所に於て成立するのだ。卽ち取引所は、又同時に投機的要求に生まれたるものにして、これ吾れ人と共に其投機機關たるを認めねばならぬわけである。而して時として、否多くの場合に、取引所に於ける投機需給はかの相場公定、常時的市場としての存在體に適要なる以上に行はれ、卽ち投機的存在體たることが前者を凌ぎ、時には賭博的ともならんとする位である。けれども之等の事實より、取引所を、一部に說くがやうに、本來投機的存在體なりとなすことは出來ないのだ。蓋しかの純なる投機的組織體が何時までも存在するを得ない事由が玆にも働くのであつて、その事由としては、市場の經營を續けるほどに商內がはやらないこと、更に一般的決定的なるものとして國家の良心的な政策意思が承服し難いといふことゝがあるのだが、今は後者の體當り(Einwirkung)

を考へればよいのである。　換言すれば取引所が斯の國家政策といふ體當りを受けながら堂々と存立する所以のものは、夫を以て抑制すべからざるものがあるがため、つまり吾人が生命として擧げた機能的作用を營む存在、體であるからに外ならないのだ。註

註　この邊の事は從來の拙稿に、必要なる度に、要言して來てゐるが、特に「投機と取引所」經濟論叢第三七卷第六號を參照され度し。　そこには「取引所は單なる投機的存在體でないにしても投機的存在體でもあるが故に、其解剖には當然にその點を無視すべからず、殊にそれが相場公定、常時的市場等の作用に影響あるに於て然りである。　學者の取引所を說くものの中、投機的存在體たる方面に觸れざるものあるが、假令其研究をその本來の(機能)方面に限るとしても、必然にその投機的存在の前者に對する影響には到らざるを得ない筈だ」といふ、上來より引出し得る立言にも觸れてゐる。

吾人は上に於て國家の政策的意思といふ事を擧げた。　これは直接には取引所が正當機能的存在體たることを明にせんが爲であるが、其意思によつて彼は又一つの法認的存在體、註詳しく云へば生成そのものは法の根據に基くのでないが、法的の承認、延いて其取締の對象となるものとなれるのだ。　此の彼の法的存在體たることは上來より大方示唆されてゐると思ふが、敢へて附言して置く。

註　今日の文明社會に於ける社會的存在體には、國家の意思或は法によつて生まれ出づる——勿論社會の必要がそれを促し又之に應ずるのであるが——ものと、その力を離れて生まれ出づるものとがあり、後者は更に分れて、國家の承認、監視の下に置かれるものとそれらより全く離れたるものとがある。此の事實は疑ひなき所であるが、法の技術的知識に乏しい吾人として法學者が既に如何に取扱へりや又其當否を知らず、唯前二者を法的存在と呼び、更に前者を法(生)成的存在體、後者を法(承)認的存在體と名付けるものである。

商品取引所と株式取引所

以上により取引所が如何なる社會的組織體たるかは一應明にせられたと思ふ。即ち取引所は相場公定、持續的市場たることを職分とする清算市場である。而して私は取引所の本質が其點にあることを確言(Behauptung)せんとするものである。一體人が或る確言をなすとは、一定の事を強く言ひ張らんとするのだが、それをなすものは、當該立言を疑問にも思はす事態が前に立ちはだかるからに外ならぬ。然らば今吾人は如何なる事態に如上の確言をなすものなりやと云はゞ、取引所と稱せらるゝものは商品界と證券界——更に貨幣界を別の世界として認識してもよいが、事情は同じだから加考しないことゝする――に存するが、それらは同じきものとして認識し得るやといふことである。而して此事に就き、學者の中には强き否定的見解をとり、眞向ふからその統一的取扱を非難するものがあり、又統一的に取扱へる者にも本質的には異なるを認めながら便宜上然すると云ふものがある。註一 之等を加へても否定論者はさう多くはない――外國にありては取引所研究の書物には兩者を各別に取扱へるものが多く、それらの著者は兩者の本質的に異なるを認めてゐるがやうにも考へられないではないが、然もその事を明言してゐるものは少いのだ――にしても、肯定論者よりは多い――我國にありては取引所研究の書物は兩者を統一的に取扱うてゐるのが殆どであるが、その如何なる根據に基けりや無反省なるものが又大部を占めてゐるのだ――と云はるゝ。然らば否定論者の所説如何と云ふに、註二 例へばヒルファーディングは、有價證券の取引は資本動員の機能を果すに對し、商品の取引では生産界で作り出された産業的及び商業的利潤が實現せられると共に社會に於ける共新陳代謝が行はれるのであり、兩者は價値及び所有の移轉の賣買形態たる點に於て共通するが、其根本的相違を度外視して兩種取引所を取引所として一緒することは混亂に陷らざるを得ずとなし、ギョッペルトは、商品取引所は商品の卸賣市場であり、それは唯卸賣商業に關係ある人々を中心とするに對し、有價證券取引所は公衆のために有價證券の賣買を仲介する機關であり、それは銀行、其業者、仲買人、職業投機者等各〻その役割を營みて公衆に證券移轉を助くる仲介者の全體的大きい集りであるとなしてゐる。ギョッペルトは所謂ボディーにまで觸れてゐるわけだが、いづれにしても、物件の相違、從て當該世界の相違により、兩種取引所の果す作用は當然に異つてゐるといふのが根據である。其他の學者の見解も之と揆を一にしてゐる。併しながら吾人をして云はしむれば、右に說かれるやうなことは容易に考の及び所にして、謂はゞ百も承知の事柄である。而して私は之等の見解、態度には與せないものだ。與せないと云へば、勿論上と異なる見解、態度をとらんとするものであるが、それらの(結論に至る)事實を必ずしも誤謬なりとなすのではなく、唯それらより更に進んで考察する時、寧ろ商品取引所も證券取引所も取引所としての本質を同じくし、從てそれらを統一的に取扱ふことの可能なるを知了し得るとなすものである。

註一　今吾々の問題は商品、株式兩種取引所は本質上同じきか否かであり、その統一的取扱の當否――前者の同否によつて此事は規制せられるものであり從てこの前提であるわけだ――は次の機會に譲らうと思ふのだ。唯前者の論議に關聯し、夫と接續する後者の謂はゞ入口に當る部分に觸れるのみ。

註二　K. Hilferding, Das Finangkapital, 林要氏譯本二八八頁。

尙ほ氏が商品取引所と株式取引所を別々に取扱うてゐるのは、右の根據に基く現はれだと云へる。

H. Göppert, Über das Börsenterminsgeschäft in Wertpapieren, 1914. s. 24—25.

ギョッペルトの見解に就ては、その我國に於ける研究家たる松本信次氏の著書が最好の參考として存してゐる。

同氏著　株式取引所編　昭和十一年　九五――九八頁。

吾人以外にも兩種取引所を統一的に取扱へるものもあり、先に一言した如くそれらは我國に多い。たゞその大部分は無反省的で其根據とする所をはつきりさせてゐないのであるが、かの便宜上統一的に取扱ふものが事由とせる、投機市場たる點、取引形式の高度にて定型的な所謂組織的市場たる點、國家監督的取扱の平等視等の何れか又はその複數に求め、或は求めるのであらうと思はれるのだ。それを便宜的に用ふるものは、夫等以外のより根本的な本質に於て相違せりとなすのであるが、前者は夫等の統一を以て本質までといふほどに強く同じとなすかどうかはつきりせぬとして、兎に角等しきものと見做すのだ。が、夫等の中、最後の國家監督的取扱云々は形式的な事實に過ぎず、取引所として等しきかの問題にならぬことは既に明なりとして、他の二つの點も吾人の註立場からも支持し得ないのだ。蓋し組織的市場云々はボディーに觸れるのみにて、假令兩者に同じとしても生命が等しきか否か判然たらず、又投機市場云々は投機が目的を指すとしても、それは權道的なる方面にて眞の取引所の生命ではないからだ。再言せば吾人の取引所觀によれば、兩者が同じだと云ふことは、當然に其生命とする所、從て否定論者の否定の根據とする所に於て肯定せられなければならないこと丶なれるわけである。

註　否定論者の中には自己の見解を强化するため、之等の根據の當らざることを說いてゐるものもあるが、何處まで强く說けてゐるか、恐らく吾人の取引所觀に基くものに如かないと思ふのだ。

商品の如きやがて吾々の消費に當てられる財貨と株式、公社債等證券の如き資本の出資分(Beitrag)を表はすものとが別なることは素より、前者の新陳代謝しつ丶生產面より消費面に流れゆく狀況と同一物が循環しつ丶投資者から他の投資者へと轉々する狀況との間には確に趣の異なるものがある。商品の中でも農產物たると工産物たるとにより、更に各種の財貨夫々によりて其狀況に異なる點のあること、恰も證券の中で株式界と公社債界とにより又異つた點を有つが如くであり、唯それらは商品、證券界のほどに本質的な別と見難いのみである。兎に角、商品、證券界の狀況にして既に趣の異なるものがある以上、それらの世界の有つ要求にも同じからざるものあるは當然となる。今、取引所は何れの商品界、何れの株式界にも存するといふのではなく、夫々所謂營利主義が活潑に行はれてゐると共に、物件の需給が多數で、價格の動搖的であるといふ事情の具はれる所にのみ現はれるものであるが、それらの事情の下に當該商品界が、商品取引所を生むに至つた力即ち要求と、當該株式界が株式取引所を生むに至つた要求との間には、前記兩世界の有つ要求に同じからざるものがあるといふ所に基き、同じからざるものが存せざるを得ぬ。こゝに一寸挾言し、度いのは、上は稍々難解の立言を用ひたやうだが、それは問題の所在を正確に云ひ表はさうとしたためであつて、つまり兩種取引所の異同を論ずるに、商品と株式の異同、商品取引と株式取引或ば商品界と株式界の異同を直ちに移してなすは全く意味がなく——然も中々多く之が行はれてゐるやうだ——商品界と株式界が各取引所を要求する所こそ問題とすべきことをはつきり意識させんとしたのだ。處で進んでこれらの要求を考察するに、商品界が商品取引所の存在を求むる要求は、正確な相場の與へられること、持續的市場を有つことの二つに歸し纏め得られるが如く、株式界が株式取引所の存在を求むる要求も亦その二つに歸し得るのだ。謂はゞ一次的には必ずしも同じでないものも、二次的には同じきものとなり、夫々の取引所はそれらに應ずる、つまりそれらを滿たせるものとなるのだ。尙ほ序でに述ぶべきは、凡て社會經濟機關は一定の經濟社會の要求に依て存生するものとして、出來た機關が經濟社會に盡すといふ見方に於てはそは彼の機能となるのであるが、機能となれば必ずしもそれを存在さす力となりたる、本質的なもののみに止らず、其外にも生ずるといふ事である。この事は勿論取引所に就てもあり得る所であり、例へば取引所を指して景氣のバロメーターと云ふが如きが――之は商品取引所に就ても云はれるが、株式取引所に就て殊に然り――それにして、景氣の指標たらしめやうとして取引所は生まれたるものに非ずとして、出來た取引所は社會に其機能をも營むといふものであるが、然も今吾人の云ひ度いのは、商品取引所の場合にしても株式取引所の場合にしても、其種の機能は何れも適當な相場の公定、持續的市場といふ根本的な機能に歸せられ、否その二種の機能より派生するもの以外に殆どないといふことである。以上要之、商品取引所も株式取引所も――其他の取引所も――取引所としては同じきものであり、つまりそれらの世界が一定の條件を具備する所、相場公定、持續的市場の要求に應ずる取引所が現はれるのであり、唯その世界の異なるによつてそれら作用の意味に同じからざることがあるに過ぎないものである。

取引所にして右の如くなるに於て、そこには商品取引所、證券取引所等を各ヶに取扱ひ得ると共に、それらを統一的に取扱ふことも出來る筈である。註 後者は取引所一般の事が内容とせられるものであるが、その内には商品、證券取引所等の特殊的な事にも觸れざるを得ない。目標は取引所そのものの本質を明にせんとするのであるが、それは現實には商品、證券等の取引所として存してをり、謂はゞ取引所一般性の具體例として彼等に論及することゝなるのだ。從て商品取引所の研究と株式取引所の研究が二部的になつて出來上るといふ種のものとは明に異る。かの綜合取引所論なる名稱はさういふ二部的なものに冠すべく、統一的なものには斷じて適《フサ》はしからず、取引所論こそ正にそれに當る名だ。處で、從來の取引所の研究としては、綜合取引所論なるか、眞の取引所論なるか、内容混亂したるものが多く、否そのやうなレベルに停つてゐたといふのが實相だ。之等が諸種の非難をうけたのも宜であり、學問的研究の立場から當然匡されねばならなかつた所である。而して是に關し、學者の中には各ヶの取引所論の外に意義あるは綜合取引所論なりとなし、暗に吾人の取引所論を否定或は輕視する者もあれど、斯の如きは甚しき誤謬と云はねばならぬ。これまでは綜合取引所論は學問的にも意味がないことはなかつた。蓋し各ヶ取引所の研究が充分でなく、夫等を集めるといふ約束の下になされる研究の内部で夫々研究されるものとなつてゐたからである。されど別別の各ヶ研究の進んで來た場合の綜合取引所論の存在の意義の如き、言はずとも明なることゝ思ふ。處で又一方その各ヶ研究に力むる人の中には、吾人の取引所論まで意義なきものとなし、つまり各ヶ取引所論のみ學問的に當然に成立するやうに說くがある。其各ヶ研究が進めば、取引所(一般)論としては上記各取引所の特性を取扱ふこと、派生的な部分は前者に讓り益ゝ特性中の主なる點に限るといふ風になるでもあらうが、後者の成立を云々するに至つては以ての外である。其成立問題の根本は勿論前來の取引所本質論に歸するわけであり繰返さないが、別にそのやうな論者に一言指摘し度い事がある。取引所論の外に各種の取引所論の成立するを否定し得ないとして、取引所(一般)論と各ヶ取引所論と何れが學問的に獨立研究の價値ありやと云はゞ、後者は前者に及ばないといふことそれである。蓋し商品取引所の特殊研究の如き之は本來商業經濟の内容に屬し、商業經濟或は政策論が一學科として成立せる以上、そこに當然に取扱はるべく、その特に取引所の部分を抽いて詳論するは、問題が複雜で多いといふ點もあれ、便宜といふ分子が相當に含まれてゐるからだ。同樣な事は株式取引所に就ても云はれるのであり、たゞ後者にありては證券經濟論なる學問が充分に完成せられてゐないのと、證券經濟一般に於ける取引所の占むる部分が商業經濟に於ける商品取引所に比し大なるの差あるのみ。要之、學問的に云つて取引所研究の眞髓は取引所(一般)論にありと云はれるのだ。私は先に、今は取引所概念を明にせるのであり其研究方法論に入らないと斷りながら、一部稍ゝ深入りした觀がないでもないが、本質規定に續けるその生々しき時になすがよいと思はれる點だけ、敢て觸れた次第である。

註 以下の所説に就ては福田教授の次の論文を參照され度し。 之は今吾人の説かんとする方面の問題――取扱へる人は一般に少い――を最も要領的に論じてゐるのと、その所論が恰も吾人のと對立的となつてゐる箇所が多いのとで一讀の意義ありと思ふのである。

福田敬太郎氏「向井鹿松教授著綜合取引所論」國民經濟雜誌第五四卷第一號一三九——一四三頁。

取引所作用としての相場公定と持續的市場の地位

以上により吾々の取引所の定義は一先づなされたのであるが、更に一歩述べて彼の如何なる存在なるかを明にし度い。それは本論に屬するが如き生《キ》正面的な展開ではなく、文化史的とも云ふべき考察である。Begriff に對する Bedeutung ——獨逸に於てもこれらの用法が誰もかうであるとは云へないだらうが——である。而してそれに先ち批判的要言をなし度いと思ふのは、例へばヒルファーディングの如き見解に就てゞある。ヒ氏が社會主義經濟學者の錚々たる人物たりしこと、其「金融資本論」が「資本論」以後の「資本論」と價値づけられてゐることは贅言を俟たぬ位であり、從て氏の取引所觀は又左翼の代表的なものとも云へるであらう。既に述べた如く、氏は、擬制資本の貨幣資本への轉化を助ける、即ち資本動員の職能を果す證券取引所と社會の新陳代謝的な流通をなすと共に産業的、商業的利潤の實現せられる商品取引に關する取引所とは、同一視すべからずといふ見解をとるものだ。氏が兩者を竝べて説くのも、取引所として同じものなるが故でなく、金融資本といふ觀點より見、共にそれに關する機關なるが故と云ふのであらう。然も氏の證券取引所が如何に資本動員の機能を果す機關であるかを説くのを見るに、投機需給の參加によつてそれらの株式、證券の貨幣への再轉化が助長せられるといふにあり、又商品取引所が商業資本の利潤、延いて銀行(金融)資本の活動餘地に如何に貢獻する機關なるかを説くのを見るに、取扱商品の價格變動による利潤の不確實、即ち投機的利益の加減するを投機需給を集めてそれらに轉嫁、負擔せしむるといふ所にありて、既述吾人の見地よりすれば兩種取引所とも取引所として同じものであること、つまり持續的市場機關たることを説けるものに外ならずと云はるゝのだ。唯併し、今は彼の取引所統一的認識を不可となす見解を繰返して衝《ツ》くのではなく、彼の斯く取引所の重點を持續的市場たる所に求むるを問題にせんとするのだ。取引所は相場公定、持續的市場の存在體なりと云ふが如く二つの作用を有つのは兩種存在體の合體なることは先に一言したるが、尙ほ彼に於ける兩作用の關係として何れが重要なりやと云ふ、標題に所謂地位の考察が殘されるのである。

本來此事はその儘では平靜に看過されんとし、私もそれで差支なしと思ふ者であるが、偏つた見解の存する所、自ら問題に取上げられざるを得なくなるのだ。而して今吾人としては、取引所の相場公定機關たるは、ヒ氏の如く持續的市場機關たるより斷じて劣るものでないことを指摘し度いのだ。

尤も取引所と稱せらるゝものの中に、相場公定卽ち一定市域内に標準となるべき價格を自主的に立つることを營み得ず、纔に持續的市場の目的に利用せられることがあるといふ類のものがないでもない。先に觸れた事のある、國家の政策意思によりて淘汰せらるべき性質を有つた、吾人の目的々生存體と見る立場からは假令清算決濟をなし得られるやう仕組まれた市場といふボディーは類似せりとするも取引所とは認識し得ない、投機的存在たるものがそれらであることは容易に想起されやう。けれども、ヒ氏の考論の對象となれるは、こんな地方的な、貧弱な清算市場ではなく、中樞的な眞の取引所であるに違ひないと思ふのだが、斯の如き取引所にありては、その相場公定作用は何よりはつきりと映ずるのだ。尤も此點ヒ氏も其相場公定作用を見ないのではなく、唯それが妥當な相場を定與せざるが故に、其存在たるを取上げないのだと思はれる節がないでもない。成る程相場公定機關といふからには、それの立つる相場が妥當でなければ市域一般の心服する所とならず、全市域に作用を有つ存在とはならないであらう。だが、彼の立つる相場のよさは、勿論無條件なるものではなく、私は彼のなき場合に當該市場界が有つであらうよりも妥當なものを立てるとして左樣肯定せんとするのであるが、兎に角それは吟味の餘地ある（取引所本論の中心的な）問題となるとしても、相場公定機關といふ場合には更にそこに立つ相場の強さ、つまり市場界一般を從はす力の程度の事をも見なければならないのだ。而して此點に於て、一定の市域に中樞的取引所の生成せるときには、夫の相場は市場界全體に行はれざるを得ないのだ。それもその筈、強いしつかりした、信頼し得る相場を欲しいといふ當該市場界の要求が（實際には公正なといふ要求も加はるのであるが、之がなくても）それを滿たすやうにと取引所を生成せしめたものであるからだ。思ふに、ヒ氏が斯の顯著な事實を取上げざりしは、資本主義社會に於ける金融資本の魔力、卽ち彼がその子を生むために如何に社會に働きかけその機關を作るかの方向に眺むること急なるによるものと云ふの外はない。　金融資本の手は到る處に延び、直接又間接一つの大きい組織をなせるものであり、その眼より見る時、取引所も持續的市場の方面に於てその組織に屬する事は疑もなく認められる。從て金融資本の見地より(吾々社會の考察は有意義であり)取引所を其系統に出來る機關でもあるとの說明は間違ではないが、然も金融資本獨善的な見解に立つものでない限り、彼の把握をそれのみで足れりとなし、果てはそれ以外の何物でもないとなすが如き言は出て來ない筈だ。蓋し資本主義社會に存在する――反資本的なもの、非即ち資本的でない中性的なものもあるが、それらは暫く措き――資本主義的なるものも、金融資本的方向に沿ふものばかりとは云へないのだが、取引所も寧ろ多分に斯の如くに云はるゝ方面、卽ち相場公定機關たる方面を有すること先述の如くであるからだ。

取引所は議會なり

取引所とは何ぞやに答ふる彼の所謂文化史的意義は、實は議會なりといふにある。而して彼に對する斯の如き認識は、その相場公定機關たる方面を見てなさるるものに外ならぬ。吾人が彼のベドイトングを述ぶるに先立つ前提として、その相場公定機關たるを輕んずる說を排し、本體を明徵ならしめんとせる意味はよく理解されるわけだ。その點は兎も角、然らば何故に取引所は議會と云はれるか、これは彼が(直接に金融資本的ではないが)資本主義的な存在にて、資本主義卽ち營利的となれる個人主義自由主義の世界に在りて、議會と等しくそれらの主義に基應せる存在物であるからだ。

抑々議會とは何ぞやは法學、政治學の領域に屬する所であるかも知れないが、その本來的精神及び實際的存在機構の綱領は、近代人たる何人にも把握せられてゐる所であらう。法學者は一般に所謂三權分立、卽ち國政を立法、司法、行政の三者に分ち、議會をその立法に關するものとなす。併し國民の生活には純法規關係の方面の外に物的な方面があり、之等は一片の法律によりて規律せられる場合もあれ、金錢に關する場合が多く、金錢額の割當如何は自ら其方面の國政を規定することとなり、それらの使途と割當額如何が又重要なる政治となれるものだ。前者の法律が何等か個人の權利を抑制するに對し、後者はその費用が大部分個人の財産より徵せられるに於て、國政上一層關心事だとも云へるのだ。何れにしても、議會は、國政を方針方策の決定と其具體化卽ち實際の施政との二つに分ち、前者を行はすやうにせるものだと云ふが妥當となる。而してより大切なるは、其方針方策が特定支配者の意思、少數支配階級の意思の集まりたるものでなく、一般國民の意思の綜合であるといふ點である。こゝに國民の政治的自由といふことが前提となつて來る。勿論その政治的自由の下に於ても、少數者が定めてよく國民の意思を洞察し酌むといふことはあり得よう。併し之等によりては、往々國民の立場を無視しながら國家の意思として定めんとすることあるのみならず、特に恣心(Eigenwille)を去りて眞面目に努むるも國民の眞意に到り難き場合があるのだ。詳言せば一定の方策に對する國民の意思も常に無條件に同方向に一致するとは限らず、相分るゝ場合が寧ろ多いからである。斯くて結局國民の意思は國民自ら、そして萬機公論的に之を定めるといふ機構に如かざることゝなる。素より國民自ら定めるといふも、多數の國民凡て直接に集つて議するといふ事は技術的に不可能であり、より少數の或る者が代表となり、所謂代議政治の機構を採らざるを得ない。要之、上の如き國家施政の方策を代議組織といふ構造の下に定むるものが議會である。

而して各々の業界に於ける取引所の存在意義は、先づ政治上に於ける議會の上の意義に相當してゐる。一體、個人の經濟生活でもさうであるが、殊に社會的な經濟生活にありては一定の方針、計畫なるものなくしては行はれ難く、實際の運營は支離滅裂とならざるを得ぬ。例へば商品界にありては、夫々、社會全體として如何樣の生產をなすべきか、或は一定の生產に對し如何に消費をなすべきか等は最も何等かの目標を要する所である。從て國民經濟が進めば必ずやさういふ方策的なるものを定めんとするに至らざるを得ないが、經濟活動の各ヶ自由なる所、卽ち個人主義分業機構の下にありては、結局當該市價がそれに該當するものとなる。つまり市價が中心であり、それに基いて一切の實際的な運營活動は營まれてゆくのだ。之等の事は證券界にありても變りはなく、商品界のやうな消費財としての新陳代謝的な動きはないが、然も營利の權化物(Verkörperung)たるに於て市價によるその供給、需要的動きは寧ろ後者より强いとも云へるのだ。素より斯の經濟界の方策としての市價を政治上のそれに比べたる場合、後者の質的に諸種となりて現はるゝに對し價格の大いさの大小、高下といふ唯一本、卽ち量的の變化として現はるゝの特色を見出すが、然もその大いさは過去の狀態に基いて規定せられると共に將來に作用力を有つといふに於て、政策そつくりである。申す迄もなく、政策は過去、現在の運營の狀態、特に弊害とせらるる點に鑑みて立てられ、將來に向つてそれらに働き及ぼさんとするものである。そのやうな點は兎も角、之を內容的に云へば、市價と稱する以上――政治上の政策內容が國民全體の意思を酌まない、專政少數者の勝手な意思にても、政策といふ名を以て呼ばれることあるにしても、内容の市場的でない、恣意的なものは市價といふ名を用ふることすら疑問となるほどで――勿論市場の全體を眺め、それを織込んだものであるべき筈である。唯そのやうな市價も或る少數者がそれを定めることが考へられないものでもないのだが、それに對し市場人全體をして定めしむる機構をとるものが即ち取引所であるといふに於て、取引所は議會に相當するといふことが最もはつきりするのである。而して何故に斯の如き取引所機構がとられるものなりやと云へば、少數者に市價を評定せしむる時は彼等の私意に偏し、又假令眞面目に努むるも正當なものを定め難い場合があるからに外ならぬ。つまりさういふやり方で定められたものは實際には行ひ難く、若し其價格に責任を有ち飽く迄支持せんとせば、實際の動きに實力的な働きかけをなさねばならず、斯くては個人主義の立前に反するにも至るが故に、關係者に任かし自業自得的に定めしむべしといふのが根據であり、政治上の議會がその萬機公論的機構をとれる所以と變りはない。自業自得と云へば議會が民意尊重といふことになれると違つた感を與へるかも知れないが、價値判斷の仕方の相違で本質は全く同じである。尚ほ取引所が關係者の意思即ち需要、供給を集めて相場を定めるといふに、一切の當該關係者の需給を一點に集中することは地域的其他技術的な事情で困難とする所にて、たゞ特に價格的な需給卽ち價格專門的なもの及び實物受渡の目的を有つも價格主張性の强き需給等が集まり、然らざる需給はそれらに任かすといふ工合になれる事情も議會の代議的なると等しい所だ。議會に就て見る、代表たらんとする希望者が適當な人數を超過するより起る選擧といふ制度的な過程はなく、自由、任意的なものではあるが、代議——代表的たることに變りはないと思ふ。

議會は國家政策を萬機公論的に定むる存在であり、自らはその具體化卽ち實際の運營たる施政はやらない。その實際の運營の爲には別に國家官廳、吏員がありて、彼等の仕事とせられてゐる。この役人のやる所は政治の實行であるか、國民の手にある實行を指導するに止まるか、考へれば疑問も起るべく、殊に所謂司法の方面より行政の方面に於て著しくなるやうであるが、今この事は兎も角、その行政機關と議會は又關係を有たんとするのだ。凡そ行政機關は性質上幾多上下の階級に分れた組織を有つものにて、それには其最高首腦的な機關が存せざるを得ないが、かゝる首腦的機關を占むる人物としては如何なる經歷の者が宜しきかの問題が當然存することゝなるのだ。　茲で暫く眼を轉じ國家政策を見るに、それらは勿論各・問題による具體性を帶びるとして、然もその何れにも通ずる一定の意味合ひを有するものである。　蓋し各人の國家政策に對する意思は當時の國民經濟の運營狀態に對し各・利害或は人生觀等によりて立てられ、それらの纏りて壓倒的となれる思潮が當時の國家政策を規定するからである。　注意すべきは壓倒的といふ點にして、つまりそこには前者には及ばないが、他の意思の綜流(Zusammenfluß)も在り、時には前者に比敵せんとする位のものの存することがあるものだ。　而して斯の如く、政策決定に關し、相對立する意思の綜《アツ》まりありとせば、そは議會に集まる代表者をそれに從つて分立せしめねばやまなくなる。　其分立は問題によりて夫々メンバーを變ずるもののやうにも考へられるが、實際には爾《シカ》く移動性あるものではなく、一度結ばれたるメンバーの團結は相當に永年存續せんとする。　蓋し前記意思の綜流なるものは或る時代の經濟的運營に對し相當期間相對立して存續するからでもありて、尙ほその對立を來す主義は自由と保護、進步と保守、全體主義と個人主義といふが如く、大きく見て相反するゝ二つとなるのが本然ならんとする。　右の分立する團結が政黨と呼ばれてゐることは既に一般にも知られてゐる所と思ふが、約言せば議會政治は必然に政黨を生み、政黨は二大政黨の對立となるのが本來だと云はるゝわけだ。而して斯く議會政治に於ては政黨の存生は必然なりとして、然もこの政黨は單に議會の範圍に存するに止まらず、恰もかの行政機關の首腦者たる人物を自ら占めんとするに至るのだ。これは一面には政黨員以外のものが首腦者——内閣と一般に呼ばれてゐる——たる地位を占むるに於ては政黨との折合がうまくゆかず、毅然と抱負を遂行し得なくなるといふのと、一定の政策を決定せる政黨自らが進んでその實際の施行に當るが責任上當然だといふのが事由である。勿論國によりては他の勢力の爲に壓され、完全な實現の妨げられてゐる事例もあれ、卑しくも議會政治の行はるゝ所、政黨政治の行はれざるなきが過去に於ける實狀である。以上、素人政治論の觀がないでもないが、議會には政黨が必生し、彼等が政權を目標とするに至ることが述べられてをれば足りるのであつて、つまり吾人の指摘し度い眼目は、そこには政權を目指しての爭奪が行はれざるを得ないといふ事實である。政黨は二大黨の對立となるが本來といふ事理より、其政權爭奪も二つに分れた黨、つまり現在政府黨となれるものと其反對黨を中心として行はるゝが又本來となる。然も既に爭奪となる以上、彼等があらゆる努力を傾倒し、正面的な攻撃のみならず、諸種の術策を弄し、相手の虚をつき壓倒せんとすることも自然であらう。要するに、萬機公論機關といふも、寧ろ政權といふ利益或は慾望を追求する政黨の戰ひ場であり、彼等の直接には政權を目標とせる爭の中に萬機公論の機構が行はれ、國民大多數の望む政策も決定せられるものが、議會なりといふのがその實相に近いのだ。

取引所は經濟上各業界に於ける議會なりと云へば、右の如き一定の利益を追求しての團體的爭ひ場といふ性質を、良きと惡しきを問はず、有たねばならぬことになるが、彼等は恰も亦それを有してゐるのだ。取引所が機能的存在たると同時に投機的存在であると云つた、その投機的存在がそれに該當することは慧眼なる讀者の既に感知せる所であらう。取引所に於て價格の公定せらるゝは、關係者が集まり、或るものは時の値段を高しとして賣り、或るものは安しとして買ふによつてである。勿論等しく高しとして賣るものも、その高しとする程度は必ずしも同じでないであらうが、今或る大いさに對しそれを引下げるやうに働くに變りはない。つまりそこは必然に弱氣團(Baisse Partei)と强氣團(Hausse Partei)に分立してゐるのだ。然も彼等の欲する所は決して相場の公定にあるのではなく、縱令その事を意識するも意慾するものではない。彼等の目標とする所は飽く迄金錢上の利益にある。即ち弱氣團は相場の下落によつて消極的――相場の下らぬ中に賣つて損を免れるといふが如し――或は積極的に利益を得んとし、强氣團は相場の騰貴によつて消極的に或は積極的に利益を得んとして、相手方に對し相爭ふのだ。議會に於て所謂正義が最後の勝利を占むるとしても、尙ほ力といふものが物を云ひ、また諸種の術策も弄せられると等しく、取引所に於ても所謂正常な豫測が最後の勝利を收めるとして、尙ほ或範圍の有效を目指し力(資力)や諸種の駈引、時には宣傳(材料の誇大なる流布)の如きまで行はれんとする。勿論政黨の議會に於ける鬪爭に比ぶれば政治と經濟による相違も無きに非ず、例へば政黨としての各員の團結は、政權其他の利益の關係に於て行はるゝ外、精神的なるものもあれ、取引所に於ける强氣、弱氣のグルッペは利益一點張りの、非合意的な集りにて、同じ强氣といふもいつ何時《ナンドキ》それより脫却し、却て相手方に赴くやも計り知るべからず、俗に所謂氣の許されぬ味方なる點の如きはその最たるものであらう。兎まれ、取引所が相場公定機關たる一面に强氣弱氣の對立し投機利益を目指しての鬪爭をなす機構たることは議會が萬機公論の機關たる一面に政黨の政權を目指しての鬪爭場たると何等の變りを見出し得ないのだ。

吾々が或る事物の説明をはつきりなさんとする時、よく、より一般に熟知せられてゐる他の事物を例として擧げる。が、例といふだけでは、その擧げられる事物が説明せんとする事物の所定の點に似てをればよきもの故、それ以外の點まで全的に一致するとは限らないわけである。吾人は既に冒頭に取引所は政治上の議會に相當するものと云つて置いたが、今、上來述べたるが如き兩者の酷似も亦宜なるかなと云ひ度いのだ。換言せば社會的存在體はその存在精神によりて本質づけられ、其精神が一定の狀況に於て當該存在を實現さすことは最早繰返す迄もないが、斯の精神、その地盤といふものに就き、そして政治と經濟による特殊事情を除き去りて考察するに、議會も取引所も變りはないのだ。つまり多數の個體が自由なる精神の下に全體制(Ganzheit)を保持せんとせる存在であるのだ。十九世紀より二十世紀初頭にかけて議會及び取引所の相竝んで現はれしは、その社會機構たる個人主義、自由主義が政治界、經濟界に等しく行はれたが故に外ならぬ。而して其後經濟上に於ける個人主義、自由主義の爛熟して所謂資本主義化せることは、個人主義を廢めん(私有財產制の廢止——個人主義の廢止は必然に自由主義の廢止を含む)とする勢を生じ、その社會主義をとれる國に取引所存在餘地の全面的に除かれたるは勿論、尙ほ資本主義を保持せる國にてもその社會主義的となれる部分、方面には取引所の存立は失へるのであるが、斯の如き經濟上の社會主義は――政治內容に變化を及ぼしその影響ありしは勿論だが――未だ政治上の自由主義の廢棄とまではゆかざりしが故、議會は尙ほ存續せんとした。然るに最近に於けるファッショ主義の高潮は資本主義國にありて個人主義を認むるも――やがて是も形骸的とならうが――何より自由主義をやむる所謂統制主義を以てせんとし、又取引所の存立を失はしめんとするに至つたが、それは更に、否な寧ろ政治上にも現はれ、强力なる獨裁者の下に政務を一途に出さしめんとし、こゝに議會をも危からしむる形勢を馴致するに至つた。ファッショは社會主義國家にも考へられざるに非ず、將來その事の現はれるあらば夫に於ける議會の運命も測られずと云はねばならぬ。要之、作用的にのみならず、其地盤に遡り運命的に考察するに於て、取引所が議會と同性質のものなる事が一層明にせられると云はれるのだ。

株式會社の新設と取引所

――新設會社株式の取引所上場時期――

今西庄次郎

目　次

はしがき

資本主義社會では、何れの事業界にても、相當の發展段階に達すれば、其處に存立する企業の利潤は漸次不動ならんとする。事業の性質にもよるが、社會の人々が當該經營に慣れるにつれ、夫に於ける所謂投機的分子が次第に除かれるからであり、更に大規模經營に適する事業界にありては、その相當に發展段階に達せりといふときには、企業の集中が行はれ少數の大株式會社として經營せられてゐるのが普通にて、其收益率、延いて配當率は營む仕事の性質、從來の銷却程度に應ずる一定の高さより下らざらんことに力められると共に、一方好況時に入りても社會、政府當局の統制力に抑へられ、餘程の經濟界一般の好否でない限り、動かされないからである。而して斯の如きことは利益の安定として企業界にとりても、亦其資本的背景にとりても是とせらるべきであるが、然も資本には、多少冒險性を帶ぶるも高き收益率の事業に向はんことを欲せるものがあり、之等は寧ろ其活躍範圍をなくするとして喜ばざるのみならず、それら株式、就中相當大規模なる會社株式のみを集めるものたる株式取引所にありては、ために相場波瀾が少くなり活動性を喪ふに至るのを喞たんとするのだ。我國の資本主義機構が比較的後進であるのは事實として、近時それとしても亦一應の發展に到達せるを否み得ず、特に最近の統制主義氣運の瀰漫により、如上の傾向がそこにも行はれてゐるのを認められるのだが、之に對し株式取引所關係者の間に、新設會社株式の上場をより自由ならしめよとの聲を聞くに至つたのである。今、相當に爛熟せる資本主義社會と雖も、尚ほ時に好景氣を生じ既存事業界に企業擴張の餘地を作りて新設企業の割込む場合がなきに非ず、又新なる事業界の開拓せられ其處に新設企業の興る場合もあり、何れも株式界にその新なる世界を齎し得るのである。之等は若い企業に關するものなるが故――地盤たる資本主義が既に熟せる以上、資本主義當初の新設企業ほどに甚しく、又永く續かないだらうが――動搖的なるを特徴とし、從て株式取引所が從來の老大株式に之等を加へ上場することは、いつも其活潑さを保持する所以となるわけだ。而してそれらの上場の自由としては、上場時期を會社創設より相當年限後とせるものをもつと短縮すべしといふ事以外に、上場銘柄を從來より規模小なる會社株式にまで擴張すべしといふやうな事もあるが、茲で吟味せんとするは前者の方面であり、つまり新設會社株式の取引所上場時期といふのが其題目である。

而して此問題は株式會社の新設と取引所の關係といふ所に到らざるを得ないのだ。今、株式會社の設立に取引所が必須であり、或は非常に有用なるものならば、其株式は新設と共に上場せられてをるべく、其短縮などといふ要求の起る餘地はない筈であり、又若し取引所は會社設立に貢獻せず、特に有害なる所あるものならば、其上場を遲らしめて然るべきことゝなるわけである。卽ち上場時期の事は會社新設と株式取引所の關係がキイとなり、其解決の爲には後者に到らざるを得ないのだ。けれども進んで考ふるに、この株式會社の新設と取引所の關係は、右の上場時期を決する爲にそれを究明する價値があるといふが如きものではなく、それとして極めて重要な意義を有つ問題にて、上場時期の事の如き寧ろそれの絞り糟として出て來るほどのものに止まるのだ。換言せば、其關係は取引所の本質に關する問題であるのだ。私としては嘗て機能的見地より株式取引所の本質を要論したることがあり、註その際には右の問題に觸れずに置いた。今、それが株式取引所の本質に關する問題であると云へば、それを本質論に於て觸れなかつたことは、大きいミスだと自覺してゐるだらうと推量されるかも知れぬ。併し實はさうでないのだ。私は新株式會社の設立行爲に對し取引所は盡くすものだといふ關係を、他の取引所機能の如く、一般的に、つまり何れの社會にありても必ず肯定出來るものではなく、寧ろ消極的に立つに傾くと認識せるが故に、兼ねてその事を說くには相當の紙面を要し、與へられたる紙數に盛り得ざりしが故に、(はつきり肯定出來る機能以外は)割愛することとしたものだからだ。本稿は即ち割愛し來つた其問題を論ぜんとするものであるが、初めに述べし如き、それより導出し得る、然も我國に於て時事的題目ともなれる取引所上場の時期論に及ばんとせるものである。

註　拙稿「株式取引所の機能的本質」經濟論叢第三六卷第四號一一五頁以下。

一　株式會社の新設と取引所

新設會社選別の必要

今日のやうに株式會社が運營の中心をなせる經濟社會にありて、有爲なる會社が必要に應じ設けられるといふことの何より大切なるは申す迄もなからう。それが何等か社會に必要な事業を營むといふ方面から然るのみならず、株式會社は大衆共同の企業組織にて、假令營利の組織だとしてもその大衆共同的たるに於て社會的意義を有つといふ點からも云はれるのだ。而してこの株式會社の有爲性は其設立の時に於ける如何により決定されること、人の子の有爲性が既に誕生の時に定められる所あるより遙か以上のものであるのだ。蓋し有爲性を仕事の有望性と營むもののボディーの健全性とに分てば、會社は人間の場合より、前者に就ては初めに選んだ所を續けねばならぬやうになつてをり、後者に就ては先天的な分子が少く人爲的に作り得る範圍が多いからである。註　然るに斯の會社設立を見るに、何れの國にありても理想に反するが如き狀態にあらんとするのだ。一般にも知らるゝ如く、會社の設立は發起人(Promoter, Gründer)なる者によりて起されるのであり、事の性質上そこに彼等の存在するは必然だと云つてよい。世人よく彼等を人の子の誕生に於ける產婆役に例へんとするが、私は寧ろ母に例へ度く、母に於て見出さるゝ養育の仕事と胎兒生成といふ二つの性質の中、會社の場合には後者の母體に當る事業界が彼等より離れた存在となつてゐるに過ぎない。即ち誕生する會社の有爲性は殆ど發起人にかゝるのだが、然も其人が制限せられてをらず、その任に當る者は必ずしも能力備はれるものとは限らないのだ。更に營利社會の通性と云ふべきか、會社の設立に就ても、其發起者は所謂發起人所得、會社重役たり得る事等の利益を收め得る餘地が殘されてゐるものであるが、然もそこには彼等の利益は社會の利益卽ち作る會社の有爲性の程度に應ずるやうになつてゐるといふことはそれほどでないのだ。彼等は多くは自己の利益を目指し、株式の一般に應募され得る見込を測りて――好況時は就中其時期である――會社の新設を行はんとする態であるに對し、計畫された會社としては、結局、有爲なるものあり、然らずして、前途見込のない事業に關するもの、又事業そのものは見込なきに非ざるも計畫の杜撰なものの混ずるを免れないのだ。所謂玉石混淆となるのだ。處が一般の投資大衆なるものは案外無知にして、夫は普通の商品に比べては品質の鑑定六ヶしいと云はれる所もあれ、玉を石と見做すことがあるのみならず、殊に石を玉と誤る場合が多く、かの好景氣時代の投機熱は一層其鑑別眼を蔽うてしまふものだ。素より斯の發起人の粗製會社を制せんとして殆ど何れの國に於ても商法、會社法に虛僞、からくりのある會社の設立を防ぐ規定を設けてゐるが、石と謂はるべき會社はそれら規定以上に於ていくらでも出來る事情を有つものにて、換言せば右の規定では未だ力及ばないのである。斯くて其處には、不有爲な事業經營を淘汰し、投資者を保護する爲に、計畫會社の良否を鑑別する何等かの生きた力の働く機構が、より具體的に云へば、發起人達の唯それればかり說く計畫會社の樂觀的面に對し、悲觀的面をも考究し、それらを比較、檢討したる綜合的な、公正な會社の價値の上に投資態度を決し得るの機構があればよし、とせられるのだ。而して發起人の中にも稀にはそのやうな機構に暴されるを寧ろ本懷とする者もあらうが、常態としては彼等はそれを望まず、望むは覺醒せる株式投資者は勿論として、更に國家も之等の謂はゞ當事者の立場の裁定者としての外に——一體國家は國民の或る階級の主張する所が正當なりと認め、殊にその階級の大なるに於て、當該主張を國民的に取上ぐべきものと思ふが、さうとしての外に――社會經濟そのものの立場からも直接にそれを求むるものであるのだ。

註　生成に際し有爲性を定めてしまふことが有望性では固定的であるほど大なるに對し健全性では變動的であるほど然りと云へば、矛盾にも聞えるかも知れないが、さうではない。よく玩味され度い。

尚ほ人間でも封建社會の如きにありては有望性は固定的たるに近附き、又所謂優生學の如きは其健全性に於ける運命先天的なる分子を少くし人爲性を増すものと云ふべき所であらう。

鑑別要求と取引所

要求のある以上、それを滿たさんとせられざるを得ないが、之に何より想到せられるは取引所である。申す迄もなからうが、投機需給は對象の價値判斷即ち事業の有望性、夫を營む會社の堅實性に對する判斷最も敏感なるものにして、夫々彼等の信ずるより以上に樂觀されんとする時は賣り、悲觀されんとする時は買はんとするが故に、それらの需給の資力のなきもの(薄資投機)にても可及的に多量に集めて競合せしむる所、立つる價格により大體計畫會社の正直な有爲性は示されるといふ機構を基とするのである。斯くて眞の意味に於ける株式會社、卽ち廣く社會大衆に分散さゝんと、するが如き會社株式に就ては、その計畫と共に清算市場に取引することゝせば、甚だ妙なるやうにも想はれるのだ。けれども斯の想ひに對し注意せなければならないのは、上の清算市場の評價作用は間違なき所として、それは眞實の賣、買の間に於てのみ妥當するものであるが、今其機構に暴さんとせる立前の下に於ける計畫會社に就てはそれら株式の眞實の賣、買といふものは存せないことである。一般にも容易に理解されると思ふが、物件を渡すべき責任を有たざるやうな賣、受くべき責任を有たざるやうな買の間にありては、縱《ホシイマヽ》なる（無茶に安い、高い）價格申出でがなされ、又量的にもいくらでも申出でられ、到底眞面目な取引價格の成立は覺束ないものだ。換言せば眞實なる賣、買（然らざるものは賣、買でないといふに於て單に賣、買と云つてもよい）としては、そのやうな責任を有つてゐるといふ事が其本性中の本性であるのだ。而して斯の責任を有つに至らんには凡て資力を備へねばならず、また今日の信用經濟時代にありては一定度の資力を備ふれば當該物件、授受の責任を有てるものとなり得るのであるが――從てかの差金需給も所定の資力を備ふる限り直ちに責任なき眞實でない賣買たるのでない――唯賣に就ては資力の外に、より根本的なる事として當該物件の存在といふ背景(保證)がなければならないのだ。存在と云ふも必ずしも現存と限るのではなく、將來當該市域内に持來ること、或は生産せられることが確實であれば、その前以ての賣も眞實性を喪ふものではない。處で今之を計畫會社株式に就て見る場合、それも將來生成するものとして、眞實の賣買が成立たぬことはないと考へられるかも知れないが、そこには其一般的な肯定は出來ないのである。蓋し前記の評價作用が計畫會社の不有望、不堅實なるものに寧ろ意義有りとせらるゝことを論を俟たずとして、かゝる場合其評價作用にして完全に發揮さるゝならば當該會社の設立は解消にまで追ひやらるゝ事となるからだ。然も其作用の發揮は眞實の賣買の如く責任を帶べることを前提としなければならないが、上の解消に於て、賣の方は自ら窮して(前記野放圖に振舞へるに對し今度は)所謂踏上げとならざるを得ず、こゝに其責任を帶べることを危險とし躊躇せらるゝに至るのだ。要之、會社創立に際する有爲、不有爲なるものの鑑別要求は取引所に想を懸けるも、遂に結合せずに終るのだ。

鑑別要求に應ずるものとしての證券業者の價値

若し取引所が鑑別要求を滿たすとせば、會社創立に關しての取引所の存立は確乎たるものとならう。併し事實は前述の如くである。然らば右の要求は、取引所以外に於ても、全然滿たされざるやといふに、それに應ずる存在が又考へられないものではない。其存在とはかの證券業者と云はるゝものにして、其機構は次の如くである。卽ち計畫會社株式の大衆への分散は證券業者が行ふものといふやうにし、證券業者或は其團體(Syndicate)が當該有望度、堅實度を專門的知識を以て鋭意鑑別し、その不充分なりと考ふるものは取扱を拒絶し、確信あるもののみ引受けて、妥當なる條件の下に募集を行ふ。而して彼等が不充分なるものを强ひて充分なりと曲げるが如きことあらば、軈て公衆の不信を招き當該業者らは其業を續け得ざるに至るといふによりて脅される仕組である。

前の取引所にありては鑑別要求に應じ得ないから、謂はゞ實體が成立たないから夫が現はれなかつたのに對し、この證券業者に就ては實體の成立の可能は毫も疑はれないのであるが、尙ほ彼等の發生の可能といふ點に於て疑問が起らないものでもない。蓋し證券業者としては其業務を營利業として營むことが認められてゐるものとしても、鑑別要求を有つ者、就中投資大衆の彼等の存在を求むる熱度に疑問も懷かれるからだ。けれども實際に於て證券業者の存在はさう支障を有つこともなく現はれるのである。是は何故であるかと云へば、證券業者の存在を求むる者として更に發起人があり、之等の力が加はるからである。然も發起人の其要求たるや、前記の鑑別よりも實は會社成立に盡力を藉して欲しいといふものであるのだ。即ち吾々は證券業者なるものは斯の如き存在でもあることを認識すべきであるが、又彼等の行動には斯の立場の然らしむる所が甚だ多いのである。

一般に證券業者の活動形式には募集取扱、詳言すれば證券を大衆に分散さすその賣出の手續を行ふのみにて當該證券が全部賣切れるや否やに關する所なく、一定の手數料を目的とするものと、募集引受、詳言すれば證券の大衆への分散、賣出の手續を行ふのみならず、其全部的賣却を保證し發行者に一定資金の獲得を自ら保證する(Underwriting)と共に、多き對價を目的とする――對價は手數料として一定額を受ける方法、一應相當値段にて買取ることにし自ら適當と考ふる賣出値段との差額を收むる方法等あり――ものとがある――更に以上何れにも元受單獨のと多數の下受者を有つ二次的なのとがある。今株式の場合にも之等二つの形式が行はれる所であるが、之を鑑別要求の立場から見て、募集引受の方が證券業者としてより徹底し進んだものと云はるゝのだ。蓋し賣殘りの場合の引受といふ負擔まで冒してやるからである。併し乍らそれら二形式の意義はまた業者が發起人の募集に協力する程度に應ずるものと見るべく、つまり募集引受は前記證券業者は寧ろ發起人の盡力要求により應ずる存在であるといふに當るものであるのだ。而して勿論兩者は各場合によりて夫々選ばれる所であらうが、一般的に何れがより多いかといふやうなことになれば一概には云へず、結局各國に就て見なければならなくなる。然も各國の證券業者の狀態の考察となれば引受の事のみならず、業者の多寡や其構成等の事も、引受と竝んで意義を有ち、又それは引受の事と無關係のものでもないのだ。[註一] 先づ之を我國に就て云へば、株式の發行には殆ど取扱募集が行はれ募集引受は少い。從て證券業者としては、有力なる專業者は寡く、株式賣買業者、就中現物業者と云はれるものの比較的に有力なるもの或は主要都市に於ける各夫等の者の集りにして、彼等と銀行とは離れてゐる。この離れてゐるとは、發行に就て銀行の援助を受けないのみならず、銀行(信託會社等も含む)としては

――公社債に就ては兎も角、株式に就ては――二次的取扱下引受をなすことはあれ、自ら證券業者たる仕事を殆ど營まないことを指す。然るにアメリカに於ては大分に趣を異にし、證券業者としては其實力、營業内容等より見て種々なる階級あれど、元受的なるものには有力なる專業者が多く、必要に應じてはシンヂケートを組織し、株式の發行にも募集引受が中々に行はれてゐる。然も彼等の發行に對する態度は、寧ろアクティブリーにして、發起人の會社計畫を聞くや夫に赴いて自己の仕事、業務を見付け開拓するといふ形であり、更に銀行業者との關係も甚だ密に、中には自ら銀行的な機關を擁するものもある位である。獨逸に至りては右のアメリカの狀態を更に一歩進めたとも云ふべき形、つまり銀行が證券業者の位置にある姿である。詳言すれば證券業者が銀行でないといふ場合もあれ、多くは銀行であり、否同國の銀行としては普通の所謂預金銀行主義を守るものもあるが、少し規模の大きいものは殆ど同時にこの證券業務をその支店網を利用して營める狀態(Effektenbanken)である。勿論彼等の引受は殆ど募集引受だと云つてもよく、それも發起人に對し中々積極的に働く所であるのみならず、往々自ら發起人たるにも至れる(Gründungsbanken)のである。[註二]

註一　A. S. Dewing, The Financial policy of Corporation, 1920.
E. Schmalenbach, Finanzierungen. 鍋島達氏譯「會社金融論」四八〇――四八八頁
F. Flersheim, Die Bedeutung der Börse für die Emission Von Wertpapieren, 1914. S. 8――14.
向井鹿松氏著「證券市場組織」各論昭和二年
向井博士の右の著書は、米、獨、英、佛及び我國の狀態を各種の書物を引いて說くこと詳しく、此方面の事情を知るには、本書一あれば他の著書に俟つ要なきほどである。

註二　ドイツに於ける銀行が株式證券發行業務を營むことは銀行論の書物にも觸れないものがない位である。而してそれらの書物では必ず彼の證券銀行主義を批判してゐるが、此種の批判が今吾人と異つた立場、觀點なることは斷わる迄もなからう。

右に述べた各國の證券業者の狀態の所は大方世人に知られてゐるでもあらうが、今は何も證券市場組織を明にせんとするものではなく、問題を取引所論の範圍に、更に具體的に云へば株式の發行と取引所の關係を論ずるに必要なる範圍に、又其目的に適するやうに要述せるに止まる。而して玆に吾人の最も指摘し度いのは、以上の如く株式の發行に證券業者が介在するも、必ずしも會社の鑑別がよく行はれてゐると限らないといふ其效果の事である。此事は我國に於てのみならず、彼等のより深き關與の行はれてゐる、アメリカ、ドイツに於ても大して變りはない

のだ。アメリカに於ては證券業者らは新會社株式の引受に甚だアクティブリーであることを先言したるが、アクティブリーに株式發行に盡力するといふことは、必ずしも發起人に味方し其代辯者となる、換言すれば投資者の鑑別要求を無視してしまふものとは限らない。だが、アメリカの證券業者らのアクティブなのは註、彼等が發起人の左擔者たるの徵表に外ならないのだ。ドイツにありては銀行が證券業者の位置にあるのみならず往々發起人たる仕事を營むことも先述したる所として、銀行は正直、信用を重んずるといふ一般の觀念からは夫等の手を經たる會社は有爲なるもののみとなるがやうにも想はれるのだが、其會社發起に積極的であることは――自ら發起人となれる時は特に然り――次第に發起人たる立場が彼等に移れるが如き狀態にあるのだ。然らば何故に上の如くになるのかと云へば、一に證券業者として營利に走るからである。申す迄もなく彼等の利益は株式の賣出しがなければ達せられないのであり、自《オ》ら會社の作成とさへ云へば肯定、盡力的態度をとらんとするに向ふのだ。唯そこに問題となるのは、彼等の營利に走るを制する、大衆の制裁的態度といふものが在る筈であることだ。斯くて或は罪の根本は大衆の投資的自覺の不充分に歸すべきものとも考へるかも知れないが、大衆の投資態度の進歩へのテンポの殆ど云ふべからざる趨勢に於て、矢張り證券業者の、其社會的任務への發奮の足らざる所に求めねばならぬと思ふのだ。

註　新に事業を始める會社を設ける場合より、既設會社を數ケ合せ所謂トラスト化する場合により甚しい傾向がある。例へばそれら新合同企業の普通株(Common stocks)の一部の提供をうけるが如き利益を目指して。

要之、鑑別機構としての證券業者は常に理想的にのみ働く性質のものと限らない――先の取引所の評價鑑別作用は働けば大體理想的な方向のみ(但し程度が問題)に向ふのだとも云へるに對し――ものにて、然らざる方向に働く可能性を有するのみならず、又今日それは多くさうならんとせる現狀にあるのだ。勿論彼等が經濟社會に存在しない場合に比べてましとならないと云ふのではないが、鑑別要求はそれによつて滿たされてゐるといふやうな價値は到底與へられないのだ。

法規による取締と會社鑑別の問題點

會社有爲性の鑑別要求に取引所は全く結付かず、證券業者も常にそれを滿たすものでないと云ふに對し、國家が其爲に、換言せば公衆を對象とする會社の不正不良な設立を取締るべく法規を定めてゐるではないか、といふ事を强調する者がないではない。彼等の口吻より推せば、本來之は會社鑑別の必要を無くするかも知れない事柄であつて、論理的にはもつと初めに論ずべきことゝなる。私が初めに會社法規以上に於て不良會社の出來ることを述べたのは、上の論理に應ずると共に、内容的にはその主張の當らざることを明にしたわけであるが、唯其處には、設立當初に於て鑑別の要あることを力說せんとし、鑑別の問題、内容の詳細は後章に豫定せるが故、其事を一言簡單に述べたるに止まる。

先に會社の有僞性は當該事業――事業の種類を指すことになるが、時にはより具體的に云ふべき場合もある。例へば鑛山、採炭業の如きは何れの山に於て營むかゞ問題となるが如し――の有望性とそれを營むものとしての會社の堅實性――既に知らるゝ所と思ふが、計畫、準備の充實如何、詳言すれば工場の所在地、如何なる設備、方法によるか、應用し招聘する技術、技術者等と、經營に當るべき者の意氣込み、忠實さ等を指す――之をボディーに例へての健全性の二方面より考察されることを述べて置いた。而して謂ふ所の法律の取締規定といふものを見るに、何れの國に於ても、發起人に起業目論見書(Prospekt)の作成を命じたり、拂込不完全のまゝで會社設立をなすべからず等々の事柄であるのだ。即ちそれらは出來上る會社を堅實ならしめようとする方向に向へるには違はないが、其程度は最少限のものので、人間に例ふれば――肉體や精神に故障のある――不具のやうな會社を作らしめないといふ範圍である。一體不具でないといふだけでそれが有爲なる人間と云へるであらうか。身體が虚弱であつてはならず、成るべく强健たるべく、又有望なる仕事に手を着けてゐなければ有爲なるを期待し得ないが如く、會社も當に然りと思ふのである。是れ吾人が現在の會社設立取締法規の存在にも拘らず、鑑別必要を說く所以である。

現行取締法規だけでは足らずそれ以上に於て鑑別の必要ありと云ふ吾人と同見解の者は、以上の法規にて足れりとなす者より多いであらう。が等しく鑑別必要ありといふ見解にも種々あるのだ。

會社有爲性が將來の影響に拘はる所多く、卽ち續けてゆく經營のやり方――巧拙といふやうな事もあらうが、最も響くのは銷却であらう――如何により、殊に將來の經濟界の如何による事業の有望性の狂ひのために相違するのは事實である。此事は既設會社の成績の消長よりも明に知られる。斯くて此事實より、想像する者は、事態の變ばる以上、會社設立の當初に營む事業の有望性と會社構成の堅實性を要件とする意義、根據は少いといふ風にも導き出さんとする。 だが、之を會社ボディーのみに就て云ふも、虚弱なる赤兒が將來生存を續けても有爲なる人物となること極めて六ヶしいやうに、會社も將來に於ける有爲性の變移の如き其堅實なるものに就てのみ云々せらるべき事にして、(既述人爲的に作らるゝ餘地の大なることゝ俟ちて)設立當初に有爲性の要《モト》められることを毫も喪はしめないのだ。 右は上記事實の、鑑別の時期の方向への關係に一寸觸れだに止まるが、今それよりも鑑別の問題、方法への關係或は應用としては、第一それによつて玉石或は善玉惡玉會社の鑑別をはつきりとは立て難くなるといふことが訴へられんとする。 即ちそこに鑑別を飽く迄要《モト》めんとすることは、發起人らに相當程度の企業收益を保證せしむるも同然となり、やがては何人も尻込みして株式會社を起す者は少くなるに至るであらうといふ事が所謂二の句として出る所である。 之等の見解は、結局、會社設立の際の取締法規を出來得る限り嚴重化すべきではあると共に、發起人或は延いて證券業者がそれに服從せる限りは、彼等の株式募集の大衆に應ぜられ、會社の成立するを歡迎せなければならぬものといふに歸するわけだ。 確に、起される株式會社企業の有爲性を一々判斷することは將來に於ける變化を考慮すれば一層六ヶしくなり、又それを判斷すれば判斷者が責を負ふべきこと丶もなり、それは極端な統制主義の行はれざる限り國家のなすべき業ではなからう。されど自ら判斷の可能は兎も角、起される會社に有爲善玉と不有爲惡玉のあることが事實として認むべきに於て、法規の定むる所に從うてゐる限り會社の有爲性に就き發起人、證券業者等の責を問ふは其筋に非ずとしても國家としてその惡玉の創立せられるを欲せずとし、夫の成る可く成立せられざるやうの努力をなすことは寧ろ當然と云はれるのだ。創立を排斥するに至らずとも、一層その場合の多いのは、計畫會社の有爲性を赤裸々となし、計畫者の樂觀的な方向に作られざること、換言せば内容誇大とならざるやう――誇大の度を越えたるものは虚僞であり、之は勿論前記會社創立に關する法律で禁じられんとせる所であるが、そこ迄に到らずとも眞實なる内容を越えて誇張さる丶ことが多いのだ――の努力であるが、是亦國家として當然なるは申す迄もない。後者は惡玉會社に就てのみならず。假令善玉會社に就ても成立つ所であるのだ。

要之、假令――發起人直接より――證券業者の介在する場合にても、大衆的目的を以て設立せられる會社には善玉に限らず惡玉があり、之等に對しては法律は及ばずとも經濟的な抑制態度を失ふべきに非ずと、是れ以上述べ來つた所の結言であると共に、次の考論に關する根本的な前提となれる所とする。

發起人、證券業者の取引所要求とそれを滿足さすべきか

學者は同時設立(Simultangründung)漸次設立(Sukzessivgründung)と呼んでゐるが、株式會社の設立手續と成立時期の關係に二つの場合がある。同時設立とは發起人らが會社計畫を立て全株式の引受をなしたる時に、假令後ほど其株式を廣く大衆へ分散さす――若し彼等のみで所持するものとせば夫は眞の株式會社と云へるか疑問となり、特に漸次設立と對照さす意義も無くなるわけだ――としても、直ちに會社が成立せりとなすものであり、漸次設立とは發起人が會社の計畫を立て廣く株式の募集をなして後、その爲の總會を經て成立せりとなすものである。斯の二種は成立時期の側に何等かさういふ必要があつて出來たといふよりも、主としては株式の引受をなす者、就中募集引受證券業者の存在如何に應ずるものであり、つまり引受證券業者の在らざるに於ては順次設立とならざるを得ないに對し、

その發達せる所には同時設立の方が事簡單に運ぶのである。併し茲に指摘して置き度いのは、引受者の在る場合に常に同時設立がとられるとは限らず、順次設立も可能なることにして、換言せば順次設立の場合には背後に引受者の存する場合もあるのだ。

成立時期は何れにても、眞の株式會社にありては、其株式を廣く民衆に分散し所有さゝなければならぬとして、其賣出に賣行の好い場合と惡い場合とがある。この二つの場合は必ず存在する現實の事象であるが、今發起人、證券業者が會社設立に關し取引所要求を有つ問題の考察には、斯の二つの場合に分ち入るが理論的なるのみならず、甚だ便宜となるのだ。

先づ賣行の惡い場合より入ることにするが、此場合順次設立によれば會社は成立せないことになる。で、會社流産に終れば、設立に取引所要求が起るといふことは毫も考へられざるに到りはせぬかといふ疑問も起る。勿論この疑問は論理的には至當である。併し乍ら又その懸念の當らざる場合もあるのだ。今、株式が所謂滿額にならずとも會社を成立さすことが許され、設立者がその集まつただけの資本額にて會社事業を遂行する計畫を立つるものならば、會社の設立は妨げられざるに至るわけだが、斯る制度を豫想せずとも、滿額に達せずして會社の成立を見ることもあるものにて、それは初めに指摘して置いた順次設立にも引受者が背後にある場合ありといふことに想到すれば、自ら理解せられる所と思ふ。其場合には彼等が賣殘りの部分の株式は自ら引受けるのであり、唯一應一般に募集し可及的に分散さすといふ考で順次設立によれるものである。實際には、愈〻賣殘つたと表面的になれるものを引受けるといふのは會社の不人氣を證明することにもなるが故、通常彼等がほんたうに引受けんとする以上の數量を最初に引受け、賣行應募の狀況に應じてそれを廻はすといふ手續をとらんとする。斯くて賣行不振も會社成立を妨げざる內面的のものと化するに至るのだ。勿論、內面的となつても、今度は賣行不振といふ事實が無くなつてしまふものと見てはならないのであつて、彼等の眞に引受けんとする數量以上に引受けざるに至つた部分、所謂背負込みの部分に就て嚴然と存し、卽時成立の賣行不振の場合と共に、彼等にそれだけ資本危險と過重負擔に資金難を感ぜしめざるを得なくなるのだ。卽ち彼等としては之等の苦痛を免れんことを欲するわけであるが、此欲求が取引所の存在といふことに結付かんとするのだ。卽ち株式の廣く一般への分布を(初めより)取引所市場を通じて爲すか(Einführung)、或は一應取引所外に於て公募をなし(Subskriptionsverfahren)直ちにその株式の淸算市場を設けることを求めるのだ。註

註　この兩種の取引所利用法は多少相違せる趣もあるが、今吾人の觀點よりすれば經濟實效上區別するほどのこともない。

然らばそれは取引所の如何なる點に結付くか、換言せば取引所によつて如何に欲求が滿たされるのかと言へば、新設會社は概して投機的であり、投機需給、就中資力なき需給がよく集まるが故、そこに持續的市場が形成せられるといふことを根本とする。持續的市場の存在によつて、當該物件の所有者は何時にても其處に賣却、資金化し得る途を有つわけであるが、然もその一時に多量な實彈的賣却は相場を所有者の意思に反して下降せしめざるを得ないのであつて、今、發起人或は證券業者の背負込み株式に就ては、彼等はそれが少くとも額面價格――通常はそれ以上――にて賣却されんことを欲せるのであり――若し彼等が値段はいくらでも構はぬ賣却出來ればよいとなすならば、賣殘り背負込みの事そのものも既に稀となる筈だ。而して時として賣殘つた場合の損は覺悟といふ態度で或程度の損失を忍ばんとする擧に出でることもあるが、通常はそのやうな亂暴な擧に出でない

ものである――從て上の如き淸算市場にての資金化にはさう多くは期待出來ず、又期待せないのである。持續的市場が出來れば流通、賣却の可能に就き保證が與へられるといふ點こそ寧ろ彼等の利用せんとする所といふべく、詳しく云へばそれによつて銀行より當該株式を擔保として金融をうけ、發起人ならば立替的資金を回收し、證券業者は次の引受活動に働かす資金を手にし得るのである。尤も斯の機構では資金の回收のみで、背負込株式に相當する資本の事業危險を負はねばならないが、證券業者としてはそれは寧ろ彼の營業が企業たるの性質とも云ふべきであると共に、發起人としてはそこに證券業者を介在せしむる意義を見出すものに外ならない次第だ。この點は兎も角、やがて會社の事業が活動の緖につき大體見透もつかば、新設企業者なりしがゆゑ引こみつゝありし投資家、資力ある投機家等の資金も、夫々の採算、思惑の下に當該株式に向つて出動せんとし、發起人或は證券業者は銀行擔保を外し、取引所を通じ或は通さずして大衆に賣却することゝなるのである。

以上新設會社株式の賣行惡しき場合に、發起人、證券業者は取引所の存在を求め、其要求には相當の强さと根據のあることが看取され、從て此點よりも株式會社の新設に取引所はなければならぬものとも云はれるのだ。だが、併し、それによる取引所存在は、他の、賣買、擔保の爲に確實な相場を得んとする、或は證券としての疏通性を完成さすため持續的市場を求むる等の要求の、取引所を存在せしむるのが何れの經濟社會を問はず常に然るのと異り、或る事情の下に於てのみ可能なのだ。つまり一般的必然的のものではないのだ。

然らば何故に必然的でないのか。これより共説明であるが、その本筋に入るに先ち一應斷らねばならぬ事實がある。それは上來述べた所より知らるゝでもあらうが、前記取引所の存在要求は銀行、金融業者の存在と共に始めて滿たされるといふこと、換言すれば敢て株式、特に新會社株式金融に乘出す銀行、金融機關の在る所には取引所の存在は實現となれど、然らざる所には實現の由もないと考へられることである。つまり是を以ても前記取引所の存在は一般的必然的でないといふ説明ともなし得るがやうであるのだ。だが、私はさういふ事由を玆にとらうとする者ではない。蓋し銀行、金融機關の株式金融に努めざる所には發起人、證券業者は要求を有つも駄目なるが故、要求を起さない、否そのやうな所には自己の立場が危險でもあるにより彼等引受者は殆ど存在せないからである。先に日本に於て證券業者の募集引受をなす者の少い狀態を記したが、その內面的有機的事由は實は此處にある次第だ。今は其方向に想を走らせることは措くが、上の如き考により前記取引所存在の一般性必然性を否定するは、(註)謂はゞ前提を忘れたものとなり、つまり玆には株式金融を敢てなす銀行、金融業者が存在せる狀態の下に於て、然も發起人、證券業者の取引所存在要求が如何なる場合にも其儘に滿たされるものでないといふ事情の存する問題でなければならないのだ。

註　尙ほドイツの如く證券業者イクオール銀行である場合には、背負込み株式に就き他に金融を仰ぐ必要少きを以て、亦違つた意味で取引所存在の一般性必然性が弱められるやうにもなるが、此の考を持つてくるのも同樣である。

が、吾人にとつて其事情の根本は既に明なりとも云ふべく、前段の終りの處に述べた部分こそ夫に當るのだ。卽ち若し計畫會社が凡て善玉であるならば、上に述べたるが如くにして發起人、證券業者の要求は取引所の存在の具現に向つて坦々と進むであらう。されど計畫會社の中には惡玉があるものにて、素より既述の如く或會社が善玉惡玉の何れなるかの選別は六ケしい仕事であり一寸やれないとしても、惡玉會社のある事だけは疑ふべからず免るべからざる事實にして、夫等を淘汰するの構へが必要となるのだ。　茲に淘汰の努力と云つても、之も既述の如く、惡玉だと直接鑑別する事が妥當とせられてゐない以上、進んで權力的に計畫を取潰すことは出來ないのであつて、そのやうなものの出來上る、特に助長する機構を謂はゞ經濟、自然的に奪ふ外はないのであるが、此種の機構を奪ふものとしてその發起人、證券業者らの要求を滿たす取引所の存在を否むに至るのだ。　蓋し取引所の存在は彼等の會社計畫を安易にすることと先に一應計畫會社が善玉として述べ來つたが如くであるから。尤も惡玉の場合にありては、銀行と雖も無差別的に計畫會社株式の金融をなすのではなく相當に調査をなすものなるが故、貸出を濫る可能が多く、前者の如くに事を圓滑に運ばさないといふ事も考へられるが、然も一面取引所によつて會社計畫の助けられる段になれば善玉より惡玉は其お蔭を蒙ることと一層大なりと云はれる。　而して斯の如き取引所存在要求を滿たさざらんとする要求は、其存在要求の如く具體的にそれを有つといふ者はなく、謂はゞ社會の意思として國家當局が其代辯者となるわけだ。　その點は兎も角、既に惡玉會社に關し取引所存在要求は滿たすべからざるものとせば、其影響は當然に善玉會社の取引所存在要求までも所謂件づれとするの已むを得ざるに至るのだ。　蓋し繰返す迄もなく、計畫會社の惡玉善玉は區別されず、取引所存在要求の否定は自ら一律平等とならざるを得ないからである。

右に述べた結論に對し、一歩洞察をなす人は善玉會社、惡玉會社の割合、經濟界に於ける企業を發展さすべき要求度とそれに應ずべき企業資金、放資資金の割合が社會によりて異ることを問題とするであらうと思ふ。當に然るべきことゝ云ふべく、先づ第一の點に就ては、善玉會社が惡玉會社より優勢なる所、換言すれば發起人、證券業者の夫々正當に働ける所には、然らざる所のやうなわけにゆかず、取引所存在要求を滿たす方が社會上利益となり、その方向に進まざるを得ない。第二の點に就て云へば、凡て事業に投ぜんとする資本は、確實一點張りの放資資金と多少の或は相當の危險をも覺悟する企業投機資金とに分れんとし、前者は新設會社株式の如きには成る可く寄り付かざるものにて、夫等兩種の割合は景況によりて變化するものでもあるが、基調的に放資資金の企業投機資金に對し優勢なる所にありては、殊に企業の發展が希望せられてゐるが如き社會にありては、兎に角發起人、證券業者に便益を與へて會社の設立を進むべく、彼等の取引所要求をも實現せしむべきものとなるのだ。私も之等の事情により取引所が存在せしめられる場合のあることを認むる者にて、そのやうな事情を考慮すればこそ、その取引所の存在を全部的に否定せず、一般性を有だぬと反面より云へば實現となる場合のある餘地を含む言葉を用ひた次第である。併し乍らそれは右の事情で存在せしめられる場合が相當にもあると解すべきではなく、ネガティヴパーセンテージの多い一般性否定たることを知らねばならないのだ。之を先づ右の第一の事情に對して說けば、本來取引所要求を抑へることは、惡玉會社排斥の功の一方に善玉會社助成を妨げる罪を齎すものにて、假りに善玉、惡玉同數とした場合既に其敢行が疑問にもなるわけであるが、然も注意すべきは先にも一言した惡玉會社の方が取引所存在によつて助けられる度が強いといふ事にして、それは裏から云へば取引所なき場合、善玉會社の妨げられる程度より惡玉會社の方が甚しく、善玉會社の成立を助けざる損失は惡玉會社の濫立を抑へる效果により充分忍ばれる事に外ならず、玆に善玉惡玉會社成立抑制の功罪均衡點は餘程善玉が惡玉より超過せる所に至つて見出されるものとなるのだ。次に第二の事情に關して說けば、何れの社會にありても、企業投機資金は代謝現象、卽ち一つの新企業に向へるものが其確實化と共に引上げて他に向ふが如きを中心として、常に相當量存するものにて、その不足に感ぜられるといふ場合にも一應會社計畫數の事をも酌むべく――世には會社が出來れば出來る程よいやうに考へる者もあるが、決して然らず、社會の必要といふ程度を離れては意義ないものだ――それが徒らに多からざるに事缺かすといふやうな場合はさう多くはないのである。例へば發起人、證券業者の取引所存在要求が最も滿たされてゐるアメリカに就て見るも、其處には企業投機資金が決して豐富でないのではなく、資本主義國として彼等發起人、證券業者らが無暗に會社を設立さすが爲、不足にも感ぜしむることあるに止まると評せられるのだ。

以上は發行株式の大衆への分散賣行の惡い場合に就て考察したのである。これより賣行の良い場合の考察に進まう。先にも觸れたことがある如く、新設會社株式の賣行の惡い良いといふ事には價格といふことが關係してをるのであり、前の賣行が惡いといふ場合も其價格にして下ぐれば必ずしも消化出來ないこともなく、唯法律上禁止されたるがため、又發起人、證券業者らの苦痛のため、額面價格以下なるを避けんとするものにて、つまり賣行が惡いといふのは價格を額面としての話であるのだ。反對に今賣行が良いといふ場合も勿論同樣で少くとも額面であることを前提とすると共に、賣行の良い程度に應じ價格は益々額面以上となり、然も其價格の上がると共に需要は減ずるものだ。一體大衆としては成る可く安く、卽ち出來得れば額面價格にて買入れらるればと願ふものであり、たゞ他に應募者の多きために已むを得ず高き價格を出さんとするのだ。そこには當該株式の相場といふものが得らるれば需要者として夫を取得すべき公平な値段とはなるが、それは——最も本來的に希望するものではなく——上の如き意味に於てゞある。處で發起人、證券業者としては時に營利に走らず、株式の賣出しを、好況にも拘らず、額面を以てするやうな場合——應募の超過は例へば抽籤を以て處理する——もなきにしも非ずであるが、多くは、既に詳述したるが如く、恰も生産者が商品を販賣すると似たる態度をとり、賣行の好況は謂はゞ彼等の計畫が當つたものにて、それら全部が賣切れる一番高い値段にて賣却せんと希望することになる。然も此希望より見て前記の相場は又丁度それを滿たせるものともなり、唯他にも滿たさるゝ方法——例へば最高申入價格のものよりとるといふが如し——が無きに非ざるに於て、そのまゝでは凡て彼等の主動的な要求とまでは云へないかも知れぬが、それは其種相場の見當を立てる機構としての取引所清算市場を要求するに至るのだ。蓋し應募者が當該市場に集まり、各〻賣出總株數と會社の有爲性を考へての評價の綜合する所、大體上の機構となるからである。

右の機構要求は所謂同時設立と關聯し、順次設立の場合には關係がないと見るが當り前である。何故ならば同時設立に於ては賣出株式は發起人或は證券業者の謂はゞ所有となつてゐるに對し、順次設立では會社のものとなつてゐるからである。新設會社株式の額面以上賣出が奬勵せられても――斯かる事は經濟政策上興味ある研究問題だが――發起人證券業者は寧ろ平價で抽籤でもして賣捌き人々を喜ばす方に傾き、餘りそのやうな事に努めはしないだらうと思はれる。然らば順次設立にありては取引所要求を起さないであらうか。之に關し知るべきは、かの賣行惡しき時順次設立にては會社成立、延いて取引所存在要求はないものでないかといふ考論の所に述べた、彼等は實際に引受を欲する以上に株式を一應引受けてゐるといふ點であり、それは既に申す迄もなく、一般に公募したる後、生ずべき額面以上價格、所謂プレミャムを稼がんと意圖せるものなるに於て、賣出し前景氣の良好なるを看取するや一層多量とせられる――彼等が多く保留するほど一層量關係で高値が生まれる――のだ。而してその實現、賣却に成るべく有利、卽ち高値に、且つ一般世間に自己の名前の知れざるやうの機構が慾望せられ、之が又それに適ふ取引所清算市場の存在に向ふのである。

既に知らるゝであらう如く、以上何れの方向よりするものにても、それらの取引所要求が實現となるには、それに對する反作用のなきを要する。先に述べし如く、其反作用は國家當局の意思の發露にて、事態を社會的見地より判斷せる結果に外ならぬ。而して右の判斷の基準は又前段の終りに述べし所にあるべきであり、從て以下はその展開に過ぎない。今賣行良好なる場合と雖も、計畫會社中に惡玉、善玉のあることは依然變りはなく、夫等惡玉會社を排斥し起らざるやうの努力をなす事は常に望まるゝ所であるが、賣行惡しき場合の如く、それが芽生えを抑へるといふのは六ヶしいのであり、換言すれば惡玉會社の事は直ちに(一次的の)事由とはならないのだ。此場合先づ判斷に上さるべきは、新設會社株式を不當に高く賣付けて發起人、證券業者が利得するのは好ましくないといふことそれである。此事は善玉會社に就ても云はれるのであつて、會社株式は、通常の商品と異り、(假令營利會社であらうとも)公衆的な存在に關するものとしてそれを不當に高く賣付けるといふことは斷じて社會上許されないのだ。斯く善玉會社に就ても云はれるとして、其非難が惡玉會社、卽ち不有望な、內實具はらざる株式に一層云はれることは當然である。卽ち惡玉會社といふ事情は、玆には二次的に働き、況んや惡玉會社に於てをやとなるわけだ。

或は斯ういふ質問が起るかも知れない、發起人或は證券業者が株式賣出しによつて利益を得るを制限すれば、會社計畫が殆ど起らざるに至るであらうと。併し吾人は彼等の利得も亦營利會社の機構に則れるものたるを認め、夫を一概に制限すべしと云ふのではなく、唯その不當に收めんとするを排せんとするのだ。更にその利得が不當なりといふ事も、實質的には計畫會社の有爲性に應ぜる價格以上となれば稱すべきだと思ふが、(企業熱が昂まり應募者が勝手にそのやうな價格に持つてゆくといふ場合も少からず)唯發起人、證券業者がことさらにさういふ價格を出現せしめんと作爲する事態のみを指さゝんとするものだ。斯の如きによる利得が不當と見做されることは何人も異論がないと思ふ。而して其種の作爲としては誇大廣告、宣傳等の手段もとらるれ、最も現實的な(有效な)手段として役立つのが淸算市場であるのだ。本來淸算市場の特色は資力なき投機需給、從て賣投機の自由に行はれ、廣大なる市場たる妙の發揮せられる所にあるものだが、今新設會社株式の賣出し過程に於ては、そのやうなノルマルな機構の奪はれた、病的なものとしか成立しないのだ。蓋し當該株式の世界がこれから作られんとする最中にて、實供給が限定せられてゐるだけ、賣投機の迂潤なる出動は危險にて、自由なる活動は制約されんとするからだ。即ち發起人、證券業者らが此地合に乘じ、一應買方となりての策動が、其値を吊上げるによく利くことは、最早說明を要しない所であらう。

終りに、上來の賣行良き場合の發起人、證券業者の取引所要求に對し、それを滿たさゞらんとする力の働くに就ては、賣行惡しき場合の如く考慮に上さるべき事情は別に存しない。右に述べたやうに、取引所存在を滿たさないからとて發起人等の旨味が全く無くなるといふものではなく、會社計畫の續々起るのが妨げられる虞は殆どないのであつて、謂はゞ彼等の往過ぎた營利的振舞を抑へる效果のみを齎すものである。唯取引所要求を抑へても(賣行惡しき場合の如く)惡玉會社の成立を防ぐといふやうな所までは到底及び得ないが故、效力はそれほどでないと云へば云へないこともなからう。要するに、この賣行良き場合の事態は常に取引所不存在に傾くのであり、前の賣行惡しき場合の取引所存在の一般性否定に加重するわけであるが、唯前記その效力の弱きため、先に賣行惡しき場合に述べた取引所不存在の例外的事情の働く所には、その反對力となりて加はり抑へるに足らない――從て取引所は存在する――と云はれるのだ。

結び

株式取引所は新な株式會社の設立行爲の爲に存生するものといふ點に就ては事單純ではない。凡そ吾々が或る結論に至るに、肯定或は否定の事情のみの見らるゝ場合と、肯定及び否定の事情が並存する場合とあり、學問的研究の立場からは後者はやり甲斐が多いと云はるゝが、今右の問題に就ても、吾人は計畫會社の有爲性と不有爲性、賣行惡しきと好き等の因子を通じて、なすべき過程の比較考量は盡したと思ふ。而して何れの國民經濟に於ても、或る場合――有爲な會社で賣行惡しき時の如し――には取引所はあつて然るべき、卽ち存在せしむる事態にもあるが、その場合の爲だけを考へ、或は換言してその場合だけを差別的に取扱ふことは出來ないのであり、不有爲な會社のあること、賣行良き場合の事態を通じ一律に取扱はねばならず、然るに於て後者らに於ける否定的事情は前者の肯定的事情を壓倒し、取引所は存在せざるものとなり、唯肯定的事情の强き國民經濟に於てのみ存在の實現となることあるに止まる。即ち株式取引所を存生さす力としての新會社設立といふ事は一般的必然性を有たぬといふ結論に到らざるを得ぬ次第である。現實に於てアメリカ、ドイツ等の狀態を見れば必然性が一般的であり、日本の如く關係を有たぬ方が例外のやうにも考へられるが、眞實は逆である。アメリカ、ドイツの例は、吾人の云ふ特別な國情にあるわけでなく、寧ろさういふ純理に從はざる所に基けるものと見るの外なく、從て其關係を離すやうにしても其處には別に支障などは起らぬと信ずる。勿論我國としては、現在のやうに關係をつけぬ方がよいのである。關係を無理につくれば――銀行が援助するやうになることも必要なること既述の如し――不有爲な會社が現はれたり、設立に際する弊害が一層甚しくなる。但し例へばドイツ等で兩者の關係をやめるべく新設會社株式の取引所上場を禁じても、それによつて不有爲な會社の現はれ、設立に不當利得の行はるゝを淘汰、抑制する、逆に云へば有爲なる會社のみ社會が必要とするほどに現はれるといふ理想狀態に大いに進むものと考へるのは過ぎてをり、又それらの國の現狀が現に關係なき我國の狀態に比べ弊害がより多く行はれてゐると考へるのも速斷である。蓋し既に知れる如く取引所の影響は、自らの存在によつて助長せられる弊害を控へしむるといふ消極的な範圍に止まるからだ。然も亦會社設立に弊害の行はるゝ狀態、程度は本來當該國民經濟に於ける經濟發展、投資者、發起人、證券業者の自覺の進步等の取引所以外の事にかゝれるものであるからだ。註

註　F. Flersheim, Die Bedeutung der Börse für die Emission von Wertpapieren, 1914. S. 50—126.

向井鹿松氏著「證券市場組織」總論昭和二年

此の向井敎授の著書は、フレルシャイムのドイツに於ける株式會社の新設、從て株式の發行と取引所の關係を問題とせるが如きものでなく、廣く證券市場組織一般を述べられてゐる詳細な研究である。但し氏にしても、將たフレルシャイムにしても、其內容結論の方向は、現狀說明的と云ふか、是認的と云ふか、吾人の所論と同じくない。即ち吾人が之等の書物を擧げたのは、所謂參考書と云ふよりも、此點を比較、玩味して欲しいが爲である。

二　新設會社株式の取引所上場時期

當該株式界と取引所の存在の先後關係

吾人は本稿はしがきに於て、最近我國統制經濟の進行につれ新設會社株式の取引所上場を自由ならしめよとの聲があり、其内容の中、會社設立經過後の年限を早からしめよとの點に就ては、先づ會社設立と取引所要求の關係に遡るべきことを述べた。しかし後者の解決より導き得る取引所問題としてより一般的なものは當該物件界と取引所存在の時間的前後關係といふ事にして、株式に就ては此問題の最も重要な内容をなすものが上場時期の事になるのだとも云はるゝ。で、その一般的なるにより、且つ吾人としては實はそれに關する應用的な一つの問題を有つてゐるがゆゑ、上場時期の事に入るに先ち、少しく其種問題に就て述べて置き度いと思ふ。

株式界と取引所と時間的に見て何れが先に存在すべきものであらうか。こんな事は、一寸考ふれば、判り切つてゐるとも云はれやうが、さう簡單なものではない。歴史的に見れば、吾々の資本主義社會に取引所なるものが初めて現はれたのは、當該物件界の相當に發展段階に達せるものが存在するに至つてからである。だが、吾々人間社會の特質として、何等かの必要が起りそれの滿たさるべき機關を作りたりとして、其機關をそのまゝのものとせず、必ずや彼の機能を更《アラタ》め認識し、他の、何等かの要求にも應ずる能力あるを知らば、それの爲にも存在するものたらしめんとするのであり、取引所に關しても同樣である。今、株式取引所は株式界の一定の必要によつて生まれたるものとして――勿論取引所を基として見れば彼はそれらの必要を滿たすべく、彼がそれを滿たすによつて株式界はよく存立するわけであるが、さういふ方向の逆としてゞはなく――取引所が株式會社の設立(從て株式界)に必須なるものならば、茲に吾々の社會は又その爲に取引所を存在せしめんとし、卽ち取引所は株式界に先ちて存在せなければならないものとなるのだ。此問題を解決する、株式會社の設立と取引所の關係を前節に論じたる吾人としては、今は、その一般的には然らずといふ結論は既に明であるが、知らるゝ如く其關係の學問的な檢討は中々に六ヶしく、決して單純ではないのだ。

凡そ或問題の結論に至る過程とその實際化、具體化の單純、複雜といふ事とは別であり、今假りに株式界に先ち取引所が存在せなければならぬ場合があつたとしても、株式取引所は各、株式の綜合取引所、としてその既設のものがある以上、當該株式を其處に所謂上場すればよく、理窟は兎も角、實際化は簡單だとも見られるのだ。一般的には確にさうであるが、例外的な場合もないではない。從來大規模會社企業の存せずそれら證券界のなかりし地方に俄然その勃興せんとする場合の如し。私の現在奉職せる臺北に於て先年來株式取引所設置運動があり、其事由の一として最近に於ける臺灣の工業化が擧げられてをり、恰も右の場合を作《ナ》してゐるやうだ。斯の如き場合に取引所が必要なりとせられたるに於ては、新に取引所を設くべく、然も證券界が未だなきを以て、他の中樞取引所の銘柄――所謂花形株――を移し、之等は全く投機的な取引所ながら暫く我慢しつゝ一先づ成立せしめ、やがて新興事業株を以て代らしむるといふ過程をとるもよいことゝなる。但し繰返す迄もなく、此過程は取引所は株式界に先立つべきものといふ機構の是認せられる社會であることを前提として起るものであり、臺灣の問題としては、企業資金全體がそれほど多からず大會社の生成には(起業者の所在の關係も手傳ひて)寧ろ内地資本が應ずるといふ有様にて株式界の主範圍は從來の如く內地に在らんとするが、假りに其地に之等が調達されるとしても、發起人らの豫想顔觸れより考へて餘り有爲なる會社を期待し得ない點、地許資金に投機的分子のものは却て多い點より見て、上の前提が成立たず取引所設置論は肯定の餘地ないのである。臺北に株式取引所設置を運動する者其事由に種々なるものを列ね、(註)その一として臺灣が工業的躍進の態勢に到れることを擧げてゐるが、何故に工業化と株式取引所と關係あるかどうも自覺してゐないやうに思はれるので、實はこの機會を捉へ敢て自問自答的に敎明した次第である。

註　吾人に首肯せしむるものなし。尙ほ吾人の、現在の臺灣の株式界を對象としての株式取引所設置論の價値批判は左に略言して置いた。
拙稿「臺灣と取引所設置問題」臺灣時報昭和十一年七月號、同八月號

新設會社株式の取引所上場時期

株式取引所が株式會社の設立と關係を有つものとせられる所には、設立と同時に――少數者の間に組織された會社が後年に至り所謂株式の公開をなすといふ

場合にも、公開と共に眞の株式會社となれるものと云ひ得るから、その決定の時を以て設立と同時と見てよい――或は取引所に依らずして公募したる時は公募後直ぐとせられるがゆゑ之も設立と同時と云つてよい位間もなく、上場せられることゝなるは申す迄もない。換言すれば新設會社株式の取引所上場時期なる問題は、上記關係を有たすべきに非ずとせられる時に存する事であるのだ。斯かる所にありては新會社株式は、取引所賣出を避けることゝせられ、一應取引所外に公募することにされるのであるが、其後、其株式を取引所に上場せずに何時迄も置いておくといふわけにゆかず、否なその上場の希望によつて常に急《せ》かされつゝあるものと見るべきである。然もそれに對し、會社の設立行程(Gründungsprozeß)――勿論法制上の意味に非ず、吾々の經濟的意味に於けるもの――は尙ほ或る期間繼續し、此期間をあけなければならぬとせられるのだ。然らば斯の設立行程繼續期間によつて上場時期の問題は決定せられるものなりやと云はゞ、單純にそれのみを振廻はし得ない事情も見出されるのであつて、玆に學問的には、夫等の事情をも考量しての最後の結論に到るの順によらねばならなくなるのだ。

吾人は先に新設株式賣出を賣行惡しきと良きとに分ちたるが、惡しき時の背負込み株式は宛も溶けざる礁の如き恰好にて、この場合取引所と結ばさゞる主目的は惡玉會社の成立を出來得る限り少からしめんとするにあり、再言せば取引所存在による便宜を奪ひて發起人らをして會社を早々に解散さす、就中惡玉會社の設立計畫を未然に牽制せんとするにある。處が惡玉會社の中には發起人らの頑張りにて依然存續せんとし、殊に彼等の中には自負のため自己の不有爲を覺らざるものもなきに非ず、之等は前者の場合より一歩下つて惡玉會社に對抗する最後の場合となるが、それに對しとるべき方策としては結局それら會社株式がそれ以上大衆に分散されざるやうになすの外がない。然らば斯の要望の爲に如何になすべきやと云ふに、今取引所としては當該會社の善惡が事實にはつきりされる時まで上場の機會を奪ふにある。會社が善玉か判らないやうなものに手出をし、それに對する投資態度を誤るが如き者に至つては、どうも仕方のない人達だが、取引所の最早關する所でないわけだ。それよりも上の一方には何等かの爲に賣行惡しかりし善玉會社の助成を、惡玉會社の抑制道連れより解放し、進めてやらねばならぬといふ事情が控へてゐる。要するに、善惡の判る時まで上場を禁ぜねば取引所を會社設立より離す意味は失はれると共に、そこまでの禁止に止むべきであるのだ。吾人は會社設立との關聯に於て設立行程中と呼んでゐるが、更に然らばその善惡が事實上はつきりするのは何時なりやと云へば、會社の營業が開始の準備時代を經、將來の景況變化を別にし、收益を豫想し得る地盤が大體上定まつたといふ頃である。

賣行良き時には前記所謂磈のないのとあるのとがある。此磈は賣れずに出來たのでなく賣らずに出來たものとも云はれるが、この場合の、取引所と結ばさゞる主目的は不當に高價に大衆に賣付けざらしめんとする所にあり、斯の目的は賣行惡しき時にも立て得ないのではないが、今賣行良き時には一層强まれるのだ。尙ほこの場合には惡玉會社淘汰にまでは力及ばない代りに、上の目的が善玉會社に就ても立てる必要の起ることは再言する迄もなからう。然らばその實價以上に高く賣付ける危險あるの故に取引所との結びを離すのは何時まで必要なりやと云ふに、之も前者と同じく設立行爲の終つた時、卽ち業態の大體見透さるゝに到れる時である。蓋し發起人らが如何に取引所に於て策動せんとするも、通常の投資知識を具ふる者である限り、業態に全く盲目的に出動しはしないからである。處でこの賣行良き時には所謂磈のない事例も少からずして、玆に先づ之等は如何の加慮を行はねばならなくなるのだ。

一體、賣出株式が碗もなく綺麗に大衆に分散されたといふ時には、取引所との結びをやめても、惡玉會社も相當に存續することゝなるの外なく、又不當に高價に賣付けるを避けしむる必要もなくなる事理であつて、實質的に云へば設立後間もなく上場さして不都合はないわけである。尤もそこには碗の有無——發起人らが相當株數を眞實自己の持分とする場合など——又は碗の限界のはつきりしないといふやうな事が問題にならうが、之等は便宜上の事故實際に探れば何れとも決せられる筈である。尙ほ序でに玆に挾んで述ぶれば、かの公開株と稱せられる、個人或は會社組織にて多年經營を續け來れる企業を眞の株式會社として大衆に賣出す場合も、その善惡の別、程度は當初より判れるが故、賣出しと間もなく上場してよい事情は前者より一層具備せりと云はねばならぬ。私としても實質論に傾き以上のやうな場合には間もなく上場してよいとなす者であるが、又之等の場合だけを區別して取扱ふのはどうかといふ技術論の强く支持せられ、前の二者の通り會社業態判明時期に包含さしてしまふのを一概に不當呼ばりするのも差控へ度い氣持である。

我が東京株式取引所では新規上場は確か設立後二年以上經過し、且つ現に相當の利益を擧げつゝある會社株式たることを條件としてゐるといふやうに聞いたことがある。その現に相當の利益を擧げてゐる――恐らく相當の利益配當をなしてゐる――といふことは、そのやうな會社株式でないと商内がはずまないと見たるものとも考へられるが、然りとせば之は老婆心的な條件と云ふべきだ。蓋し取引所に上場せられる株式は凡て市價變動の激しきものといふ一般の條件が別に控へてゐるからだ。それよりも恐らくは利益配當によつて優良會社たることが保證せられるといふ風に見たるものと考へられ、又此考は今吾人の檢討に副ふやうであるが、それとしても私は餘り意義のない條件だと思ふ(註)。蓋し取引所が所謂インチキ會社株式の上場を排斥するといふことは、そんなものに貴重な市場を割くのは勿體ないといふ意味で極めて大切であるが、市場關係者自ら積極的に投資物件を鑑定すべきではなく、鑑定は上場後の廣き鋭き市場評價作用に任かすべきであると信ずるからだ。次に設立後二年以上といふ事は相當な營業基礎が出來てゐなければならぬといふ考に基くものと見られ、吾人の會社業態の判別可能に到達せる時期と云ふに當り、つまりそれを具體的に數字にて示したものに外ならぬ。然らばそれはそれにて宜しきか。是に就て想起さるゝはさういふ時期は事業の種類により、又經營のやり方如何によりて必ずしも一致しないことであるが、然も大體論としては私は尚ほ短きに過ぐる方だと思ふ。一般的には三年位以上となし、特別な場合に少し短縮するといふ事にすればと思ふが、若し右が二年經てば何れも當然と云ふのでなく、卽ちそれは比較的に早い事例を考へての期間にて、各ヶの場合には所謂營業良否の見透がつく頃といふ根本精神に從てゆくものならば、吾人と同じ所に歸するわけだ。東株も恐らくは同じ態度をとれるものでないかと推測する。

註　この事は世間一般に大變誤解がある。此機會に一言して置く次第である。

最後に附言すべきは、上來の如き新設株式の取引所上場は業態の見透がつき始めた頃を待つを原則とせらるべしとして、その事だけで直ちに上場が當然となるものではないことである。かの當該株式の分布が所定度以上に廣大であり――この爲の前提として會社資本が大でなければならぬ――相場變動も相當に大であるといふ、一般の取引所存在條件を有してゐなければならない。尤も此事は今まで謂はゞ判り切つたことであるかも知れないが、敢て述べ度いのは、動もすれば忘れられんとする傾向の見受けられるのと、今一つ前記新設株式の上場時期の一般的原則に例外的に働くやうにも思はれる場合があるからである。詳言すれば、發起人らの背負込み株式、所謂磈が大なりとしても、一方それ以外の大衆に分散された部分も既に大にして其部分に就ての上記取引所存在事由が強く、又根據あるに於ては、それを滿たす方が新設株式一般の、業態判別可能の時期まで上場を控へる利益より大となるに到らざるかである。宛も既述した所謂磈のない場合と事情を等しうするに至るが、之に對する答もそれに準じてなし得るであらうと思ふ。